NARRATIVA

324

Tom Cain

IL GIORNO DELL'INCIDENTE

Romanzo

TRADUZIONE DI
CARLA GAIBA

Titolo originale
The Accident Man

ISBN 978-88-429-1547-8

IL GIORNO DELL'INCIDENTE

PRELUDIO

L'aria notturna era appesantita dalla calura, mentre il mare increspato lambiva pigramente la spiaggia di ciottoli.

C'era una sentinella di guardia sul molo di legno, ma erano le dieci di una sera senza luna, quindi l'uomo armato di un AK-47 non vide Samuel Carver che nuotava nell'Adriatico a pelo d'acqua, né lo udì quando emerse in superficie, al di sotto del molo, e neppure ne avvertì la presenza sotto i propri piedi.

Lentamente, in silenzio, Carver avanzò verso la riva. Si tolse la maschera, le pinne e la muta, alla quale era assicurata la bombola. Fissò maschera e pinne al gancio sul lato del giubbotto, quindi fece scivolare di nuovo in acqua tutto l'equipaggiamento, in modo che andasse a posarsi sul fondale.

Due sacche impermeabili erano assicurate con alcune cinghie alle cosce; Carver ne aprì una ed estrasse un paio di calzari da sub in neoprene, che s'infilò ai piedi, quindi sigillò nuovamente la sacca. Prima di portarsi in fondo al molo, ai piedi della scaletta che permetteva di uscire dall'acqua, aspettò di sentire il rumore dell'elicottero in avvicinamento. Faceva affidamento sulla natura umana: quando il velivolo fosse passato, l'uomo di guardia avrebbe alzato lo sguardo; lo avrebbe fatto chiunque, specie se a bordo c'era il capo.

Non appena il clangore assordante dei rotori ebbe raggiunto l'apice, Carver aprì la seconda sacca assicurata alle cosce ed estrasse una pistola ad aria da veterinario. Aspettò che il bagliore delle luci dell'elicottero si trovasse proprio sopra di lui; quindi trasse un respiro profondo, afferrò la scaletta da un lato e si tirò su. Tenendosi piatto sull'assito del molo, vide che la sentinella aveva ancora lo sguardo fisso sul Bell 206 Jet-Ranger che si stava librando a quattrocento metri di distanza prima di atterrare sulla piattaforma privata della villa. La

schiena della sentinella era un bersaglio perfetto per la freccia
narcotizzante; poi Carver si precipitò in avanti e afferrò l'uomo, in modo che non si udisse il rumore del corpo che sbatte-
va sul pontile. Estrasse la freccia e la buttò in acqua; quindi cominciò a addentrarsi nella tenuta, preparandosi per l'incarico
che doveva portare a termine.

Samuel Carver faceva succedere terribili incidenti a persone
ancora più terribili. In quel momento, il suo obiettivo era
Skender Visar, un quarantatreenne di nazionalità albanese.
La denominazione ufficiale del genere di affari gestito da Visar era «traffico di esseri umani», ma Carver preferiva descri-
vere quel lavoro in termini più tradizionali: per quanto lo riguardava, l'albanese era un mercante di schiavi.

Visar trasportava via mare container carichi di esseri umani
provenienti dalla Cina, dall'Africa e dai Paesi ex comunisti
dell'Europa orientale. Li mandava a lavorare in campi e fabbriche come bassa manovalanza a contratto, a svolgere lavori
che gli occidentali consideravano ormai inferiori alla propria
dignità. Comprava donne da famiglie ridotte a una tale pover-
tà da essere disposte a vendere i congiunti; poi, a suon di bot-
te, le riduceva in uno stato di sottomissione, le rendeva dipen-
denti dalla droga e le faceva lavorare senza pietà nei bordelli
che possedeva in Europa e negli Stati Uniti. Poche erano le
schiave che duravano più di due o tre anni, ma quello a Visar
non interessava; in quel lasso di tempo, quelle donne erano
riuscite a ripagarlo cento volte delle spese sostenute per il loro
acquisto, per il trasporto e il loro mantenimento, e nel luogo
da cui provenivano se ne potevano trovare sempre di più, a
migliaia.

Lo schiavismo era un'attività in netta crescita, i cui profitti
stavano rapidamente raggiungendo quelli dei traffici illegali
di armi e di stupefacenti. In un certo senso, si trattava di un
modello d'affari di gran lunga più efficace: un fucile o un
grammo di cocaina si potevano vendere una volta sola, una
schiava la si poteva vendere dieci volte per notte. Ma il mirag-
gio dei guadagni facili accendeva la competizione. Visar vive-

va in un perenne stato di paranoia professionale, sempre in guardia verso ipotetici nemici e contro ogni minaccia, vera o immaginaria, che potesse minare la sua posizione.

L'albanese si stava concedendo una pausa di riposo sul suo yacht da sessanta metri, in una crociera lungo la costa dalmata insieme con la famiglia, quando gli era giunta all'orecchio la voce che uno dei suoi luogotenenti di vecchia data, Ergon Ali, aveva cercato di stringere un accordo con un boss rivale. L'informazione era falsa, costruita apposta per depistarlo, ma aveva sortito l'effetto desiderato.

Visar aveva inviato una squadra di quattro uomini allo strip-club di Berlino che fungeva da base per Ali. Dopo essere stato tramortito col calcio di un fucile a pompa Mossberg e imbottito di eroina, Ali era stato ficcato nel baule di una Mercedes classe S; quattordici ore più tardi era a Spalato, la città sulle coste della Croazia in cui l'imperatore Diocleziano aveva fatto costruire un favoloso palazzo. Mantenendo costante il livello della dose di Ali, in modo che se ne stesse buono, gli uomini di Visar avevano preso il traghetto per l'isola di Lesina, piazzando la Mercedes vicino a un camper pieno di studenti australiani che stavano facendo il giro dell'Europa. Avevano passato le tre ore di traversata seduti al bar, gareggiando con gli australiani a chi riusciva a tracannare più birre. L'unico altro avventore, un uomo barbuto con un panama stazzonato e un binocolo appeso al collo, se ne stava seduto in un angolo davanti a una tazza di tè, tutto intento a consultare un manuale di bird-watching.

Quando gli uomini di Visar erano arrivati alla villa, avevano buttato Ergon Ali in cantina, legato e imbavagliato. Non volevano far perdere tempo al capo, così avevano trascorso il resto della notte e tutto il giorno seguente a massacrare l'uomo che un tempo era stato loro amico, pestandolo e somministrandogli scariche elettriche. Solo quando ebbero l'impressione che Ali fosse sul punto di cedere, avevano chiamato il capo.

Skendar Visar stava dunque andando ad apporre i tocchi finali all'interrogatorio. E Samuel Carver, messo da parte l'interesse per il bird-watching, lo stava aspettando acquattato al buio, accanto alla piattaforma di atterraggio.

Il boss albanese, scortato dalle guardie del corpo, si era già avviato verso l'edificio principale, dove Ali stava aspettando che si compisse il proprio destino; il pilota si attardò qualche minuto per spegnere e controllare il velivolo, quindi anche lui si allontanò nella stessa direzione. Carver attese finché non fu certo che l'area fosse deserta, poi strisciando raggiunse il velivolo.

Il Bell 206 è il cavallo da tiro dei cieli; entrato in servizio nel 1967, da allora non è stato praticamente cambiato. Il retro del velivolo consiste di una lunga trave di coda, alla fine della quale si trova il rotore posteriore e lo stabilizzatore verticale, simile alle pinne pelviche di uno squalo, fissato al corpo dell'elicottero da quattro bulloni.

Carver indossò i guanti, tirò fuori una chiave universale e tolse i due bulloni inferiori; quindi, usando una minisega, li limò al centro, lungo la circonferenza, rendendoli sensibilmente più deboli; infine li riavvitò al loro posto, facendo molta attenzione a non spezzarli in due. Poi svitò i due bulloni superiori e li tagliò di netto, proprio sotto la testa; i fusti li ripose nella sacca attaccata alla coscia, quindi, con alcune gocce di attaccatutto, ne appiccicò le teste sullo stabilizzatore verticale, nel punto esatto dove si trovavano prima. Un'ispezione meticolosa dell'elicottero avrebbe svelato ciò che Carver aveva fatto, ma il suo scherzetto sarebbe di certo sfuggito alla frettolosa verifica pre-decollo di uno stanco pilota.

Ripassò mentalmente l'intera procedura, assicurandosi di aver fatto tutto per bene, quindi ritornò verso il molo. Quando la sentinella si riebbe dal suo torpore, Carver se n'era andato da un pezzo.

Ergon Ali aveva impiegato molto tempo a morire, continuando fino all'ultimo a sostenere la propria lealtà e innocenza. Quando Skender Visar era risalito a bordo dell'elicottero, ormai stava albeggiando; aveva fretta di tornare sulla sua nave, era stanco e preoccupato, oppresso dal timore di una pericolosa guerra tra bande, che avrebbe comportato costi enormi; si chiedeva: chi sarebbe stato il prossimo a tradirlo?

Non avendo intenzione di farlo innervosire ancora di più, il pilota sbrigò in gran fretta le procedure di decollo, in modo da far partire il Bell 206 il più velocemente possibile.

Quando iniziò la vibrazione, l'elicottero si trovava otto chilometri al largo. L'istinto suggerì al pilota di tornare indietro, ma lui sapeva che Visar non l'avrebbe permesso, così aumentò la velocità, sperando di riuscire a terminare in fretta quel viaggio.

Non appena l'elicottero accelerò, l'aria cominciò a fluire ancora più velocemente intorno allo stabilizzatore verticale, premendolo da un lato all'altro. Se tutti e quattro i bulloni d'assemblaggio fossero stati saldamente al loro posto, avrebbero mantenuto lo stabilizzatore diritto e immobile. Ma, senza i bulloni superiori, i due inferiori, privati di gran parte della forza di tenuta, divennero un perno intorno al quale lo stabilizzatore cominciò a ruotare sbatacchiando.

Nel momento in cui l'elicottero si era alzato in volo, tra lo stabilizzatore e il rotore di coda c'era uno spazio di circa trenta centimetri. Ma quella distanza diminuiva a ogni vibrazione: venti centimetri... dodici... cinque... sempre più vicino finché, con un acuto stridore metallico, lo stabilizzatore non andò a cozzare contro le lame rotanti, bloccando il rotore come un manico di scopa ficcato tra i raggi di una ruota di bicicletta.

La brusca e totale decelerazione strappò via dall'elicottero le pale del rotore. I due bulloni superstiti si spezzarono, e l'intero blocco della coda venne scagliato giù, verso le acque dell'Adriatico, tinte di un brillante color rame dai raggi del sole nascente.

L'elicottero prese a girare vorticosamente, sempre più veloce. Skender Visar, che aveva assistito impassibile alla morte e alla degradazione di tanti esseri umani, di fronte all'imminenza della propria dipartita reagì con un urlo di terrore animalesco. Ma il pilota spense semplicemente il motore, lasciando che i rotori principali ruotassero da soli, come le pale di un mulino.

Per un breve istante, tornò la calma. La cabina smise di ruotare. Visar fece un flebile sorrisetto, nel tentativo disperato di nascondere la propria vigliaccheria. Il pilota inviò il *mayday*, chiedendo di mandare soccorsi. Un Bell 206 JetRanger in rotazione scende a una velocità di circa trenta chilometri all'ora; con un pilota esperto alla guida, ci sono buone possibilità di sopravvivenza, anche se bisogna eseguire un ammaraggio. Ma Carver aveva fatto affidamento su qualcos'altro.

Il rotore posteriore di un elicottero è alimentato da un albero, che dal motore corre lungo tutta la trave di coda. Ma l'energia non può essere trasferita dall'albero fino al rotore senza una scatola di trasmissione. Tale scatola, costituita da un pesante pezzo di metallo, è posta a un'estremità della trave e funge da contrappeso della cabina e del motore che si trovano all'estremità opposta. Quando il rotore era stato strappato via dall'elicottero, aveva divelto dai suoi ancoraggi la scatola di trasmissione, che era rimasta a ciondolare dall'albero motore all'estremità libera della trave ormai ridotta a brandelli. Lì era rimasta per dieci, forse quindici secondi, sottoposta alla forza di gravità e sbatacchiata dal vento. Poi la connessione con l'albero motore aveva ceduto, e la scatola aveva seguito la stessa strada degli altri rottami, inabissandosi in mare.

Privato del suo peso, il Bell 206 smarrì ogni parvenza di equilibrio e si trasformò in una bara di vetro e metallo in caduta libera verso le onde turbolente del mare, tra l'impeto convulso del vento e l'urlo disperato di Skender Visar.

Mentre il trafficante di esseri umani stava morendo, Samuel Carver era immerso nel sonno. Qualche ora prima era tornato a nuoto fino alla barca a motore presa a nolo e ormeggiata presso il promontorio che si protendeva dalla baia dove si trovava la villa di Visar. Sfilatosi la muta, si era asciugato e cambiato, indossando un paio di jeans e un'ampia camicia di cotone.

Quindi era tornato al resort di Lesina, dov'era alloggiato, aveva ormeggiato la barca e consumato una cena notturna in un ristorante in riva al mare; aveva ordinato pesce grigliato e una bottiglia di Posip Cara, un bianco vivace della vicina isola di Curzola. Aveva mangiato a un tavolo all'aperto, osservando le ragazze che passavano. Poi, proprio come un turista qualsiasi, era rientrato in hotel e aveva augurato la buonanotte al portiere prima di avviarsi verso la sua stanza.

Il mattino seguente, Carver fece colazione con pane fresco e caffè nero, quindi lasciò l'hotel, pagando in contanti. S'imbarcò su un traghetto che attraversava l'Adriatico diretto a Pescara, uno dei tanti turisti senz'auto. Una volta arrivato in Italia, acquistò un biglietto ferroviario fino a casa; nessun bisogno di documenti, nessuna traccia del suo viaggio, pagamento in contanti.

Viaggiò in prima classe. Passò il tempo leggendo un libro che non parlava di bird-watching. Quando i compagni di viaggio avevano voglia di fare quattro chiacchiere, anche lui prendeva parte alla conversazione; lungo il percorso si fermò un paio di volte e consumò un discreto pasto. Insomma fece il possibile per non pensare a ciò che aveva appena fatto.

DIECI GIORNI DOPO

1

Deliziato dalla frescura dell'aria condizionata dopo il soffocante calore di agosto, l'uomo entrò nella stanza rivestita di pannelli di castagno e sorrise. Si tolse gli occhiali da sole, sollevandoli sui capelli neri che si andavano diradando e che portava cortissimi. Anche la semioscurità fu accolta come un sollievo. La gente del Nord freddo e brumoso potrà anche essere contenta di spendere le vacanze estive arrostendo la pelle lattiginosa sino a farla sfrigolare. Lui invece era un figlio del sole, pertanto ne rispettava il potere e, al culmine della giornata, cercava di stare all'ombra.

Aveva solo pochi minuti per sé. Era atteso fuori, dove i camerieri stavano apparecchiando un tavolo sotto un tendone di tela bianca mosso dalla brezza mediterranea. Attraversò la stanza, avvertendo la morbida consistenza del tappeto sotto i nudi piedi olivastri. I jeans e la T-shirt che indossava erano semplici ma alquanto costosi, del genere Armani piuttosto che Levi's; l'orologio era un Rolex.

Cose di quel tipo per lui erano scontate: tutta la sua vita si era svolta nel bozzolo che il denaro concedeva ai figli dei ricchi. Ma, a dispetto di tutti i privilegi, la ricchezza avuta in eredità è marchiata dall'infamia di non essere stata guadagnata; per tutti gli altri, lui non era che un playboy, un parassita che si nutriva succhiando i successi del paparino. Quello stato di cose doveva cambiare, pensò. Ben presto, il mondo intero avrebbe parlato di ciò che lui aveva fatto.

Prefigurandosi ciò che stava per accadere, sorrise di nuovo, schiacciò un bottone e compose in fretta un numero di Londra. «Dobbiamo parlare», disse. «Sta' pronto per lunedì. Ho notizie importanti, buone notizie su...» Ebbe un attimo di esitazione, mentre cercava le parole giuste, ben sapendo che qualcuno poteva essere all'ascolto. «... sul nostro comune amico.»

Una precauzione inutile. La conversazione era stata raccolta dai numerosi punti radar disseminati nel brumoso paesaggio dello Yorkshire, presso Menwith Hill, dove Echelon, il sistema di sorveglianza globale gestito dalla National Security Agency statunitense, intercettava ogni giorno innumerevoli messaggi telefonici e informatici.

Di là, attraverso un satellite orbitante a trentamila chilometri dalla terra, fu inviato un segnale al quartier generale della NASA a Fort Meade, nel Maryland. Laggiù, l'infinito chiacchiericcio globale veniva passato al setaccio da potentissimi computer Cray YMP, in grado di eseguire quasi tre miliardi di operazioni al secondo. Come un cercatore d'oro col suo setaccio, i Cray estraevano da quel flusso impetuoso le pepite: chiavi univoche, parole trabocchetto ed espressioni da segnalare perché venissero sottoposte a ulteriori indagini.

I dati raccolti da Echelon erano inviati anche ai GCHQ, i British Government Communications Headquarters, situati nei sobborghi di Cheltenham, nel Gloucestershire. E altri computer selezionavano altre informazioni dal flusso della comunicazione globale. Tali informazioni venivano poi passate al ministero della Difesa e degli Esteri, nonché alle forze dell'ordine e all'intelligence.

Fiona Towthorp, un'attraente donna sulla quarantina col viso ricoperto di lentiggini, lavorava come capo analista investigativo ai GHCQ. Aveva individuato un elemento che sapeva avrebbe suscitato il più vivo interesse dei suoi capi. Ma, quando sollevò il telefono, il numero che compose non aveva nulla a che fare col governo di sua maestà.

La linea era protetta a un livello che neanche Echelon poteva decriptare. Quella chiamata non sarebbe stata intercettata da nessuno.

«Consorzio», rispose una voce maschile.

«Messaggio dal Dipartimento comunicazioni aziendali», disse Towthorp. «C'è qualcosa che il presidente deve sapere.»

2

Andarono a prenderlo di mattina.

Aveva ricevuto la chiamata la notte precedente, proprio mentre stava per spegnere la lampada a gas, unica fonte d'illuminazione del suo rustico rifugio montano. «Carver», aveva risposto, senza far nulla per nascondere l'irritazione che la suoneria del telefono gli aveva suscitato.

«Dove sei?» Senza presentazioni né convenevoli. La voce all'altro capo della linea aveva un marcato accento londinese.

«In vacanza, Max. Lontano dal lavoro. Penso che tu lo sappia.»

«So cosa stai facendo, Carver. Però non so *dove* lo stai facendo.»

«Avevo le mie buone ragioni per non dirtelo.»

«Be', potrei avere un lavoro per te.»

«No.»

Max lo aveva ignorato. «Senti, lo saprò per certo entro le prossime dodici ore. Se va in porto, fidati, faremo in modo che sia valsa la pena d'interrompere la tua vacanza. Tre milioni di dollari, versati sul solito conto. Dopodiché potrai prendertelo per davvero, un bel periodo di riposo.»

«E se rifiuto?» aveva replicato Carver, impassibile.

«Allora il mio consiglio è di restartene in vacanza. E non tornare. A te la scelta.»

Non era l'implicita minaccia a preoccupare Carver, ma la possibilità di perdere il suo miglior cliente. Quello era il suo lavoro, era ciò che sapeva fare meglio. E non contavano tutte le volte che aveva accarezzato l'idea di mollare tutto. Gli seccava che il suo posto fosse preso da un concorrente, ecco. Un giorno, magari non lontano, sarebbe stato pronto a darvi un taglio. Ma soltanto alle sue condizioni e nel momento scelto da lui.

«Nuova Zelanda», aveva detto Carver, dopo qualche istante. E si era silenziosamente maledetto nel momento in cui interrompeva la comunicazione e appoggiava il telefono sul tavolo di legno grezzo, accanto alla branda di tela e acciaio dove aveva steso il sacco a pelo.

Samuel Carver aveva l'aspetto snello e asciutto di un lottatore professionista. I capelli castano scuro erano tagliati corti. Gli anni trascorsi nei Royal Marines avevano lasciato vari segni sul suo volto; nella fronte solida, attraversata da un'unica, profonda ruga, si percepiva una fiera determinazione. Tuttavia, scrutando i suoi occhi verde chiaro, si capiva che la prestanza fisica era sempre guidata da una mente vigile e analitica.

Carver si sforzava di far rientrare il suo lavoro in una prospettiva razionale: lo considerava come una forma di disinfestazione, sgradevole ma necessaria. Dopo la faccenda di Visar, si era cercato come sempre un posto dove scaricare la tensione e scacciare via dalla mente quello che sapeva. Ma non voleva ammettere che ogni assassinio gli erodeva un altro pezzetto di anima. E non importava con quanta logica lo si potesse giustificare, o quante vite umane avrebbe salvato.

Quella volta era andato sulle Two Thumbs Mountains, in Nuova Zelanda. Le Two Thumbs erano più antiche della Pangea, quando tutte le terre emerse erano unite in un unico continente, e formavano la stessa catena cui appartenevano le Ande peruviane e le Sierra della California. Da allora le montagne si erano spostate di diverse migliaia di chilometri, ma non molto altro era cambiato. Niente nightclub, né ristoranti, né chalet. Niente giornali, niente TV. Niente impianti di risalita, né istruttori, né piste per principianti.

Carver era andato lì in cerca di una solitudine assoluta, di un'esistenza ridotta all'essenziale. Voleva liberare la mente dall'ombra della morte, affidandosi alla velocità, al sudore fisico, al cielo deserto, al sole accecante, all'aria e alla neve pure e fredde come la vodka appena tolta dal freezer. Non si radeva da una settimana, non si era nemmeno lavato granché. Probabilmente puzzava come un rinoceronte, ma non gli importava. Era passato un sacco di tempo da quando c'era stata qualcuna per cui avere un buon odore.

L'elicottero arrivò da est, all'apparire dei primi raggi del sole nascente, prima ancora che fossero svanite le ultime stelle della notte. Carver lo vide in lontananza, incastonato tra il cielo nerazzurro e la distesa di glassa nevosa. Non aveva bisogno di fare i bagagli. Dentro la giacca da sci aveva un marsupio in nylon nero, le cui tasche contenevano quattro differenti passaporti, ciascuno dei quali era abbinato a due carte di credito. C'erano anche un telefono di riserva e ventimila dollari in contanti; non che avesse qualcosa in contrario alle carte di credito, ma doveva ancora trovare un posto dove i verdoni USA non fossero bene accetti.

Quando, cinquanta metri più in là, l'elicottero atterrò, nell'aria si formò una folata turbinosa di neve.

Cristo, un altro Bell 206! pensò Carver mentre lo guardava toccare terra. Chiuse gli occhi e mormorò: «Controllati».

Quindi si allentò la cerniera della giacca e si avviò, il passo agile e sciolto, ma sempre sul chi vive; se avevano in mente d'incastrarlo, se ne sarebbe accorto.

«'Giorno!» urlò il copilota neozelandese al di sopra del frastuono ritmato delle pale. Allungò una mano e lo tirò su a bordo. «Ci avevano detto che dovevamo prenderla su, oppure ucciderla. Sono contento che abbia scelto la busta numero 1.» Sul suo viso era stampato un ampio sorriso. Gli occhi, però, erano piatti e privi di espressione.

Stando al gioco, Carver gli restituì il sorriso. «Ne sono felice anch'io», urlò di rimando. «Avreste potuto farvi del male.» Si lasciò cadere sul sedile, allacciò la cintura di sicurezza, indossò la cuffia e si abbandonò a un sospiro. E così, la sua vacanza se ne andava a farsi friggere. Neanche il tempo di una tazza di caffè decente, ed ecco che si trovava già immerso nella merda fino alle ginocchia.

Si strofinò la fronte col pollice e con l'indice, avanti e indietro. Per una settimana non aveva avuto nient'altro da fare se non sciare e dormire; avrebbe dovuto essere fresco e riposato. Invece si sentiva spolpato fino al midollo.

Meno di due ore più tardi, Carver era su un Gulfstream V che aveva preso il volo da Christchurch in direzione nord-est puntando verso Los Angeles, che distava all'incirca seimila miglia nautiche. Il Gulfstream V è il jet privato con la maggiore autonomia al mondo, ma, una volta in California, l'aereo avrebbe raggiunto la fase di planaggio. Sarebbe rimasto fermo sulla pista giusto il tempo necessario per fare rifornimento e imbarcare un nuovo equipaggio, quindi sarebbe decollato nuovamente, alla volta dell'Europa.

A bordo c'era una doccia. Carver si diede una ripulita, si fece la barba e indossò una morbida e comoda tuta sportiva grigia, fornitagli dall'assistente di volo.

«Spero che sia della taglia giusta. Mi hanno dato le sue misure...» La ragazza fece una pausa. «... ma non si può mai sapere se una cosa ti va veramente, finché non la provi.» Era carina, bruna, con grandi occhioni castani, morbide labbra carnose e una lucida coda di cavallo. Parlava in quel modo particolare delle ragazze australiane, sollevando l'intonazione alla fine di ogni frase, e ogni affermazione si trasformava in una domanda accattivante.

Era lì di fronte a lui, i fianchi inclinati, il peso spostato su un lato, e la stoffa blu scuro dell'aderente gonna che la fasciava stretta sulle cosce. Lo stava fissando con uno sguardo intenso, e il suo sorriso lasciava intendere che quanto vedeva era di suo gradimento. O lui le piaceva veramente, oppure le sue mansioni includevano una serie di servizi di lusso che andavano ben oltre quello di semplice addetta ai bagagli.

Carver prese in considerazione la seconda possibilità. Entrambi lavoravano per gente convinta che si potesse comprare qualunque cosa. Lui era stato comprato; con ogni probabilità, lo era stata anche lei. «Come si chiama?» le chiese.

«Candy.»

Carver non poté fare a meno di scoppiare a ridere. Lei aveva persino un nome da spogliarellista, degno accessorio alla solita routine delle procedure di seduzione.

Ma fu allora che la ragazza lo sorprese, arrossendo. «No, davvero. È il diminutivo di Candace.»

Carver si accorse allora di non aver considerato una terza

possibilità: che Candy fosse una brava ragazza che stava cercando di ravvivare una giornata di lavoro flirtando innocentemente. Così come fa la gente normale. *Cristo, sono proprio diventato un cinico bastardo, negli ultimi tempi. Quand'è che è successo?* Domanda stupida: lo sapeva esattamente, quando. Avrebbe potuto indicare il minuto preciso. All'improvviso si rese conto di avere la mascella serrata e di stare stringendo i denti con una tensione che non riusciva a spiegarsi. Era ancora troppo presto per il nervosismo che soleva precedere ogni azione mortale; doveva trattarsi di qualcos'altro. Un messaggio dall'inconscio, che lui non riusciva a decodificare o, forse, non voleva farlo.

Aveva passato gli ultimi anni cercando di non scavare troppo a fondo nella mente. Semplice pragmatismo militare, si diceva. Concentrati su quello che hai di fronte, preoccupati delle cose che puoi controllare e lascia perdere tutto il resto. Bene, in quel momento aveva di fronte una ragazza, e lui poteva controllare il suo atteggiamento negativo. Per le successive ventiquattr'ore lui e Candy si sarebbero trovati insieme, chiusi in un tubo di metallo pressurizzato; il minimo che potessero fare era essere gentili l'uno con l'altra.

Carver scrollò leggermente il capo, per scacciar via i pensieri indesiderati. «Mi scusi», le disse. «Sono stato un villano.»

«Non c'è problema. Posso portarle qualcosa, un po' di colazione, del caffè?»

«Certo, sarebbe fantastico. Grazie mille.»

Dieci minuti più tardi, i dettagli sull'obiettivo raggiunsero l'aereo via fax.

Soggetto: Ramzi Hakim Narwaz
Nazionalità: pakistana (madre francese)
Età: 41
Altezza: 182 cm
Peso: 86,4 kg

Il Soggetto appartiene a una delle più facoltose famiglie pakistane, è stato istruito nel collegio di Le Rosey, in Svizzera, normalmente risiede a Parigi ed è del tutto a proprio agio negli ambienti più altolocati della società europea. È sposato (la moglie Yasmina proviene da una ricca famiglia libanese), con un figlio, Yusuf. Consuma bevande alcoliche, ma raramente eccede. Un po' di droga, per ragioni di socializzazione. Discrete ma regolari attività sessuali extraconiugali, tipiche di un ricco maschio occidentale.

Questo stile di vita è soltanto una copertura. Il Soggetto, che è dotato di una viva intelligenza e ha pessimi rapporti col padre, è stato avvicinato al radicalismo dai mullah di diverse moschee londinesi, mentre era studente alla London School of Economics. Il Soggetto è diventato una pedina attiva e sempre più determinante nella rete crescente di cellule terroristiche legate all'integralismo islamico.

I controlli delle comunicazioni telefoniche effettuati dall'intelligence USA, col coordinamento congiunto CIA/FBI attraverso un'unità speciale antiterrorismo, nome in codice « Alex », dimostrano un contatto regolare tra il Soggetto e sospetti membri di movimenti terroristici. Tra questi sono compresi i fondatori del Konsojaya, Wali Khan Amin Shah e Riduan Isamuddin (alias « Hambali »), il sospetto Wadih el-Hage di stanza a Nairobi, e diversi sospetti aderenti al piano Bojinka (Big Bang), di base a Manila, che progettava di far esplodere dodici aeroplani diretti negli USA.

Recenti trasferimenti bancari da e verso i conti del Soggetto mostrano un'attività più intensa del solito. Si sospetta fortemente che il Soggetto stia organizzando un imponente attacco terroristico in Europa, quasi certamente nel Regno Unito. Si ritiene che tale attacco sia imminente: questione di giorni, più che di settimane. Le intercettazioni telefoniche indicano che lascerà la famiglia in vacanza nel Sud della Francia per rientrare a Parigi entro le prossime 24 ore.

Se gli si permette di portare avanti le sue attività, sussiste un manifesto pericolo in termini sia di personale militare sia di vite civili. Il Soggetto è stato pertanto selezionato come obiettivo per un'azione immediata.

Poco dopo arrivò un secondo fax, per informare Carver che sul suo conto numerato alla Banque Wertmuller-Maier di Ginevra era stato versato un bonifico di un milione e mezzo di dollari. Chiunque fossero i suoi datori di lavoro – e Carver non aveva nessun desiderio di scoprirlo, così come non voleva che loro sapessero troppe cose su di lui – lo pagavano sempre in modo puntuale.

Quando stavano ormai sorvolando gli Stati Uniti occidentali, Max chiamò di nuovo. «Allora, dove sei?» «A mezz'ora da Los Angeles. Il pilota sta cominciando l'atterraggio. Dovremmo arrivare sul posto in poco più di dieci ore.» «Bene, questo significa le 19.30, con l'ora dell'Europa centrale. Non ci aspettiamo grossi movimenti prima di mezzanotte, quindi è perfetto. Ma prima abbiamo bisogno che ci sistemi un'altra faccenda.» «Due lavori? Ed entrambi improvvisati? Credi forse che mi sia stancato di vivere?» I due uomini si trovavano a svariate migliaia di chilometri di distanza, e stavano parlando attraverso un telefono satellitare, ma la furia di Carver riuscì ad arrivare benissimo a destinazione.

«Non preoccuparti. Il secondo incarico è semplice routine», replicò Max. «Un piano di riserva nel caso che il primo colpo non riesca. Il nostro amico ha un'altra proprietà che usa per incontri privati di natura personale e professionale. Quando si sente sotto minaccia, lo usa come rifugio di sicurezza. Solo che tu provvederai a renderlo tutt'altro che sicuro, giusto? Non preoccuparti, abbiamo il codice del sistema di allarme. È una cazzata.»

Carver sospirò. *Non importa che cosa fai per vivere. Alla fine dei conti, chi ti paga lo stipendio ti rifila sempre la stessa merda.* Rimase in ascolto mentre Max gli descriveva il piccolo nido d'amore dove Ramzi Hakim Narwaz era solito gestire i propri affarucci privati. Era un terrorista islamico che prendeva assai sul serio la propria copertura di apostata decadente: una vera interpretazione da Oscar.

Pochi minuti dopo, sul fax del Gulfstream arrivarono la planimetria e lo schema elettrico dell'appartamento di Narwaz.

Carver impiegò mezz'ora a capire come si sarebbe mosso. Alla successiva chiamata di Max, aveva pronta la lista del suo equipaggiamento, che comprendeva mezzo di trasporto, armi, esplosivi, diversi timer, micce... tutto quello che gli occorreva fino ai più minuti dettagli. «Avrò bisogno di una lattina di olio lubrificante, del tipo 3-in-1, qualcosa del genere. Poi procurami una mezza dozzina di sacchetti da freezer, misura piccola, autosigillanti; un comune sacchetto per la spazzatura, di quelli neri; una torcia da meccanico con una fascia per poterla fissare alla testa; un paio di forbici, di quelle industriali, con lame in ceramica da otto centimetri; un cacciavite, dei tagliafili, un rotolo di nastro adesivo da elettricista, un deodorante per ambienti, un flacone di detergente, qualche paio di guanti in lattice, di quelli sottili, e un Mars.»

«A che diavolo ti serve il Mars?»

«Per mangiarlo. Ho un debole per i dolci. Anzi, già che ci sei, perché non mi procuri anche una pizza?»

Max non cercò neanche di cancellare la sfumatura di sarcasmo dalla voce. «Qualunque cosa per te, collega. Qualche preferenza sul condimento?»

«Non me ne frega niente», rispose Carver. «È la scatola che m'interessa. Ripensandoci, non importa; me ne occupo io. Avrò bisogno di fare un pasto decente.»

3

L'aereo atterrò all'aeroporto di Le Bourget, pochi chilometri a nord-est di Parigi, e rullò dentro un hangar privato. Un addetto alla manutenzione porse a Carver una busta e un borsone. Dentro la busta c'era il biglietto di un parcheggio, la chiave di una motocicletta e la chiave di una cassetta di sicurezza del terminal. Il borsone era pieno di vestiti; Carver lo riportò con sé a bordo dell'aereo e si cambiò.

Max gli aveva mandato dei pantaloni cargo neri, una T-shirt nera, un bomber nero, scarpe da ginnastica nere, un casco nero. Tutte le altre cose che Carver aveva chiesto si trovavano in uno zainetto, chiuso nella cassetta di sicurezza. Nero, come tutto il resto.

La moto era una Honda XR400 priva di segni d'identificazione. Era concepita più per sentieri dissestati che per le strade cittadine, dalla linea asciutta e scattante come un cane da corsa. Per quello che Carver aveva in mente, era l'ideale; se l'operazione fosse andata storta e lui si fosse trovato nella necessità di filarsela in fretta, voleva un mezzo in grado di andare dove la polizia si sarebbe trovata in difficoltà a seguirlo con le auto e le grosse e potenti motociclette.

Cinque minuti dopo aver lasciato l'aeroporto, Carver si fermò in una pizzeria lungo la strada e ordinò una pizza take-away. Mentre gliela preparavano, andò in cerca del bagno, portando lo zainetto con sé. Tirò fuori l'arma che aveva richiesto, una pistola Sig Sauer P226, con un sistema di arretramento rapido Colt/Browning e priva di sicura; nel caricatore c'erano dodici proiettili Cor-Bon 115 +P a punta cava da 9 mm. Era la pistola scelta dalle forze speciali inglesi per le operazioni antiterrorismo e per i lavori in incognito; Carver l'aveva utilizzata in innumerevoli azioni militari, e da allora non se n'era più separato. Come faceva sempre, smontò l'arma, la controllò e la rimontò. Per l'intera operazione non impiegò più di un minuto. Da un lato, era una precauzione fondamentale assicurarsi che l'arma fosse ben funzionante; ma si trattava anche di un rituale che lo aiutava a concentrarsi su quanto stava per accadere, come un atleta che si porta entro la zona di gioco, per entrare meglio nella parte.

Quando ebbe finito, frugò nello zainetto, prese la lattina di olio 3-in-1 e la versò nel lavandino tappato. Frugò ancora, ed estrasse un mattoncino di quella che sembrava argilla grigia da modellare. Era esplosivo al plastico C4. Cominciò a manipolarlo nel lavandino, insieme con l'olio, come un panettiere che lavora il suo impasto; alla fine ottenne una specie di stucco malleabile e appiccicoso.

Preso da solo, il plastico C4 è assolutamente sicuro. Può essere modellato in qualsiasi forma e lo si può far aderire a qualsiasi superficie. Lo si può ficcare in una piccola borsa di plastica, proprio come Carver si stava accingendo a fare, dividendolo in quattro piccoli blocchi. Lo si può colpire, persino riempire di pallottole senza che succeda nulla. Ma, se gli si applica una miccia, una capsula da innesco e un timer, ecco che di punto in bianco si ottiene una bomba.

Una volta che l'esplosivo fu stivato nello zainetto, Carver tirò fuori il detersivo e lo versò su tutta la superficie del lavandino, facendo attenzione a rimuovere ogni traccia. Nell'aria si percepiva ancora un leggero sentore di olio e di plastico, quindi Carver spruzzò il deodorante tutt'intorno nel minuscolo locale, poi gettò via anche quella bomboletta.

Fuori dal bagno, c'era un uomo in attesa. Carver si strinse nelle spalle con un gesto di scuse e, tappandosi il naso, mormorò: «*Pardon*». Quindi, presa la sua pizza, ne mangiò metà nel parcheggio e buttò il resto in un cassonetto; la scatola la conservò. Saltato in groppa alla moto, si diresse verso Parigi.

L'appartamento si trovava sull'Ile-Saint-Louis, una delle due isole al centro della Senna che segnano virtualmente il centro esatto della città. Fuori, la strada era piena di turisti che si stavano godendo la rilassata atmosfera di villaggio che caratterizza l'isola, nella calda sera di tarda estate; gironzolavano qua e là, in tutta calma, fermandosi a guardare le vetrine o a consultare i menu dei ristoranti e dei caffè che punteggiavano i marciapiede.

Carver parcheggiò la moto e smontò, il casco ancora indosso, reggendo in mano la scatola della pizza. Chiunque gli avesse lanciato un'occhiata di sfuggita non avrebbe visto nient'altro che un uomo delle consegne. In effetti, solo un occhio molto acuto avrebbe notato i guanti in lattice, mentre avanzava verso la facciata del palazzo del XVIII secolo dove Ramzi Narwaz intratteneva le sue amanti.

Pochi secondi di lavoro con un passe-partout, e fu dentro. Cercando di ambientarsi, perlustrò con lo sguardo l'androne al pianterreno, quindi lo attraversò dirigendosi verso una porta secondaria che dava su uno spoglio cortile, dove una fila di bidoni della spazzatura era allineata lungo un muro. Proprio di fronte a lui si apriva un arco che dava accesso alla strada sul retro del palazzo. Sollevato nel vedere che c'era più di una via di fuga, Carver si sbarazzò della scatola della pizza e rientrò nell'edificio.

L'appartamento si trovava all'ultimo piano, in cima a svariate rampe di scale. Anche lì la serratura non costituì un problema; Carver entrò in un ingresso centrale, nella cui parete di fondo si apriva un'ampia finestra. Fuori era quasi buio, ma le luci della strada gli fornivano un'illuminazione sufficiente per muoversi.

Nel momento in cui era stata aperta la porta, l'allarme antifurto aveva iniziato a emettere un *bip* acuto, innescato da un banale contatto magnetico. Carver aveva trenta secondi prima che l'allarme cominciasse a suonare. Proprio come indicato sulla planimetria, sul muro, immediatamente alla sinistra della porta, era fissato un piccolo pannello di controllo. Il codice era quello comunicato da Max. Il *bip* cessò.

La parete di sinistra del breve corridoio rivestito di armadi era interrotta da una porta che si apriva su un minuscolo angolo cucina. Carver aprì l'armadio sulla parete destra del corridoio: vi erano appesi un paio di cappotti invernali; dietro, c'era la bianca scatola metallica in cui erano contenuti il cuore e il cervello del sistema d'allarme dell'appartamento. Con un cenno soddisfatto, l'uomo richiuse l'anta.

In fondo al corridoio si apriva un ampio soggiorno. Visto il genere di persona cui apparteneva, e l'uso cui era destinato, l'ambiente era più sofisticato di quanto ci si sarebbe potuto aspettare. Niente cristalli scintillanti né tavoli cromati, niente specchi sul soffitto. Al contrario, la stanza aveva muri tinteggiati di chiaro, con un antico tavolo da pranzo da un lato, adorno di un vaso di fiori freschi; più in là, disposti intorno a un tappeto persiano, c'erano tre grandi sofà color crema. I pavimenti erano in parquet, richiamato dalle imponenti travi di legno scuro che sostenevano il soffitto. C'era un caminetto, accanto alla libreria che ospitava un minimpianto hi-fi, un paio di file di libri e una piccola collezione di vasi di cristallo, minuscole teiere e statuine. Dai lati opposti della stanza, due piccoli sensori a raggi infrarossi lampeggiavano a intermittenza, programmati per cogliere qualsiasi intruso fosse entrato dalla finestra.

Carver appoggiò lo zainetto nel mezzo della stanza, tirò fuori la torcia, se la fissò intorno alla testa in modo da avere entrambe le mani libere ed esaminò l'hi-fi. Quindi batté con la mano sul muro retrostante, per accertarsi che fosse una solida struttura portante; annuì, soddisfatto.

Tornò allo zainetto e ne estrasse il cacciavite, insieme con tre scatolette di plastica di forma oblunga, più o meno della misura e profondità di un libro tascabile, ma leggermente arrotondate sul lato più lungo. Erano mine antiuomo M-18 Claymore, predisposte per una detonazione a distanza; ciascuna di esse consisteva di una tavoletta da un chilo di esplosivo C4 ricoperto da centinaia di minuscoli cuscinetti a sfera racchiusi a loro volta in un involucro esterno di polistirolo e fibra di vetro.

Carver svitò il retro delle casse del mini hi-fi e rimosse il corpo dell'altoparlante. Dopo aver sistemato in ciascuna delle casse vuote un blocco di Claymore, le rimise al loro posto, complete di cavi per l'amplificatore. Quando le casse fossero entrate in funzione, le pallottole mortali sarebbero schizzate in un arco che avrebbe attraversato tutta la stanza, superando i muri sottili che la separavano dall'angolo cucina e dall'ingresso; chiunque si fosse trovato sulla loro traiettoria sarebbe stato letteralmente ridotto in brandelli. Carver si ficcò in tasca cacciavite e tagliafili e si fermò a dare ancora un'occhiata al lavoro finito: la sostituzione era impercettibile.

Se Narwaz avesse acceso l'impianto entro un minuto dal suo ingresso nell'appartamento, l'assenza di suono dagli altoparlanti avrebbe potuto metterlo in allarme. Ma, quella notte, il pakistano sarebbe rientrato a casa dopo essere appena scampato a un tentato omicidio; di certo non dell'umore giusto per ascoltare musica.

Carver lavorava senza farsi prendere dalla fretta; aveva acquisito un ritmo costante che lo avrebbe fatto uscire dall'appartamento il più velocemente possibile senza tuttavia incorrere in errori dovuti alla disattenzione. Raccolto lo zainetto, uscì dalla stanza, percorse il corridoio e attraversò l'ingresso, dirigendosi verso la camera da letto. Anche lì muri chiari, pavimenti in legno, finestre e tendaggi a tutta lunghezza; sulla parete, un unico sensore a raggi infrarossi. Il letto era il solo tocco di stravaganza dell'appartamento, un magnifico pezzo vittoriano in ottone, con una scintillante testata a ringhiera sovrastata da bizzarri riccioli di metallo ritorto.

Carver stava per procedere, quando il suo sguardo venne attirato da qualcosa in fondo al letto. Era una valigia Louis Vuitton, aperta, piena per metà di indumenti femminili; lì accanto, spiccava un lucido sacchettino di Chanel. Buttati sul copriletto, c'erano un paio di jeans bianchi e una corta giacchetta in denim; sul pavimento, vicino al letto, un paio di scarpe sportive senza lacci, anch'esse bianche. L'uomo girò intorno al letto e raggiunse un'altra porta, che conduceva alla stanza da bagno. Sul ripiano sopra il lavandino c'erano due beautycase, il primo pieno di cosmetici, l'altro, più grande, zeppo di shampoo, creme da corpo e altri prodotti da toilette.

Quella scoperta strappò Carver dalla sua placida e indisturbata routine. Max non gli aveva detto che Narwaz aveva con sé una ragazza. Evidentemente, era arrivata lì, si era cambiata ed era uscita di nuovo; se era in compagnia del pakistano, sarebbe morta anche lei quella notte stessa.

Carver prese il cellulare e compose un numero che lo mise

in contatto con una linea mobile di base nel Regno Unito.

«Non mi avevi parlato della donna.»

«Perché avrei dovuto? Non cambia niente ai fini della missione.»

«Cambia per me. Sono venuto qui per eliminare un pericoloso terrorista. La ragazza è un civile. Sai che non colpisco civili, Max.»

Dall'altra parte della linea, una risata. «Ma certo che lo fai. È solo che non ti piace ammetterlo. Quell'albanese... pensi che il suo elicottero volasse da solo? C'era un pilota, Carver.»

«Il pilota sapeva quello che stava facendo. Era pagato.»

«Ah, davvero? E forse che quella pollastra non lo è? Ascoltami bene, non importa se l'obiettivo ha con sé una ragazza, un autista, una guardia del corpo, o anche l'intera famiglia. Non me ne frega niente se ha invitato alla sua corte l'intero corpo delle Dagenham Diamonds Majorettes e noi le facciamo a pezzettini. Quel folle bastardo vuole scatenare una guerra santa. Milioni di vite potrebbero essere a rischio. Il danno collaterale non è un problema nostro.»

Carver non replicò. Durante tutto il suo periodo nell'esercito aveva combattuto contro tiranni sanguinari che perdevano le guerre eppure continuavano a mantenere il potere ben saldo; aveva dato la caccia a terroristi psicopatici che in qualche modo si erano trasformati in politici tutti pace e amore, accolti con grandi strette di mano e ampi sorrisi a Downing Street come sul prato della Casa Bianca. Tante volte lui e i suoi uomini avevano preso vecchie navi da carico e pescherecci zeppi di droga o di armi, senza che la cosa avesse causato le proteste di qualcuno. Mai nessuno che pagasse per quello che aveva fatto; e, ancora prima, nessun governo che avesse loro impedito di farlo.

Ormai Carver era nella posizione di trattare coi «cattivi» ripagandoli della loro stessa moneta. Faceva del mondo un posto migliore, più sicuro, di ciò era convinto. Certo, poteva capitare che qualcuno si venisse a trovare in mezzo al fuoco incrociato. Era il prezzo da pagare. Cercò di spingere i dubbi fuori dalla coscienza, chiudendoli nella stessa cella segreta dov'era custodita tanta parte dei suoi scrupoli, dei timori e delle emozioni.

Max ruppe il silenzio. «Sei ancora con me, amico? Perché, se non sei più disponibile per questo lavoro, devi dirmelo adesso. Non posso permettere che qualcuno mi mandi tutto a puttane.»

«Sai una cosa, Max? Perché non vieni qui? Varca la porta d'ingresso e aspetta sessanta secondi. E allora lo scoprirai da solo, se sono con te oppure no.»

«Ora ti riconosco. Per un attimo ho pensato che ti fossi perso per strada. Sto cominciando a essere un po' preoccupato per te.»

«Vaffanculo!» Il tono era aggressivo e ostentava sicurezza. Dentro di sé, però, Carver si chiedeva se Max non avesse ragione. Si stava perdendo per strada? Se si parlava di pura e semplice capacità operativa, era certo che la risposta fosse no; si manteneva in forma, non buttava via i soldi in droga o divorzi, non era uno di quei relitti militari che se ne andavano in giro per i pub raccontando patetiche fanfaronate di guerra ad altri vecchi soldati inutili e abbandonati. La capacità di svolgere il lavoro non l'aveva persa, ma forse ne stava perdendo il gusto.

Già da molto tempo aveva capito che la vera forza non aveva nulla a che fare con muscoli, armi o esplosivi. Era qualcosa che risiedeva nella mente, negli occhi, nella forza di volontà e in una ferma convinzione rispetto ai propri obiettivi. Da qualche parte, dentro di lui, c'era un pozzo di rabbia che lui stesso conosceva a malapena, un senso di perdita che lo aveva sempre spinto ad andare avanti. Ma se il carburante si esauriva, se quella forza di volontà un giorno fosse scemata, ebbene, che cosa sarebbe successo, allora? Quello poteva davvero essere il suo ultimo contratto, in fin dei conti. Quindi, meglio farlo rendere al massimo, e cercare di uscirne vivo.

La terza carica esplosiva finì nella camera da letto, fissata col nastro adesivo alla parete dietro la testata, e coperta coi cuscini. Mentre lavorava, nei pressi della valigia della donna, Carver riusciva a cogliere una lieve traccia del profumo che emanava da quegli indumenti. Si domandò se lei sapesse la verità sul suo amante. Lavorava anche lei per la stessa causa? O era soltanto una ragazza carina in procinto di morire perché si era lasciata sedurre da un tizio facoltoso? «Concentrati, cazzo!» borbottò. Aveva da piazzare altri tre sacchetti da freezer pieni di esplosivo. Uno lo attaccò col nastro all'interno della cassetta del bagno, quindi vi appiccicò dentro un minuscolo radiodetonatore. Un secondo sacchetto con relativo detonatore finì dentro uno dei pensili della cucina. In teoria con la deflagrazione le Claymore avrebbero dovuto raggiungere anche quella stanza, ma Carver preferiva essere previdente: troppi obiettivi erano scampati alla morte a causa di bombe rivelatesi meno letali del previsto. Meglio ucciderli due volte, per sicurezza.

Un ultimo sacchetto con detonatore fu fissato sotto il tavolo a consolle nell'ingresso. Ogni singola stanza dell'appartamento era stata trasformata in un campo minato. Carver estrasse dallo zainetto una scatoletta di plastica, della misura di una piccola radio; dal fondo fuoriuscivano due cavi, in cima vi erano un'antenna estensibile, un interruttore e una minuscola spia rossa. Carver tornò all'armadio dei cappotti, aprì la scatola principale del sistema d'allarme e collegò la sua scatoletta agli stessi terminali che controllavano il sensore della porta; quindi l'accese.

La luce rossa in cima alla scatola cominciò a lampeggiare: il collegamento era in stand-by. Quando fosse stato attivato il sistema d'allarme dell'appartamento, il collegamento sarebbe stato pienamente attivo. Qualsiasi interruzione nel circuito d'allarme, come l'apertura di una porta, avrebbe innescato un interruttore al suo interno, azionando un timer tarato su sessanta secondi. Che però, a differenza dell'allarme, non poteva essere spento. Digitare il codice nel pannello di controllo non avrebbe cambiato nulla. Il timer avrebbe proseguito col conto alla rovescia fino a raggiungere lo zero, e poi avrebbe inviato il suo segnale letale agli esplosivi nascosti in giro per l'appartamento.

La trappola era stata piazzata. Carver spense la torcia e la ripose nello zainetto, insieme col resto dell'equipaggiamento. Ripercorse a ritroso l'intero appartamento, controllando di non aver tralasciato nulla e che tutto apparisse esattamente come l'aveva trovato. Riprogrammò l'allarme prima di uscire; non appena qualcuno avesse varcato la porta d'ingresso, sarebbe scattato il timer e, sessanta secondo dopo, l'intero appartamento sarebbe saltato per aria.

Carver uscì nel cortile attraverso la porta secondaria. Si tolse di spalla lo zainetto e ne tirò fuori tutto quello di cui aveva avuto bisogno per portare a termine l'operazione, insieme con un sacco per la spazzatura nero dentro il quale ficcò lo zainetto e ciò che rimaneva del suo contenuto. Quindi, percorsa tutta la strada, lo scaraventò dentro un cassonetto che si trovava nel vicolo accanto a un bistrot, seppellendolo sotto uno strato di rifiuti da ristorante.

Mentre raggiungeva la moto, chiamò Max. «L'appartamento è a posto. Adesso dove vuoi che vada?»

Almeno per il momento, quegli attimi di debolezza che lo avevano colto mentre si trovava nell'appartamento erano passati.

4

A neanche due chilometri dall'appartamento che Carver aveva imbottito di esplosivo, in un palazzo registrato con documenti di proprietà contraffatti, due uomini sotto falso nome si stavano accingendo a compiere il loro lavoro. Uno aveva l'aspetto profondamente segnato e macilento che si può trovare sul volto di un fantino, o di un membro dei Rolling Stones: era l'uomo che Carver conosceva come Max; i suoi capelli grigio acciaio erano tagliati cortissimi, indossava occhiali senza montatura, un completo antracite, una camicia di lino bianca accompagnata da una cravatta nocciola chiaro, lavorata a maglia. Il suo stile moderno ed essenziale stonava con quanto si trovava tutt'intorno a lui.

Max aveva appena fatto il suo ingresso nell'atrio di una residenza cittadina del XVIII secolo, decorata con sontuosa stravaganza. Soffitti alti quasi quattro metri, un camino in marmo, mobili antichi, tappeti persiani, ritratti di antenati racchiusi in pesanti cornici dorate, enormi libri illustrati e lucide riviste impilate ad arte su tavolini da caffè intarsiati. Chiunque fosse stato a scegliere gli arredi, l'aveva fatto con l'intento di rievocare la grandiosità di un'epoca ormai passata. In tutta la stanza non c'era una tenda, un paralume o un copricuscino che non avesse una frangia o una nappina penzolante da qualche parte.

Max si guardò intorno, disgustato. *Sembra un dannato museo!* La sua attenzione si spostò poi sull'uomo di mezza età in pantaloni beige di velluto a coste, maglione verde e camicia celeste, che se ne stava accanto al fuoco spento, con in mano un bicchiere di whisky.

Era un uomo massiccio, dotato di una corporatura possente che cominciava a volgersi in pinguedine; il tempo, la pesantezza e la mancanza di esercizio stavano iniziando a pretendere il loro pedaggio. Ricopriva la carica di direttore operativo, e qualcuno del suo staff si riferiva a lui chiamandolo «D.O.». Quando voleva comunicare un'aria di amichevole bonarietà, però, diceva ai suoi interlocutori: «Chiamatemi Charlie».

Max tuttavia preferiva «Sir». Non gli piaceva entrare in confidenza coi pezzi grossi. Se lo fai, cominciano a prendersi delle libertà, si ripeteva sempre; mantieniti su un livello di una cortese formalità, e tutti sapranno qual è il loro posto. «Notizie da Carver, Sir.»

«Come sta andando?» chiese il direttore operativo. Aveva una voce stanca. Si passò una mano sui capelli, soffermandosi a massaggiarsi la nuca. Negli ultimi due giorni era riuscito a dormire meno di tre ore. Avevano lavorato in fretta, sempre sotto pressione, senza andare tanto per il sottile.

Chissà se il vecchio è ancora all'altezza, pensò Max. «Bene», rispose. «C'è solo una cosa, però. Pare che abbia avuto un improvviso attacco di coscienza.»

«Davvero? In che senso?»

«Si preoccupa che possano rimanere uccise persone innocenti.»

Il direttore operativo scoppiò a ridere. «Di certo non le sarà sfuggita l'ironia della situazione.»

«Oh, certo, quella la vedo.»

«Bene, dunque, i russi sono in posizione?» Il direttore operativo emise un breve sospiro di frustrazione. «Non mi piace usare gente nuova in operazioni come questa. Tuttavia il presidente mi assicura che sono dei fuoriclasse.»

«Sono in posizione», replicò Max. «E sono pronte anche le squadre di osservazione. Non appena ci sarà un avvistamento, saremo pronti a muoverci all'istante.»

«Ottimo! Aspettiamo che inizi lo spettacolo.»

5

Era mezzanotte e un quarto. A cavallo della sua Honda, Samuel Carver stava aspettando di entrare in azione. Lanciò un'occhiata in basso, al tubo di metallo nero attaccato alla moto dietro la sua gamba destra; sembrava un normale lampeggiatore a fusto lungo, del tipo utilizzato dalla polizia o dalle guardie di sicurezza, in realtà era un diodo portatile a raggi laser, altrimenti noto come *dazzler*, torcia abbagliante.

Progettato come un'arma non letale destinata alla polizia statunitense, ma adottato con micidiale entusiasmo dalle forze speciali un po' in tutto il mondo, il *dazzler* emette un raggio di luce verde a una frequenza di 532 nanometri. Il nome, quindi, è fuorviante: quando tale luce viene puntata sugli occhi, non si rimane semplicemente abbagliati, si è ridotti in uno stato di totale impotenza. Un raggio laser verde provoca in chiunque lo guardi disorientamento, confusione, temporanea immobilità; il cervello umano non è in grado di rielaborare la quantità vertiginosa di impulsi luminosi che scorrono attraverso il nervo ottico, così si comporta come farebbe un qualsiasi computer sovraccarico: collassa. Di notte o di giorno, con la pioggia o alla luce del sole, un *dazzler* si trasforma nel miglior amico di un incidente.

Ormai doveva essere questione di secondi. Carver si era posizionato accanto all'uscita di un sottopassaggio che correva sotto un'alzaia sulla rive droite della Senna; a destra, riusciva a scorgere la guglia scintillante della Tour Eiffel dall'altra parte del fiume, che s'innalzava come una saetta nel cielo notturno. Era mezzanotte passata, ma sul fiume c'erano ancora alcune barche da diporto. Se fosse stato minimamente interessato, Carver avrebbe potuto vedere le coppiette di innamorati accanto al parapetto, mano nella mano, intenti a contemplare la Ville Lumière. Ma il suo sguardo era rivolto all'estremità opposta del sottopassaggio. L'unica cosa di cui gli importava era il traffico.

Carver inspirò a fondo, facendo uscire l'aria lentamente, lasciò cadere le spalle, rilassò i muscoli, girò il collo e ruotò la testa per sciogliere la parte alta della spina dorsale. Quindi, tornò a guardare la strada. A diverse centinaia di metri di distanza, oltre l'ingresso del sottopassaggio, scorse una Mercedes nera. Andava veloce, troppo veloce.

Dietro la Mercedes spuntò la causa di quella folle velocità: una motocicletta, che ronzava intorno alla grossa automobile come una vespa intorno a un bufalo. Sul sellino posteriore c'era un passeggero; aveva una macchina fotografica e si sporgeva dal sedile facendo scattare il flash, apparentemente incurante della propria incolumità. Un paparazzo, non c'era dubbio, pronto a rischiare il collo per un'esclusiva.

Buon lavoro, pensò Carver, mentre osservava il gruppetto. Accese la moto e si tenne pronto a partire. Per un istante, pensò ai passeggeri sull'auto: probabilmente stavano sollecitando l'autista affinché seminasse la moto.

Tutto stava andando secondo i piani. Carver si lanciò giù per la discesa, verso la strada che usciva dal sottopassaggio.

Quando raggiunse l'incrocio con la strada principale, dal sottopassaggio sbucò una Citroën BX grigia. Carver la lasciò passare, non senza notare i due arabi che occupavano il posto dell'autista e quello del passeggero. Passò un'altra auto, una Ford Ka. Carver si portò con la moto verso il centro della strada; l'attraversò fino a raggiungere il lato opposto della carreggiata, quindi s'immise nel flusso di traffico che stava sopraggiungendo, sfrecciando fino ad arrivare a circa cento metri dall'imbocco del sottopassaggio. C'era una fila di piloni che correva lungo il centro della strada; sorreggevano il tetto del tunnel e separavano le due direzioni del traffico. Carver si fermò accanto all'ultimo pilone e si sporse verso il basso per staccare il *dazzler*.

A quel punto, il suo sguardo venne attirato da qualcosa. All'imbocco del sottopassaggio, procedente nella sua direzione, c'era una malconcia Fiat Uno bianca; viaggiava entro i limiti di cinquanta chilometri all'ora, meno della metà della velocità cui andavano la Mercedes e la moto che le stava alle calcagna. Mentre estraeva il laser dal suo involucro, Carver strinse gli occhi, storcendo la bocca in una smorfia di silenziosa irritazione: quello non faceva parte del piano.

La Mercedes e la moto si stavano avvicinando a rotta di collo alla piccola autovettura bianca. Ormai tra loro c'erano solo cento metri. Cinquanta. Venti.

Col motore al massimo, la Mercedes accostò la Fiat Uno nella corsia di destra, quindi si spostò sulla sinistra nel tentativo di sorpassarla. Il motociclista non ebbe più scelta. Dovette puntare nella direzione opposta, andando a infilarsi tra la fiancata destra della Fiat Uno e la parete del tunnel. In un modo o nell'altro, riuscì a sgusciare senza un graffio, schizzando via come un razzo.

La Mercedes non fu altrettanto fortunata. Sul lato del passeggero, il muso dell'auto andò a colpire la Fiat Uno; le luci di posizione dell'utilitaria andarono in frantumi e la sottile lamiera del parafango posteriore sinistro si accartocciò.

Lo stridere dei copertoni, lo schianto della plastica e del metallo contorto riecheggiarono tra le pareti del tunnel in un'unica cacofonia. Ma, dentro il suo casco, Carver si sentiva isolato, non toccato in nessun modo dal marasma che si stava precipitosamente avvicinando. Riuscì a distinguere l'autista della Mercedes che lottava per riprendere il controllo mentre il veicolo attraversava la strada a tutta velocità. Era in gamba, quel tizio. In qualche modo l'auto riuscì a rimettersi in carreggiata, e puntava dritta verso Carver.

Lui rimase immobile, come un matador nell'atto di affrontare la carica di un toro. Sollevò il laser e lo puntò sul parabrezza dell'auto. Quindi premette l'interruttore.

La vampa di luce fu istantanea. Un raggio di pura energia esplose attraverso lo spazio sempre più breve che separava Carver dalla Mercedes in rapido avvicinamento. Fu solo una frazione di secondo, poi il raggio svanì. Ma il danno era fatto.

La Mercedes sbandò a sinistra. L'autista schiacciò il piede sul pedale del freno, cercando disperatamente di fermare l'automobile. Inutilmente. La Mercedes da due tonnellate andò a schiantarsi contro uno dei piloni centrali, passando di colpo da una velocità vertiginosa a uno stato di completa immobilità. Il cofano si accartocciò, assorbendo parte della forza d'impatto, ma troppa era la velocità, troppo il peso, troppa la spinta. L'auto sfracellata rimbalzò sul pilone e slittò attraverso la carreggiata, ruotando su se stessa. Alla fine, andò a fermarsi nel mezzo della strada, col muso nella direzione opposta a quella in cui stava andando.

Il davanti della Mercedes sembrava un giocattolo di latta colpito da una mazza da baseball, con una gigantesca depressione a forma di U là dove avrebbero dovuto trovarsi il cofano e il motore. Il parabrezza era in frantumi, così come tutti gli altri finestrini. La ruota anteriore dalla parte del guidatore era schiacciata verso l'esterno e fuoriusciva dalla fiancata; sull'altro lato invece la ruota era stata pressata dentro la carrozzeria. Dalla parte del passeggero il tettuccio era stato strappato via, schiacciato verso il sedile e spostato di una sessantina di centimetri sulla sinistra. La pressione aveva fatto aprire tutte e quattro le portiere.

Sul lato del passeggero non si distinguevano segni di movimento. Carver sapeva che le probabilità di sopravvivenza dopo un impatto del genere erano minime. Con la coda dell'occhio vide un'auto che procedeva dietro di lui, dall'altra parte della strada, e che stava per immettersi nel tunnel dietro la Mercedes.

Frattanto, la Fiat Uno stava completando il suo tragitto fuori dal tunnel. Carver colse un lampo di terrore sul volto del guidatore. Poi notò qualcos'altro. Sul sedile anteriore c'era un cane; aveva la lingua fuori e ansimava felice, ignaro della scena di distruzione che si stava lasciando alle spalle.

Carver riattaccò il laser al serbatoio della moto. Era tentato di scendere a dare un'occhiata a quel disastro, per assicurarsi che l'obiettivo fosse morto, ma la cosa non aveva molto senso. Nell'eventualità improbabile che qualcuno fosse sopravvissuto a un impatto così devastante, non c'era proprio nulla che lui potesse fare senza lasciarsi dietro qualche tipo di traccia che gli investigatori avrebbero senz'altro rilevato. E, anche ammesso che

Ramzi Hakim fosse ancora vivo, non sarebbe stato in grado di progettare attività terroristiche per un bel po' di tempo.

Era ora di andare. All'estremità opposta del tunnel, Carver riuscì a distinguere un paio di pedoni fermi a guardare, indecisi se avvicinarsi o no alla scena dell'incidente. In lontananza, si sentiva il rumore delle moto, simili a un ronzio di zanzara. Stava arrivando gente. Avrebbero scattato delle foto. E, subito dopo, sarebbero seguiti i poliziotti, le ambulanze, i pompieri.

Carver non voleva trovarsi lì, quando fossero arrivati. Doveva andarsene, prima che qualcuno si accorgesse che quello non era solo uno sfortunato incidente. Girò a centottanta gradi la coda della moto e sfrecciò via, puntando verso la rampa d'uscita del tunnel dell'Alma.

DOMENICA, 31 AGOSTO

6

La Ducati M900 Monster andò a fermarsi duecento metri più in là lungo la strada, su avenue de New York, appena oltre l'ampio piazzale neoclassico del Palais de Tokyo, sede del museo parigino di arte moderna.

Grigorij Kursk mise un piede a terra e, raddrizzatosi sul sellino, sollevò la visiera: sul suo viso c'era un ghigno da animale predatore, gli occhi infiammati della fame rapace di un uomo per cui uccidere non è soltanto un lavoro, ma un istinto da soddisfare, che lo pagassero oppure no. Si voltò verso il passeggero, che proprio in quel momento stava riponendo la macchina fotografica in una sacca portabagagli sul lato della moto. «Hai visto che roba?» chiese con aria esultante, parlando in russo. «Hai visto lo sguardo sulla faccia di quell'autista? Non sapeva cosa fare, quel povero bastardo. Be', sarà ridotto a un paté, ormai!» Si fermò un istante, poi riprese a parlare con più calma, recuperando un tono professionale: «Okay, è stato semplice come avevo detto. Ora prendiamo l'altra metà dei soldi».

«Basta che ti sbrighi, a prenderla. È uno strazio, stare qui dietro», replicò il passeggero. «Ho le ginocchia dietro le orecchie.»

Kursk scoppiò a ridere. «Ah! Pensavo che quella ti piacesse, come posizione!» Voltatosi di nuovo verso il manubrio, andò avanti ancora qualche metro finché non trovò fra le macchine parcheggiate uno spazio abbastanza largo per la moto. Si posizionò rivolto verso l'esterno rispetto alla curva, lasciandosi un margine appena sufficiente per vedere l'uscita del tunnel. Da una tasca interna del giubbotto estrasse un visore a raggi infrarossi e, attraverso l'apertura del casco, se lo portò all'occhio destro. Stava cercando l'uomo in moto che poco pri-

ma si trovava all'estremità opposta del tunnel. Due cose sapeva Kursk, di quell'uomo: che si trattava di un ex membro delle
forze speciali inglesi, e che era il loro prossimo obiettivo.

Uscire dalla città sarebbe stato semplice. Carver aveva in mente di seguire il fiume sino alla *périphérique*, la superstrada che corre tutt'intorno a Parigi; quindi avrebbe aggirato la città in senso antiorario prima d'imboccare l'*autoroute* A5, allontanandosi in direzione sud-est. Prima dell'alba sarebbe stato oltre il confine svizzero.

Era sul punto di dare gas, quando il suo occhio fu colto da un lampo di luce, a non più di cento metri di distanza: il riflesso di una lente. Fu solo una frazione di secondo, ma sufficiente a metterlo in allerta, attirando la sua attenzione sulla ruota di una moto che sporgeva da dietro un'auto parcheggiata. C'era qualcuno che lo stava osservando. E lui gli stava correndo incontro.

Doveva togliersi dalla strada. Sterzò bruscamente sull'ampio slargo del marciapiede e prese a sfrecciare lungo una fila di alberi e una bassa ringhiera dipinta di nero, che in qualche modo faceva da barriera tra lui e chi lo stava aspettando.

A destra si stagliava l'incombente mole grigiastra del Palais de Tokyo, che abbracciava con due ali una vasta piazza aperta. La piazza saliva innalzandosi su quattro livelli, separati da rampe di bassi gradini che si estendevano per tutta l'ampiezza dell'edificio. Sul fondo, correvano due file di alte colonne classiche. Dietro, correva avenue du President Wilson, che avrebbe potuto fornire un'altra via di uscita dalla città.

Carver scartò verso l'imponente edificio. Rasentando le ali della piazza, sfrecciò accanto a un gruppo di ragazzi con lo skateboard riuniti a fumare spinelli, che lo guardarono sconcertati. Non appena raggiunse la prima fila di cinque gradini, si sollevò sulla sella, in modo che braccia e gambe assorbissero l'impatto mentre la moto s'inerpicava vibrando violentemente, fino a superare l'ostacolo.

Tra il casco e il rombo del motore, Carver non sentì gli spari. Colse solo una scintilla con la coda dell'occhio, immediatamente seguita dal cozzo dei proiettili che andavano a conficcarsi nel retro della moto, bucando il parafango posteriore ed esplodendo fuori dal tubo di scappamento.

Dietro di lui, i ragazzi con gli skateboard si risvegliarono dal loro stato di trance. Qualcuno si buttò a terra, altri scapparono via, gridando.

Rannicchiato sul manubrio, Carver schiacciò la testa il più in basso possibile, mentre dal muro accanto a lui prorompevano piccoli spruzzi di polvere e frammenti di pietra, in una raffica di piccole esplosioni. Non poteva far altro che andare avanti. Zigzagando da un lato all'altro, attraversò sfrecciando il lastricato fino a raggiungere la rampa di gradini successiva. Sembrava quasi che stesse spingendo il veicolo su per le scale grazie alla pura e semplice forza fisica, animato da una determinazione caparbia. Ma, mentre il suo corpo sobbalzava avanti e indietro sulla sella, il cervello era impegnato su un altro problema. Chi lo aveva preso di mira? La risposta più ovvia era qualcuno che lavorava per Ramzi Narwaz. Ma, se il pakistano aveva gente che lo proteggeva, perché allora non avevano difeso la sua auto? Doveva trattarsi di qualcun altro e, a meno che il party dell'omicidio non contasse un ospite che non era stato invitato, non rimaneva che un'unica alternativa.

«Merda!» Kursk scosse la testa, contrariato, mentre tornava a ficcarsi il mitra nella giacca. Era stato costretto a sparare stando girato sulla sella della moto, puntata nella direzione sbagliata. C'erano degli alberi nel mezzo, e stava mirando a un bersaglio in movimento. Era solo uno spreco di munizioni.

Poi guardò di nuovo. A quanto pareva, l'inglese stava andandosi a ficcare in un vicolo cieco: si sarebbe trovato in trappola in fondo a quella piazza a forma di U rovesciata, sotto un muro alto almeno quattro metri. Kursk vide che da lì cominciavano altri gradini, molto più ripidi, che risalivano diagonalmente lungo il lato del muro. *Non avrà mica intenzione di arrampicarsi fin lassù?*

Se fosse stato così, Kursk non sarebbe stato in grado di seguirlo; la sua moto non era predisposta per quel tipo di acrobazie, non con un passeggero. Certo, avrebbe potuto scendere di sella, regolare la pistola sulla modalità a colpo singolo e prendere la mira con tutta calma mentre l'obiettivo lottava per raggiungere la cima. Ma lo spazio di tiro sarebbe stato assai più ampio di cento metri; da così lontano, il potere di decelerazione della sua pistola, concepita per lavori a distanza ravvicinata, sarebbe risultato fortemente ridotto.

E c'era anche un altro problema. Anche ammesso di riuscire a ficcare in corpo all'inglese un numero di proiettili sufficiente ad ammazzarlo, Kursk si sarebbe comunque ritrovato con un cadavere sui gradini di una pubblica piazza, con numerosi testimoni della sparatoria, a meno di quattrocento metri dal primo incidente; una serie di eventualità troppo difficile da coprire, anche per la gente per cui lui lavorava.

Il russo imprecò a mezza voce. Le cose si stavano mettendo male. Doveva cercare di guadagnare un vantaggio sul suo avversario. «Tieniti forte», disse al suo passeggero.

La Ducati riprese vita con un ruggito mentre s'immetteva di nuovo in avenue de New York. Dopo pochi metri, Kursk svoltò a destra in un vicolo laterale e lo percorse tutto a gran velocità, costeggiando il Palais de Tokyo. Stava correndo parallelo a Carver, la mole dell'edificio a separarli, mentre andavano allontanandosi dal fiume. Ma in breve avrebbe guadagnato terreno sulla sua preda.

Sul lato opposto della piazza, Carver era arrivato ai piedi della gradinata. Mandò la moto su di giri, pregando che le prestazioni del motore al minimo di potenza fossero buone come diceva la pubblicità, quindi si scagliò verso i gradini, sollevando il manubrio e spingendo a forza di cosce, come per incitare un cavallo stremato a superare una serie di ostacoli. Il motore rispose con un acuto stridio, lamentandosi del maltrattamento, ma continuò ad andare.

Infine, lanciando un ultimo ululato di protesta, la moto arrivò fino in cima; per un istante la ruota posteriore girò a vuoto sulla liscia superficie di marmo, poi il veicolo riprese a sfrecciare tra le colonne, infilandosi nel piccolo spazio semicircolare di place de Tokyo, attraverso il quale si arrivava direttamente ad avenue du President Wilson e...

«Maledizione!» Carver avrebbe dovuto svoltare a sinistra, oltre il flusso del traffico che veniva verso di lui, per infilarsi nell'ultima corsia di destra: quella era la direzione per la *pèriphérique*. Ma lungo tutto il centro del viale c'erano due file ininterrotte di auto parcheggiate, fiancheggiate da alberi, che gli impedivano il passaggio.

In quel momento, a circa cinquanta metri da lui, in uscita da una strada laterale sulla sinistra, vide la stessa moto che aveva inseguito la Mercedes. Era un veicolo grosso e potente, ma sembrava uno scooter sotto la mole massiccia del suo conducente, che sovrastava di parecchio il passeggero sul sellino posteriore.

Le due teste si spostarono da un lato all'altro, scrutando intorno, quindi il più piccolo diede un colpetto sulla spalla del conducente e indicò giù per la strada, in direzione di Carver. La reazione fu immediata: la moto girò a destra, imboccando la discesa a tutto gas.

Ma Carver stava già sfrecciando lungo la strada. La sua domanda aveva trovato risposta. Max gli aveva messo i suoi alle calcagna. Ma perché lo avrebbe voluto morto? Vagliò nella mente tutte le possibili alternative mentre puntava la moto verso la zona rossa, ignorando i semafori, scartando bruscamente per evitare il traffico che usciva dalle traverse.

È per i soldi? si chiese. Tre milioni di verdoni erano un sacco di soldi, tutti per un solo lavoro. Se Max si sbarazzava di lui, poteva tenersi per sé la metà del contante che non era stata usata per pagarlo.

Gli automobilisti parigini sono famosi per non lasciarsi impressionare da niente, ma persino loro schiacciarono il freno alla vista di una motocicletta che gli sfrecciava davanti al paraurti anteriore. Carver passò zigzagando tra le auto che si bloccavano slittando, tamponandosi l'un l'altra in una cacofonia di freni urlanti, stridore di pneumatici e furiosi insulti.

Ogni auto che si fermava era un ostacolo in più per gli uomini che gli stavano alle calcagna.

O magari ho smesso di essere utile? Dalla loro ultima conversazione era emerso con estrema chiarezza che quello sarebbe stato il suo ultimo lavoro per un bel po' di tempo. Magari Max aveva deciso di dare un taglio ai rami secchi.

In fondo alla strada, l'avenue sbucava su place de l'Alma, che a sua volta conduceva oltre la stazione Alma-Marceau della metropolitana fino a raggiungere il ponte dell'Alma. Sotto, in senso trasversale, correva il tunnel dell'Alma. Si può dire quello che si vuole dei francesi, una cosa però è certa: quando trovano un nome che gli piace, non lo mollano più.

O forse è qualcosa che ha a che fare con questa operazione... Ma che cos'era a rendere quell'operazione tanto diversa dalle altre?

Carver superò del tutto place de l'Alma, passando proprio sopra lo scontro che aveva provocato solo pochi minuti prima. Non si vedevano ancora ambulanze, né le luci lampeggianti delle auto della polizia; dal livello stradale, non si distingueva nessun segno d'incidente. Percorse il ponte per un centinaio di metri, puntando alla sponda opposta della Senna; intendeva fare un'inversione e infilarsi nella superstrada che correva lungo la rive gauche del fiume, e poi prendere per la *périphérique*. Ma si rese conto che sarebbe stata una follia: la Ducati era una moto molto più potente; anche con due passeggeri a bordo, sulla strada aperta non ci sarebbe voluto molto tempo perché avesse la meglio su di lui. Doveva trovare il campo di battaglia adatto per affrontare i suoi avversari e batterli.

E fu proprio allora che lo vide. Sul lato opposto del ponte c'era un piccolo chiosco bianco, circondato da un basso recinto. Sembrava un gigantesco fungo stilizzato: un basso fusto tozzo sovrastato da un largo tetto ottagonale che scendeva digradando dolcemente; un cartello blu annunciava VISITE DES ÉGOUTS DE PARIS.

Sul viso di Carver si aprì un ampio sorriso: sapeva di cosa si trattava, ed era perfetto. Davanti a sé vide un lungo pullman, le due metà unite da una fisarmonica di gomma; stava per svoltare a destra, uscendo dalla strada principale che correva lungo la rive gauche per infilarsi sul ponte dell'Alma.

Carver doveva raggiungere l'altro lato della strada; in quel modo il pullman si sarebbe trovato in mezzo al suo percorso. Tentò un ultimo azzardo: con la moto fece un brusca sterzata a sinistra e attraversò sbandando la traiettoria del pullman. Riuscì a percepire la mole che incombeva su di lui, e lo sguardo di terrore sul volto del conducente.

Fatto un mezzo giro su se stesso, il pullman si fermò stridendo. O, almeno, fu ciò che fece la sua metà anteriore. L'estremità posteriore invece continuò ad andare, muovendosi come una coda, con la connessione tra le due metà a fungere da cerniera. In qualche modo, l'autista riconquistò il controllo del veicolo prima che la spinta rotatoria lo scaraventasse su un fianco. Ma ormai si trovava di traverso sul ponte, col traffico che gli si stava accumulando tutt'intorno: uno sbarramento ideale.

Carver andò a fermarsi accanto al chiosco. Saltò giù dalla moto, si tolse il casco e afferrò la torcia laser. Accanto al chiosco, un basso cancello di metallo bianco chiudeva una rampa di scale in pietra che scendeva a spirale nel sottosuolo. Sul cancello, un cartello diceva: ACCÉS INTERDIT.

L'inglese aprì il cancello con un calcio e si lanciò giù per le scale.

La prima fogna sotterranea venne scavata sotto le strade di Parigi nel 1370. Attualmente sotto la città ci sono duemila chilometri di tunnel, conosciuti come «Les égouts». Trasportano milleduecento milioni cubici al giorno di acqua e liquami, seguendo esattamente lo stesso percorso delle strade in superficie. Ogni tunnel è contrassegnato col nome dell'avenue, del boulevard, della strada o piazza di cui raccoglie gli scoli.

Se si vuole scatenare una sparatoria nel bel mezzo di una metropoli senza che nessuno se ne accorga, le fogne sono il posto ideale. Ma Parigi non si limita ad avere una rete fognaria; ha una fogna museo, un dedalo di tunnel e di cavità in cemento e acciaio che si apre proprio al di sotto dell'estremità meridionale del ponte dell'Alma.

Carver percorse in fretta l'angusta scaletta, tra pareti di cemento grezzo. In fondo, il corridoio svoltava bruscamente a destra, portando a una massiccia porta d'acciaio, sulla quale un cartello bianco attraversato da una striscia rossa avvertiva del pericolo: DANGER. Sotto il cartello, un lucchetto teneva chiuso un poderoso catenaccio.

Carver sparò sul lucchetto, frantumandolo, quindi spinse la porta; fu inghiottito dall'oscurità, greve di aria gelida e dell'umido sentore degli scoli. Accese il *dazzler* e ne ruotò l'estremità in modo da allargare il raggio; il buio fu invaso da un bagliore spettrale, verde radioattivo.

Più avanti, il corridoio sembrava allargarsi in un vasto ambiente dal soffitto basso. Sulla parete interna della porta c'era un'altra serratura, azionata da una ruota metallica; Carver chiuse la porta e girò la ruota. Le probabilità che i tizi che lo stavano inseguendo passassero da quella parte erano minime: solo un idiota si sarebbe infilato in uno stretto budello buio, correndo dietro a un uomo armato di un *dazzler* e quasi certamente anche di una pistola; avrebbero sicuramente cercato un'altra via d'ingresso. Ma, a dispetto di tutto, coprirsi le spalle non fa mai male.

Con la torcia nella mano sinistra e la pistola nella destra, l'inglese si addentrò nei condotti fognari, cercando d'indovinare da che parte i suoi inseguitori avrebbero potuto attaccarlo.

La prima cavità consisteva di due vecchi tunnel fognari che correvano fianco a fianco. La fogna era stata riempita per metà di cemento, in modo da ottenere una superficie piatta; il muro tra i due tunnel era stato forato mediante una serie di bassi archi ovali, così da ottenere uno spazio unico. Carver attraversò uno degli archi, e subito si buttò a terra, portando la pistola in posizione di tiro mentre si lasciava rotolare sul cemento. Alla sua sinistra, nel cono d'ombra oltre il raggio verde del laser, aveva visto un gruppo di figure in tuta da lavoro ed elmetto da minatore. Gli ci volle mezzo secondo per capire che erano fantocci di cera, parte dell'esposizione del museo.

Imprecando, si tirò su e si scosse la polvere di dosso. Alla sua destra si apriva un altro tunnel, più piccolo. Un cartello segnalava DIRECTION DU TOUR. Carver lo seguì, inoltrandosi nel tunnel.

Grigorij Kursk era arrivato in fondo al ponte dell'Alma pochi secondi dopo Carver. Aveva individuato l'inglese lassù, proprio nel punto in cui si stava producendo nella sua folle bravata davanti al pullman in avvicinamento. L'aveva perso di vista quando il veicolo si era messo di traverso sulla strada.

Per un istante, aveva pensato che il suo uomo gli fosse scappato; poi, sul lato opposto della strada, abbandonata accanto al chiosco, vide la moto di Carver. Si spinse sul marciapiede all'estremità del ponte, andando a parcheggiare la Ducati accanto a un'ingabbiatura metallica che s'innalzava fino all'altezza della vita, a protezione di un tombino aperto; una scala a chiocciola discendeva nel sottosuolo.

Kursk fece cenno al compagno di avvicinarsi alla moto dell'inglese sul lato destro, mentre lui si spostava sul sinistro. I due si lanciarono attraverso il ponte. Kursk aggirò il muso del pullman che era rimasto bloccato, mentre il suo compagno sfrecciò tra la fila di auto che si stava allungando dietro. Quando arrivarono alla Honda, non c'era traccia del conducente. Fu allora che Kursk notò il cancello aperto e le scale di cemento. Osservò i cartelli sul chiosco, cercando di decifrarne il significato. Capì che quello era l'ingresso a un qualche tipo di museo delle fogne; il che significava che da qualche parte doveva esservi un'uscita, o magari una via di fuga in caso d'incendio.

Sotto il casco, il viso di Kursk si accese di un ghigno famelico. Impartì le istruzioni all'altra figura vestita di pelle nera, quindi tornò alla Ducati parcheggiata contro l'ingabbiatura metallica. Dopo essersi tolto il casco, Kursk aprì il vano portaoggetti della moto e ne prese un kit di attrezzi avvolto in una busta di nylon nero, da cui estrasse un tagliabulloni. Si sporse oltre l'ingabbio e tagliò le maglie della catena che bloccavano l'accesso; poi sollevò lo sportello facendolo ruotare sul cardine, oltrepassò la ringhiera e cominciò a scendere lungo la scala di metallo.

In fondo alla tromba della scala c'era una doppia porta, che risplendette di un rosso vivo nel fascio di luce della piccola torcia che Kursk aveva applicato alla canna della pistola; era un'uscita d'emergenza, i cui battenti si aprivano verso l'esterno. L'uomo fece partire una scarica di tre colpi sul meccanismo di chiusura.

Il rumore degli spari riecheggiò in lontananza, perdendosi nel buio. L'inglese l'aveva sentito di certo, ma Kursk non aveva nessuna intenzione di perdere tempo a girare in lungo e in largo per le fogne di Parigi giocando a mosca cieca. Molto meglio stuzzicare l'avversario, attirandolo in una trappola.

Con una spinta, aprì la porta; fatti pochi passi, entrò in una sorta di grotta artificiale, larga una quindicina di metri e alta quattro e mezzo. Da qualche parte, sotto di lui scorreva dell'acqua: riusciva a sentirne il rumore. La torcia percorse il fondo di cemento finché non illuminò una grata metallica inserita nella pavimentazione, che correva per tutta la larghezza della grotta; al di sotto scorreva una fitta brodaglia marrone di li-

quami e acque di scolo che riempiva l'aria di un acre tanfo fe-
cale. C'era davvero della gente che pagava per andare laggiù?

Kursk si guardò intorno, in cerca di un riparo. L'enorme
spazio si presentava quasi del tutto spoglio. La sola via di accesso alla grotta era data da due tunnel, uno stretto e con la
pavimentazione in cemento, l'altro più largo, con un'altra griglia sul fondo, che dava direttamente sulla fogna aperta. I due
tunnel si dipartivano dal lato sinistro, a pochi metri di distanza l'uno dall'altro.

Sulla destra c'era una nicchia. La parete di fondo recava intagliato un grande cerchio, del diametro di tre metri circa; nel
mezzo del cerchio, sostenuta da una bassa intelaiatura di legno, c'era una gigantesca sfera nera, simile a un'enorme palla
di cannone, così alta che Kursk non riusciva a toccarne la cima. In basso, sul pavimento, c'era un modello in scala della
sfera, che mostrava come essa fosse costituita di tavole di legno, con un centro cavo. Un pannello illustrativo spiegava come un tempo venisse utilizzata quale strumento di pulizia:
trascinata lungo il condotto fognario principale, andava a
sbattere contro le pareti in modo da staccarne via il sudiciume.

Kursk scorse rapidamente il pannello; esaminò la sfera e il
modo in cui era sistemata sull'intelaiatura. Aveva un nuovo
piano.

Proprio nel momento in cui, dopo aver lasciato un tunnel basso e stretto, stava uscendo su un largo spiazzo sotterraneo,
Carver udì l'eco smorzata di colpi di pistola. Fece scorrere la
torcia tutt'intorno, cercando di farsi un'idea dell'ambiente.
Sembrava una sorta di raccordo, dove un dedalo di strade sot-
terranee andava a convergere in un unico punto. Su ogni lato
si aprivano degli archi, oltre i quali l'uomo non riusciva a distinguere nient'altro che l'oscurità dei condotti che scompari-
vano perdendosi nel profondo. Ma il solo tunnel che gli interessava si apriva proprio lì, davanti al punto in cui si trovava
lui. Era certo che gli spari provenissero da lì, dall'estremità opposta.

Carver decise di accogliere l'invito implicito – chiunque

avesse fatto partire quegli spari, lo aveva fatto con l'intenzione
che lui li sentisse – e cominciò ad avanzare. Trovò qualcosa di
quasi rassicurante nella natura del gioco che stavano giocando: non doveva fare altro che ammazzare l'altro tizio, prima
che l'altro tizio ammazzasse lui. Era un compito facile, lineare.

A una dozzina di passi dall'imbocco del tunnel, sulla destra, c'era un'apertura. Da lì, Carver riusciva a sentire il rumore di acqua corrente, che andava assai più veloce di quanto lui
non avesse sentito fino ad allora. Si fermò accanto all'apertura,
schiacciato contro la parete. Dopo aver tratto un respiro profondo per rallentare le pulsazioni, sistemò la mano sinistra,
con cui reggeva la torcia, proprio sotto la destra, che reggeva
la pistola; quindi, coi piedi allargati, con le gambe piegate, le
braccia stese di fronte a sé, uscì fuori allo scoperto.

Laggiù non c'era nessuno. Davanti a Carver si allungava un
altro tunnel, molto più grande. Dal soffitto, sospesi a mezz'a-
ria per mezzo di cavi d'acciaio, pendevano cartelli e bacheche
espositive: l'intera storia delle fogne parigine. E, proprio sotto
la serie degli espositori, una spessa rete d'acciaio copriva il
flusso di una fogna ancora funzionante. Sui lati, lungo le pareti del tunnel, marciapiede in cemento fornivano un posto all'a-
sciutto per i visitatori.

Carver ritornò nel tunnel trasversale e continuò ad avanzare. C'era ancora acqua che scorreva tutt'intorno a lui, ma con
un flusso molto più fiacco; e l'odore si era di colpo fatto molto
più intenso, un fetore nauseante di scarichi umani.

Dal soffitto pendeva un enorme tubo, la cui presenza era
segnalata con un nastro adesivo a strisce per impedire che
la gente vi andasse a sbattere con la testa. Più in là c'era un altro punto di raccordo, dove il tunnel si divideva in due: la bi-
forcazione di sinistra era uno stretto condotto di cemento;
quella di destra era più larga, con un camminamento che correva accanto al dotto fognario. Carver andò a sinistra. Non c'e-
ra una gran logica strategica dietro quella scelta; semplicemente, pensò che il tunnel di cemento avrebbe puzzato di meno. Avanzò ancora, facendo scorrere avanti e indietro il fascio
della torcia, l'orecchio teso a cogliere qualsiasi suono che potesse rivelare la presenza di altre persone.

Per poco, non cadde dentro l'enorme spazio vuoto che si apriva in fondo al tunnel; si fermò appena in tempo per non andare a schiantarsi al suolo. Indietreggiò di un passo, domandandosi perché non vi fossero più stati degli spari. I suoi nemici dovevano trovarsi vicino, ormai. Perché non sparavano? Avevano forse imboccato l'altro tunnel, prendendolo in contropiede?

Carver puntò la torcia nella direzione da cui era venuto. Nessuno. Tornò a voltarsi, le mani unite, fece ancora un passo nello spazio aperto e... niente, null'altro che un vuoto simile a una caverna. Avanzò ancora di qualche passo. Il raggio del *dazzler* illuminò l'enorme palla nera nella nicchia e lo scheletro semidistrutto della porta di legno rosso. Dietro, s'intravedevano le scale che salivano curvando fino a raggiungere il livello del piano stradale.

Carver fece ancora un passo e si fermò; poi, lentamente, con circospezione, cominciò a ruotare, facendo scorrere il raggio di luce intorno a sé, la pistola a seguire il *dazzler* lungo tutto il percorso. Aveva completato mezzo giro quando udì una sorta di grugnito: era un suono umano, come di un pesista intento nello sforzo di sollevare un carico straordinario. Un attimo dopo, seguì lo scricchiolio del legno sotto pressione.

Carver terminò il suo giro proprio nel momento in cui, liberatasi dal suo alloggiamento, l'enorme sfera cominciava a rotolare verso di lui. Sparò quattro colpi, ma le pallottole rimbalzarono contro il legno, scalfendone appena la superficie, mentre l'eco delle detonazioni si mescolava al rombo basso e cupo della sfera contro il fondo di cemento.

Carver si voltò per tornare di corsa verso l'imbocco del tunnel, che distava solo pochi passi, ma scivolò su una pozza d'acqua e cadde sul pavimento di cemento. Muovendosi a tentoni, cercò affannosamente di rialzarsi; nel tentativo, lasciò cadere il *dazzler*, che rimase schiacciato sotto la sfera come una macchinina di latta sotto uno stivale militare.

Alla fine, l'inglese riuscì a rifugiarsi nel tunnel, poco prima di udire lo schianto quando la sfera, troppo grossa, andò a sbattere contro l'imbocco.

Carver cominciò a correre, tuffandosi nell'oscurità che gli

si apriva davanti. Passò la pistola nella mano sinistra, mentre con le dita della destra sfiorava la parete in modo da avere una guida. Si costringeva ad avanzare nel buio, correndo, per quanto il suo istinto continuasse a urlargli di andare piano.

Stimò che il tunnel dovesse essere lungo all'incirca venti passi, poi c'era il raccordo; l'altro uomo sarebbe arrivato da quella parte. Carver si mise in ascolto e riuscì a cogliere il rumore di una serie regolare di passi. Guardò alla propria sinistra e distinse il fioco raggio di una torcia che stava emergendo dal buio, scorrendo rapidamente da una parte all'altra. Lasciò partire tre colpi. Non si aspettava di colpire nulla: voleva solo costringere l'altro a coprirsi, anche solo per pochi secondi.

Giratosi di nuovo, allungò la mano in cerca del sostegno del muro e si mise a correre, lanciandosi nell'oscurità.

Kursk si era messo in posizione d'attacco. Aveva costretto il nemico a ritirarsi e gli aveva fracassato il *dazzler*; senza il laser a illuminare il bersaglio, la pistola dell'inglese costituiva una ben misera minaccia. Doveva cercare di far fruttare al massimo il suo vantaggio.

Non aveva ancora fatto più di cinque passi lungo l'altro tunnel, che correva parallelo a quello in cui era scappato l'inglese, quando nel fascio della torcia scorse il luccichio di una canna di pistola. Subito si buttò a terra, mentre sulle pareti intorno a lui rimbalzavano tre pallottole.

Spense la torcia, rendendosi nuovamente invisibile. Sentì i passi dell'inglese che si allontanava, in fretta, là davanti. Riaccese la torcia e continuò ad avanzare verso la fine del tunnel. Vide il tubo col nastro a strisce, ma più avanti non c'era nessuno; l'inglese doveva aver svoltato da qualche parte, cambiando direzione.

Sulla destra, Kursk riuscì a distinguere l'arco di un altro tunnel, dal quale proveniva il suono di un rapido scorrere d'acqua. Allora, senza fermarsi, gli corse incontro e, buttatosi a terra, si lasciò rotolare attraverso l'apertura dell'arco, sparandovi in mezzo mentre era in movimento. Sentì che anche il suo avversario sparava.

Due pallottole colpirono la parete sopra Kursk, facendogli cadere addosso una pioggia di polvere e schegge di cemento. A mano a mano che l'eco degli spari svaniva, il russo credette di sentire qualcosa al di sopra del rumore dell'acqua; un trepestio nel buio, poi un colpo più forte seguito da un'imprecazione soffocata. Dovette fare uno sforzo per non scoppiare a ridere. *Quel bastardo è andato a sbattere contro qualcosa mentre cercava di scappar via al buio.*

Kursk si rialzò e ripassò attraverso l'arco, tenendo lontano da sé la pistola con la luce in modo da non venir colpito nel caso che qualcuno mirasse alla torcia. Lanciò uno sguardo giù per il tunnel, e vide le bacheche e i cartelli sospesi tra il soffitto e la grata di metallo. Pensò che forse l'inglese potesse essersi nascosto lì dietro.

Spense la torcia. Ogni traccia di luce svanì. Si lasciò scivolare a terra e, strisciando sulla pancia, si portò al centro del passaggio dell'arco; quindi avanzò ancora, finché non sentì la superficie sotto di sé che dal cemento passava al metallo. Venne investito da una zaffata di gelida aria fetida, satura di umidità, proveniente dall'acqua di scolo che scorreva sotto di lui. Si allungò e sentì tra le mani il primo cavo, teso come il tirante di una tenda, che reggeva una bacheca espositiva in plexiglas.

Lentamente, in silenzio, Kursk si trascinò sotto la bacheca, sgusciando attraverso l'intrico di cavi che la tenevano assicurata al suolo. Una volta uscito sull'altro lato, si fermò in ascolto.

Spostava la testa a destra e a sinistra a rapidi scatti, tendendo l'orecchio, colto da un improvviso nervosismo al pensiero che l'inglese potesse essere lì vicino. Si costrinse ad aspettare, a essere paziente. Il gioco era tutto lì: vedere chi perdeva prima il controllo dei nervi, rivelando all'avversario la propria posizione.

Fu l'inglese a cedere per primo.

Si udì un altro veloce scalpiccio di piedi. Kursk portò entrambe le mani sulla pistola; si chinò in avanti, in posizione di tiro. Stava per premere il grilletto, quando nell'oscurità del tunnel divampò una sfera di fuoco incandescente, accompagnata da uno scoppio assordante e da un improvviso spostamento d'aria.

Il russo venne sollevato e sbattuto contro il soffitto del tunnel e poi, in una valanga di cavi e detriti, fu scagliato all'indietro attraverso la profonda apertura dove prima si trovava la grata di metallo, per finire scaraventato nel torrente di acqua e lordura giù in basso.

Ma nel momento in cui il corpo veniva catapultato nelle fognature di Parigi e trasportato via con la corrente, Grigorij Kursk non ne aveva più nessuna coscienza.

9

Vi sono due corti tunnel trasversali che dalla zona espositiva della Galerie Belgrand conducono alla Galerie de Bruneseau, parallela alla prima. Carver aveva regolato sui cinque secondi il detonatore applicato agli involti di plastico C4, quindi era scappato lanciandosi in uno dei due tunnel, l'Avaloir. La fiamma prodotta dall'esplosione divampò spandendosi giù per il condotto, inseguendo Carver che sentì le lingue cocenti lambirgli la schiena. Non gli rimaneva che risalire in superficie, ma da quale uscita?

Erano due le persone che lo inseguivano in moto. Una di loro poteva trovarsi ancora là sopra, e Carver voleva prenderla; viva, se possibile. Provò a mettersi nei panni di quell'uomo: dove si sarebbe piazzato lui, se si fosse trovato lassù? La mossa più intelligente sarebbe stata trovare un punto da cui fosse possibile coprire entrambe le uscite.

E c'era da considerare un altro fattore. L'area intorno al chiosco della biglietteria rappresentava un vero e proprio paradiso per chi volesse tendere un agguato: un sacco di punti dove nascondersi e nessun passante a fare da testimone. Ma, se il senso dell'orientamento di Carver funzionava a dovere, l'altra uscita doveva trovarsi nei pressi dello sbocco sud del ponte dell'Alma; là si era molto più allo scoperto, con un passaggio di gente e automobili assai più consistente. Ecco dunque dove avrebbe tentato la sorte.

In quella fittissima tenebra gli ci vollero parecchi minuti per trovare la via del ritorno, fino alla caverna artificiale dove era situata la gigantesca sfera. Alla fine, vide baluginare una luce; con immenso sollievo, le si lanciò incontro, correndo verso le scale, oltre la porta rossa ancora aperta.

Stava quasi per imboccare la tromba delle scale, quando

riuscì a costringersi a fermarsi. Vi s'infilò lentamente, lo sguardo rivolto verso l'alto, la pistola puntata in senso verticale, pronta a far fuoco al minimo movimento che si producesse sopra la sua testa. C'era una specie di grata che si stendeva in cima all'imbocco. Carver non vedeva lucchetti o catene che la tenessero chiusa. Con passo deciso salì su per la scala a chiocciola, fermandosi ogni tanto a osservare e ascoltare.

I gradini terminavano su una piccola piattaforma a circa mezzo metro dalla superficie. Tenendosi sempre al di sotto del bordo del tombino, Carver vi strisciò sulla pancia e si trascinò il più vicino possibile al lato dove si apriva il buco. Appoggiò le mani a terra allineandole con le spalle, la sinistra piatta, la destra stretta sull'impugnatura della pistola; quindi spostò il peso sulle braccia, sporgendo il busto in avanti e portando i piedi verso l'alto, in modo che le ginocchia si trovassero schiacciate contro il petto. Poi, con un balzo, si lanciò fuori dal tombino, mantenendo la propria traiettoria il più bassa possibile, fino ad atterrare piatto sull'asfalto del marciapiede.

Non appena toccato il suolo, Carver rotolò sul fianco sinistro unendo davanti a sé le mani, ancora strette intorno alla pistola; teneva la testa alta, gli occhi fissi in avanti, puntati sulla linea tracciata dalle braccia distese e dall'arma. Non vide né udì nulla di allarmante, solo un paio di automobili che stavano attraversando il ponte dell'Alma. Nessun rumore di arma da fuoco, nessuno schiocco di proiettile attutito dall'impatto con l'asfalto lì accanto a lui.

Ruotò fino a trovarsi appoggiato sulla spalla destra, e in quel momento le sue gambe andarono a sbattere contro qualcosa di duro. Con una smorfia di dolore, percepì la botta della caviglia contro il nudo metallo. Voltato lo sguardo, vide che era andato a urtare contro la Ducati dell'uomo appena ucciso; dal manubrio pendeva ancora il casco. Il dolore alla caviglia, tanto acuto da provocargli quasi un senso di nausea, gli era stato causato dal pedale dell'avviamento.

Carver si tirò su a sedere, appoggiandosi contro la moto mentre continuava a tenere d'occhio la zona circostante: ancora nessun segno di nemici. Abbassò lo sguardo alla caviglia e piegò il piede; riusciva a ruotarlo senza problemi, quindi osso e legamenti non avevano subìto danni. Di certo il mattino dopo avrebbe avuto un brutto livido ma, se viveva abbastanza a lungo da vederlo, non aveva di che lamentarsi.

Mentre era lì seduto sul marciapiede, passarono un ragazzo e una ragazza mano nella mano. Carver cercò di sembrare rilassato e indifferente, come se starsene accasciato contro una moto, ricoperto di polvere di cemento e di bruciacchiature fosse una cosa perfettamente normale. Tuttavia i due giovani innamorati erano troppo impegnati a scambiarsi sguardi appassionati per accorgersi di chiunque altro.

Usando i due come copertura, Carver si tirò su e li seguì mentre, attraversata la strada in fondo al ponte, continuavano a camminare verso l'alzaia del fiume, nei pressi del chiosco dell'entrata alle fognature. L'Honda era ancora là dove l'aveva lasciata. Camminò in quella direzione, tenendo la pistola abbassata lungo il fianco, ancora riparato dai due piccioncini che camminavano davanti a lui.

Dell'altro uomo, nessun segno. Carver perlustrò con lo sguardo gli alberi che fiancheggiavano il lungofiume: niente. Scorse velocemente i cespugli: niente. Alla destra del chiosco correva il quai d'Orsay, la principale arteria sulla rive gauche, che portava fino al palazzo Borbone e al museo d'Orsay. A non più di venti metri, c'era la pensilina di una fermata d'autobus; una donna dai capelli biondi, appoggiata alla struttura esterna della pensilina, guardava lungo la strada nella direzione da cui stava arrivando Carver. Indossava una canottiera nera di dimensioni minime, senza reggiseno, e una striminzita minigonna di jeans; la tracolla di nylon nera della borsa che le pendeva sulla schiena le attraversava il petto diagonalmente, separando e mettendo in risalto il turgore dei seni.

Lo sguardo di Carver indugiò un secondo di troppo.

Percepita l'occhiata scrutatrice, la donna si sfilò la borsa dalla spalla e, tenendola davanti al petto, gli rispose a sua volta con un'occhiata ferma e risoluta che diceva «Lascia perdere, stronzo!» con la stessa chiarezza che avrebbe avuto se l'avesse urlato ad alta voce.

Carver abbassò gli occhi, come avrebbe fatto qualsiasi altro uomo colto nell'atto di fissare maleducatamente. E fu allora che notò gli stivali della donna: neri, pesanti, chiusi da fibbie sulla caviglia e a metà polpaccio... stivali da motociclista. Li aveva già visti, così come aveva già visto la borsa di nylon nera. E perché la bionda stava guardando nella sua direzione? Su quel lato della strada qualsiasi autobus sarebbe arrivato dall'altra parte.

Cristo, sono un idiota! Carver alzò lo sguardo e, sollevata la pistola che teneva lungo il fianco, cominciò a correre verso la donna, mentre lei allungava la mano dentro la borsa e tirava fuori un Uzi con silenziatore. Le fu addosso prima che potesse far fuoco; afferrò l'arma e gliela strappò di mano. Poi la fece girare su se stessa, schiacciandole la faccia contro la parete della pensilina. Con un calcio allontanò il mitra, poi le passò un braccio intorno al petto, in modo che le braccia della donna fossero immobilizzate lungo i fianchi. La teneva stretta a sé, schiacciata tra il suo corpo e la fiancata della pensilina; riusciva a sentire tutta la morbidezza di quel corpo, e colse un sentore del suo profumo, speziato e intenso. Fu solo un attimo, ma qualcosa in quell'aroma lo distrasse, come un'inaspettata sensazione di familiarità.

Le schiacciò la pistola contro la tempia. «Ascolta attentamente», le sibilò nell'orecchio. «Il tuo ragazzo è morto. Morirai anche tu, se non fai esattamente quello che ti dico.»

Non vi fu nessuna reazione.

«Capisci l'inglese?»

Nessuna risposta.

Carver indietreggiò di un passo, tenendo la pistola tesa in avanti. Senza perdere d'occhio la bionda, piegò le ginocchia e, raccolto il mitra, se lo ficcò nella giacca. «Voltati.»

Lei non si mosse.

Carver le mollò un calcio alle gambe, colpendola sul lato dello stinco. La donna crollò a terra, accasciandosi alla sinistra della pensilina. Non appena le sue ginocchia toccarono il suolo, Carver le piazzò il piede sinistro fra le scapole, tenendola bloccata a terra. Lei si lasciò sfuggire un involontario grugnito quando l'aria venne compressa fuori dai polmoni; si trovava distesa lungo il lato posteriore della pensilina: nessuno dalla strada avrebbe potuto vederla.

Carver sparò un colpo singolo al marciapiede, a quindici centimetri dalla testa della donna. Lei fece un sussulto quando polvere e frammenti di pietrisco la colpirono sul lato del viso.

«Il prossimo ti trapassa il cranio. E adesso finiamola con le stronzate. Lo parli l'inglese, sì o no?»

La donna rispose con un cenno affermativo del capo.

«Bene. Ora, molto lentamente, metti le braccia lungo i fianchi, col palmo delle mani rivolto verso di me.»

Lei fece come le veniva detto.

«Grazie. Ora rimani completamente immobile.» Carver si spostò e fece scivolare il piede lungo la schiena della donna, oltre il fondoschiena, fino a portarlo a posarsi per terra, tra le cosce di lei; quindi flesse il ginocchio sinistro appoggiandolo sulla base della colonna vertebrale: tutto il suo peso gravava sulla parte bassa della schiena della donna, che emise un mugolio di dolore. Aperta la zip di una delle tasche dei pantaloni, Carver tirò fuori una sottile striscetta di plastica e la curvò a formare una specie di otto; ciascuno dei due cappi era fissato da minuscoli bloccaggi, attraverso i quali passavano le strisce di plastica. «Metti le mani sulla schiena, l'una accanto all'altra», le ordinò. Poi infilò un cappio di plastica a ciascuna mano e tirò il capo libero finché la plastica non arrivò a stringere forte sui polsi, penetrando nella pelle. «Girati di schiena.»

Quando la donna alzò lo sguardo su di lui, Carver percepì un lampo di furore nei suoi occhi e nella smorfia che le storceva le labbra. Distolto lo sguardo, la donna trasse un unico, violento respiro dalle narici; aveva già riconquistato l'autocontrollo quando tornò a voltarsi. Il suo viso era privo di espressione: il viso di una donna avvezza ai maltrattamenti, allenata a resistere. Era come se sapesse che il peggio doveva ancora venire; non gli avrebbe dato la soddisfazione di vederla perdere il controllo mettendosi a piangere o supplicando pietà.

«Siediti contro la pensilina», le ordinò Carver.

Lei si tirò su, poi si trascinò all'indietro finché non riuscì ad appoggiarsi contro la parete della pensilina, le gambe stese in avanti, sul marciapiede. Carver stava di fronte a lei, accovacciato; chiunque fosse passato di lì lo avrebbe preso per un fidanzato intento a soccorrere la propria ragazza colta da un malore, o completamente sbronza. Nessuno si sarebbe fermato a guardare con maggior attenzione, nessuno avrebbe cercato d'immischiarsi; avrebbero tirato dritto, come fa sempre la gente di città, ovunque.

«Perché Max mi vuole morto?»

La donna non si lasciò sfuggire una parola. Ma i suoi occhi erano inchiodati su di lui con una concentrazione più ostinata, una nuova scaltrezza, come se stesse aspettando di scoprire quali carte aveva in mano l'avversario prima di fare la sua mossa.

Carver volle punzecchiarla, per provocare una reazione. «Senti, lo capisco se sei incazzata. Lo sarei anch'io se avessi combinato un casino simile. Brutta mossa, cercare di tirar fuori l'arma dalla borsa, vero? Che cos'è, non sei brava nel tuo mestiere? Sei giù di allenamento? O, magari, questo non è il tuo solito settore.»

Lei non ebbe nessuna reazione. Si limitò a guardarlo con un'espressione di totale disprezzo, come uno che non ha capito assolutamente nulla.

«Non hai ancora risposto alla mia domanda», insistette Carver. «Perché Max mi vuole morto?»

Finalmente la donna parlò. «Non conosco nessun Max.» Aveva una voce ferma e decisa, come quella di un sospetto chiuso nella stanza degli interrogatori che sa bene che i poliziotti non hanno uno straccio di prova. L'accento era americano, ma parlato da uno straniero.

«Okay.» Carver si alzò e in un paio di passi raggiunse la borsa nera che era rimasta per terra. Tenendo sempre la donna sotto tiro e senza staccarle gli occhi di dosso, si chinò e la raccolse, poi tornò alla posizione di partenza, accanto a lei. «Vediamo che cosa abbiamo qui...» Infilò nella borsa la mano libera, tirò fuori un portafoglio e lo aprì con uno scatto. Dentro c'erano diverse carte di credito; Carver ne fece scivolare fuori un paio spingendo col pollice: A. PETROVA era il nome cui erano intestate. Diede ancora un'occhiata alla parte esterna del portafoglio, verificando il marchio Louis Vuitton stampigliato sulla pelle. Stava cominciando a mettere insieme i pezzi, ma per esserne sicuro aveva bisogno di qualche altra informazione. «Per che cosa sta la 'A'?»

«Quale 'A'?»

«Sulla tua carta di credito.»

«Vuoi dire 'A' come... 'Arrapato'?» ribatté la donna, con un sorrisetto di scherno agli angoli della bocca.

Carver continuò a rovistare nella borsa. Pescò un telefono cellulare; senza perdere d'occhio la donna, controllò i nomi nella rubrica: c'erano parecchi nomi russi; alcuni di privati, altri, suppose, dovevano appartenere a negozi, club o ristoranti. Sotto «Max» non era registrato niente. Richiuse di scatto il telefono e se lo infilò in tasca.

Poi si sentì tra le dita l'angolo di un sottile foglio di carta. Era inserito in un fascicoletto rigido: un biglietto aereo in mezzo a un passaporto. Li tirò fuori dalla borsa. Il biglietto era un volo Aeroflot da Mosca a Parigi. La parte esterna era già stata strappata via e utilizzata. Il passaporto era russo, e la donna vi compariva come Aleksandra Petrova; aveva quasi trent'anni. Sembrava più giovane, e forse lo era; forse aveva solo assunto un'identità più vecchia della sua. E forse, non più di tre ore prima, Carver aveva organizzato la sua morte.

«Tu possiedi una valigia Louis Vuitton. Dentro ci sono della biancheria, un paio di magliette, un paio di scarpe col tacco alto e un vestito, di seta, mi sembra», disse Carver. «Avevi intenzione di festeggiare, una volta finito il lavoro?»

Aveva colpito nel segno. Lei non disse nulla, ma aggrottò le sopracciglia. Per la prima volta, un'ombra d'incertezza calò sull'espressione di sfida dei suoi occhi.

Carver rincarò la dose. «Hai lasciato la borsa in un appartamento da scapolo su rue Saint-Louis-en-l'Ile. La borsa si trovava sul letto. Accanto c'era un sacchetto bianco di Chanel, con dentro un profumo, dei rossetti e una scatoletta nera; un orologio, presumo. Roba presa al duty-free, vero? Un po' di shopping prima del colpaccio. Mi piace questo tocco femminile.»

La donna non sembrò impressionata. «Che cosa stai cercando di dirmi? Sei una specie di pedinatore?»

«No, ti sto dicendo che volevano ammazzare anche te. Un piano elegante, devo ammetterlo. Hanno fatto in modo che ogni gruppo di killer eliminasse l'altro. Vedi, quando Max mi ha convocato, mi ha detto che l'appartamento era dell'obiettivo. Il mio compito era imbottirlo di esplosivo, nel caso che fosse riuscito a sfuggire all'attentato. Ma l'appartamento non era dell'obiettivo, o mi sbaglio?»

La donna non disse nulla.

Carver lasciò che il silenzio aleggiasse tra loro. Osservò Aleksandra Petrova, che aveva lo sguardo rivolto a terra, pensierosa, cercando di elaborare la prossima mossa.

Passò un minuto, forse anche di più, prima che la russa tornasse a sollevare gli occhi su di lui; al posto dell'espressione ostile, c'era uno sguardo indagatore, come se stesse cercando gli ultimi indizi che l'avrebbero aiutata a raggiungere una soluzione. Quindi decise; annuì a se stessa e parlò. «Va bene. Kursk, l'uomo che dici di aver ucciso, ha ricevuto i nostri ordini nel momento in cui siamo arrivati a Parigi. È stato contattato da qualcuno. Non so se si trattasse di quest'uomo che tu chiami Max. Ci hanno detto di andare nell'appartamento e di aspettare ulteriori istruzioni. Là abbiamo trovato abiti nuovi, stivali e caschi, un completo per ciascuno, delle armi e una chiave. Anche una macchina fotografica, fornita di un grande flash.»

«E vi siete cambiati?»

«Sì.»

«E allora perché nell'appartamento c'erano solo i tuoi vestiti? Che ne è stato di quelli di Kursk?»

«Li ha buttati via quando ce ne siamo andati.»

«Perché?»

«E che ne so? Magari gli piace viaggiare leggero.»

«Niente bagaglio, niente tracce.» Carver annuì. «Che cos'è successo dopo?»

«Alle otto e mezzo circa, hanno chiamato di nuovo. Ci hanno detto di andare in rue Duphot, vicino place Vendôme. Arrivati là, poco prima delle nove, Kursk ha ricevuto un'altra chiamata. Ci hanno detto che il nostro obiettivo sarebbe stato una Mercedes nera. Dovevamo inseguirla e usare il flash della macchina fotografica per spaventare la gente nell'auto e costringerli ad andare più veloci. Quindi saremmo dovuti tornare nell'appartamento, per passare lì la notte e prendere il volo domattina. Dopo circa un'ora Kursk ha ricevuto un'altra chiamata; sembrava piuttosto contento, dopo.»

«Tutto torna», disse Carver. «Hanno fatto in modo che usciste dall'appartamento prima del mio arrivo. Hanno aspettato di vedere che completassi il mio lavoro. Una volta certi che voi due sareste stati uccisi, hanno chiamato Kursk perché si occupasse di me. Un lavoretto pulito, come si suol dire. E così, ora abbiamo una nuova domanda: per quale motivo ci volevano morti?»

«Non lo so. Davvero.»

«Deve avere qualcosa a che fare col lavoro. Sei riuscita a vedere dentro la macchina?»

«Non proprio. Il flash si rifletteva contro i finestrini. Penso che ci fossero quattro persone: due davanti e due dietro. Uno dei passeggeri poteva essere una donna, non so.»

«Dov'è la macchina fotografica, adesso?» chiese Carver.

«Nella moto. Dentro le sacche laterali.»

«C'era la pellicola dentro?»

La donna ci pensò per un momento. «Non lo so. È scattato solo il flash. Forse l'avevano bloccata in qualche modo.»

«Nessuna prova fotografica, dunque.»

«E adesso cosa facciamo?»

Carver era rimasto a osservarla mentre parlava: aveva i capelli biondi, un'ampia bocca dalle labbra carnose e splendidi occhi azzurri; una palpebra era leggermente più grossa dell'altra, con la pupilla impercettibilmente fuori linea. Minuscole asimmetrie che avrebbero dovuto sciupare il suo sguardo; invece quelle imperfezioni avevano su Carver l'effetto di una scarica elettrica: era attratto da Aleksandra Petrova. Con una ragazza mediamente carina, o anche con una bella, non avrebbe sprecato più di uno sguardo; con quella, gli ci volle uno sforzo di volontà per distogliere gli occhi.

«Adesso prendiamo una decisione», le rispose. «Ti potrei sparare, qui, in questo momento, e poi sparire nella notte. Una soluzione che ha il vantaggio di essere semplice. Ma non ti voglio ammazzare, a meno che non sia proprio costretto a farlo.

Conosci l'espressione 'Il nemico del mio nemico è mio amico'?»

«Sì.»

«Penso che dovremmo lavorare su questa base. Siamo stati messi in moto dalla stessa gente. Il meglio che possiamo sperare è di riuscire a beccarli prima che loro becchino noi. Sono il nostro nemico. Suppongo che questo ci renda alleati.»

La donna sollevò un sopracciglio e scrollò le spalle. «Va bene, se dici così, parliamone. Prima, però, provami che sei un amico. Dammi una sigaretta; ce n'è un pacchetto nella mia borsa.»

Carver tastò nella borsa, finché non sentì la forma del pacchetto. Lo tirò fuori, ne aprì il coperchio e lo scosse in modo da farne sporgere due sigarette; poi avvicinò il pacchetto alla bocca di lei.

La russa si sporse in avanti e, con le labbra, prese una sigaretta. «Mi fai accendere?»

Carver prese l'accendino che era nella borsa e ne accostò la fiamma alla sigaretta. Quando lei aspirò, facendo infiammare il tabacco, i loro occhi s'incontrarono, a non più di trenta centimetri di distanza. Aleksandra Petrova non disse nulla, lasciando che l'uomo percepisse la tensione dei suoi occhi che reggevano lo sguardo di lui, immobili e inquietanti.

Passarono parecchi secondi prima che Carver si rendesse conto di aver infranto una fondamentale regola di sicurezza: le loro teste erano così vicine, che la donna avrebbe potuto facilmente colpirlo con una craniata, rompendogli il naso. Si allontanò di scatto. Lei non si mosse; continuava a guardarlo.

Carver riprese a parlare. «Ce l'hai ancora il casco?»

«Nei cespugli, laggiù, insieme con le tute di pelle», rispose Aleksandra Petrova indicando con un cenno una macchia di verde che si trovava fra la pensilina e la biglietteria del museo delle fogne.

«Okay, ecco che cosa faremo. Prima gli faremo credere che hanno vinto. Il che significa farci ammazzare, nel modo più plateale possibile. Quindi...» Carver le spiegò che cosa aveva in mente e quale sarebbe stato il suo ruolo.

Di tanto in tanto, la donna annuiva. Fece qualche domanda e suggerì qualche azione alternativa. Almeno per il momento, dalla sua voce era scomparsa l'ostilità; il suo tono era diventato pragmatico, mirato al lavoro che dovevano svolgere.

Alla fine, lui disse: «Allora, che ne pensi?»

«Penso che abbiamo lo stesso nemico. E penso che il tuo piano abbia una possibilità di successo. Al di là di questo, non penso nulla. Ho soltanto un'altra domanda.»

«Sì?»

«Come ti chiami?»

«Samuel Carver. Per lo più mi chiamano solo Carver.»

«Okay. Per lo più mi chiamano solo Alix. E, adesso che ci siamo presentati, hai intenzione di sciogliermi le mani?»

Carver annuì ed estrasse un paio di forbici dalla stessa tasca da cui aveva preso le manette di plastica. Si accovacciò dietro Alix e infilò una lama fra la striscia di plastica e il polso della donna, facendola trasalire quando plastica e metallo le entrarono ancora più a fondo nella carne. Tagliò la plastica e ripeté l'operazione sull'altro polso. Mentre si alzava e le tornava di fronte, lei prese a strofinarsi gli avambracci, cercando di riattivare la circolazione.

Quindi Carver si vide porgere una mano sorprendentemente elegante. Fece per stringerla, come a suggellare il loro accordo.

«No, scemo. Voglio che mi aiuti ad alzarmi», disse lei.

Lui fece una risatina nervosa, e Alix gli sorrise di rimando. Per la prima volta, dietro quella facciata di scaltrezza calcolatrice, si percepì un barlume di calore, un accenno di femminilità. Carver la fece rialzare, poi le raccolse la borsa e se la buttò in spalla. Alix si stiracchiò la spina dorsale con un mugolio di dolore, poi con le mani si tastò il filo della schiena.

«Mi dispiace», mormorò lui. «Sai com'è, niente di personale. È solo una questione d'affari.» Nel momento stesso in cui le aveva pronunciate, si pentì di quelle parole grossolane.

C'era amarezza nella breve risata senza allegria con cui lei gli rispose; quando lo guardò, i suoi occhi avevano l'aria sbattuta e vulnerabile di una donna per cui la violenza non è una realtà sconosciuta. «Non è mai solo una questione d'affari», gli disse. Poi, giunti ai cespugli, raccolse il casco, e s'incamminarono insieme verso il ponte dell'Alma.

10

Nobby Colclough aveva trascorso quindici anni lavorando come detective nella polizia metropolitana prima di decidersi a mettere a frutto la propria capacità nel settore privato. Si trovava seduto in una Renault Megane priva di segni di riconoscimento, parcheggiata in rue Saint-Louis-en-l'Ile, impegnato a osservare la gente che passava, e ad aspettare. Era abituato ai piantonamenti.

Era ormai l'una del mattino quando ricevette una chiamata da Max, che gli comunicava che i russi stavano per arrivare. Li vide pochi minuti dopo, a cavallo di una fiammeggiante moto nera. *Cristo santo!* Max non aveva menzionato il fatto che uno di loro era una pollastra.

La donna aveva la gonna tirata su fino alla vita in modo da poter montare in sella alla moto, lasciando così esposto ogni singolo centimetro di coscia. Mentre smontava offrì una fulminea visione delle mutandine bianche, quindi si tirò la gonna giù sul sedere, producendosi in un veloce sculettamento nel corso dell'operazione.

Colclough deglutì rumorosamente. Si domandò se il viso fosse al livello del corpo. *Peccato la troietta abbia ancora su il casco.*

Anche l'uomo smontò dalla moto; afferrò la mano della ragazza e la spinse in gran fretta verso la porta.

Non vedono proprio l'ora, quelle luride scimmie in calore. Be', che vadano all'inferno. Pochi minuti, e li vedranno davvero i fuochi d'artificio. Colclough rimase a guardarli mentre entravano, poi chiamò la base. «Sono arrivati.»

«Resta in linea», fece la voce all'altro capo del telefono. «Scommetto che Carver ha piazzato l'esplosivo con una miccia a scoppio ravvicinato. Avrà voluto che gli obiettivi raggiungessero l'appartamento prima della detonazione. Non ci dovrebbe voler molto. Sono già accese le luci?»

Colclough alzò lo sguardo. «No. Forse si sono fermati sulle scale per una sveltina.» Tornò a guardare il palazzo. «Aspetta. Si sono appena accese le luci. Dovremmo esserci, adesso.»

Carver e Alix non si erano attardati su per le scale.

Un attimo prima di entrare nell'appartamento, Carver si fermò. Si tolse di spalla la borsa di Alix e gliela porse. «Avrai bisogno di questa. Ricordati, abbiamo esattamente sessanta secondi. Va' dritta alla camera da letto, acchiappa ciò che ti serve e vieni via. Pronta?» Aprì la porta, entrò, disattivò l'allarme e accese tutte le luci. Mentre Alix correva nella camera da letto, lui andò in salotto, tirò le tende e si tolse il casco, che appoggiò sul pavimento, nel bel mezzo della stanza.

Erano passati dodici secondi.

In due passi raggiunse la libreria, tagliò i cavi degli altoparlanti e mise le casse dentro il caminetto. Le Claymore sarebbero scoppiate ugualmente, provocando l'esplosione voluta, ma la deflagrazione sarebbe stata assorbita dalla solida struttura in mattone della cappa del camino, limitando il raggio d'azione dei pallini. Con ogni probabilità, il vicinato se la sarebbe cavata senza grossi danni.

Ventisei secondi.

Ripercorsi i suoi passi fino all'ingresso, Carver l'attraversò correndo ed entrò nella camera da letto, proprio mentre Alix si stava infilando il vestito che era nella sua valigia. Addosso non aveva nient'altro che un paio di slip bianchi a vita bassa, sotto uno stomaco piatto e liscio, leggermente abbronzato. I seni, piccoli, culminavano in perfetti capezzoli di un colore bruno-rosato, che si sollevarono sul petto quando lei alzò le braccia e, come una colata di mercurio, si fece scivolare lungo il corpo l'abito azzurro ghiaccio.

Carver non si fermò a darle una seconda occhiata. Schizzato sul lato opposto del letto, strappò la Claymore dalla parete e la ficcò tra la sponda del letto e il materasso, in modo da disperderne l'energia.

Trentanove secondi.

Gli ci vollero tre secondi per entrare nel bagno e altri cinque per strappare la bomba dalla cassetta, togliere il detonatore e infilare entrambi in una delle tasche laterali della sua giacca. Uscendo, afferrò i beauty-case di Alix, quello del make-up e quello degli articoli da bagno, e glieli lanciò mentre rientrava in camera.

Alix si stava chinando per infilarsi le scarpe da ginnastica bianche.

«Ho pensato che magari ti potessero servire», le disse con un sorrisetto, quando vide lo sguardo attonito che lei gli aveva lanciato attraverso il letto.

La donna ficcò i cosmetici nella borsa a tracolla nera, la raccolse e si lanciò fuori dalla stanza, col vestito che le svolazzava intorno alle cosce. Mancavano ancora dieci secondi quando Carver la seguì fuori della camera, lungo il corridoio e oltre la porta dell'appartamento, chiudendola dietro di sé.

I due corsero verso le scale.

Cinque... quattro... tre...

Colclough aveva visto accendersi le luci. *Che qualcosa sia andato storto?* si chiese dopo un po'. Nel silenzio dall'altra parte della linea riusciva a percepire l'impazienza di Max.

Poi le finestre dell'appartamento all'ultimo piano esplosero verso l'esterno, facendo cadere una raffica di legno e vetro sulle strade lì intorno. Colclough udì un secco picchiettio sul tetto e sui finestrini dell'auto, mentre una pioggia di minuscole palline d'acciaio si abbatteva sulla strada, come grandine metallica.

La via era quasi deserta. I ristoranti avevano già chiuso i battenti, e i turisti erano ormai nei loro letti d'albergo. C'erano solo due persone, al momento dello scoppio, che stavano tirando tardi sulla via di casa. La donna lanciò un urlo; l'uomo l'afferrò cercando di farle scudo col proprio corpo mentre tutt'intorno a loro piovevano detriti. Non sembravano feriti seriamente, ma la donna continuava a emettere un gemito impotente, mentre l'uomo si guardava intorno con gli occhi sbarrati, confuso.

«Per la miseria!» gridò Colclough. «Chiunque tu abbia preso per fare questo lavoro, è uno che non lascia le cose a metà.»

Max non parve troppo eccitato. «C'è stata un'esplosione, dunque?»

«Diavolo, se c'è stata! Aspetta un minuto, ho compagnia.»

Dal portone d'ingresso del palazzo stava uscendo una donna, una bionda con un vestito blu. Gli occhi sbarrati dal terrore, corse verso la macchina e schiacciò il viso contro il vetro del finestrino. «Aiuto! Per l'amor di Dio, mi deve aiutare!» gridò. Parlava inglese. Dall'accento sembrava una yankee.

«Che succede?» chiese Max.

«Solo una pupa che è rimasta coinvolta nell'esplosione. Nulla di serio. Un piccolo attacco di panico, nient'altro.»

Colclough schiacciò il pulsante e abbassò il finestrino.

La ragazza si sporse dentro e cominciò a tirarlo per la manica. «Faccia presto, per favore. È mia madre! È... oddio, credo che sia morta!» urlò.

Colclough non sentì la porta del passeggero aprirsi accanto a lui.

Il primo indizio che ebbe della presenza di Samuel Carver fu il freddo metallico della pistola premuta dietro l'orecchio, e una voce che gli bisbigliava: «Continua a parlare. Io non sono qui. Chiaro?»

L'ex poliziotto fece cenno di sì, col capo.

«Adesso, forte e chiaro, di' alla ragazza di togliersi dalle palle.»

Colclough cominciò a balbettare. «Eh... mi spiace, carina. Sarei felice di aiutarti, ma... sono occupato, non vedi? Ho un sacco di cose da fare.»

Dal viva voce uscì sferzante la voce di Max. «Ehi, Colclough, vedi di liberartene!»

«Va bene, capo.» Colclough si voltò verso la ragazza. «Okay, tesoro, l'hai sentito. Togliti dalle scatole.»

Alix sorrise e gli diede un buffetto sulla guancia. «Bravo bimbo», gli disse a fior di labbra, quindi salì anche lei sull'auto, sedendosi dietro.

Carver toccò Colclough sulla spalla con la pistola per richiamare la sua attenzione. Con la mano libera indicò il telefono, inserito nel cruscotto. Poi si passò il dito attraverso la gola. Il significato era chiaro: troncare la conversazione.

L'ex poliziotto si girò di nuovo verso il telefono. «Se n'è andata», disse. «Io torno alla base. Passo e chiudo.»

«Okay», disse Carver. «Siediti sulla mano destra. Ficcala ben sotto, che stia bella ferma. Bene così. Adesso metti la sinistra sul volante. Non ti muovere.»

«Altrimenti?»

Prima che Carver potesse rispondere, Alix si sporse in avanti e, il pugno stretto, mise il braccio intorno allo schienale del sedile del conducente. Una lieve pressione della mano, e tra l'indice e il pollice spuntò una lama d'acciaio al carbonio. La russa spinse la punta della lama contro il collo di Colclough. «Altrimenti t'insegno a mostrare rispetto per una donna.» Poi, fatta scattare la lama dentro l'impugnatura, tornò ad appoggiarsi al suo sedile, più rilassata.

Carver la guardò allibito, incapace di nascondere la sorpresa; poi sentì sopraggiungere la rabbia, per la propria stupidità. Ficcò la mano in una delle tasche dei pantaloni e, tirata fuori un'altra stringa di plastica, la allungò a Colclough. «Gira un capo intorno al volante. Passaci dentro quell'altro. Adesso tira forte.»

L'ex poliziotto fece come gli era stato detto.

«Adesso metti la mano sinistra lì dentro», continuò Carver, indicando con la pistola la stringa vuota. «Stringila con la destra. Da bravo.»

Ammanettato al volante, Colclough non avrebbe potuto lasciare l'automobile finché non lo avessero liberato. Carver controllò se addosso avesse armi.

«Questo magari dovevi farlo alla pollastrella, non trovi?» fece l'ex poliziotto, sogghignando. «Te la saresti potuta spassare.» Stava ormai perdendo tutti i capelli, ed era forse una decina di chili in sovrappeso. La camicia era in poliestere bianco; indossava pantaloni di un completo grigio, la cui giacca abbinata pendeva da un gancio dietro il posto del passeggero. Addosso non aveva né una pistola, né un coltello. Nella giacca non c'era niente.

Carver lo guardò con un sorriso meditabondo stampato sul viso, poi abbassò gli occhi sulla sua pistola. Senza preavviso, sferrò il colpo: sbatté la pistola sulla faccia di Colclough, spaccandogli uno zigomo da cui spillò il sangue.

L'ex poliziotto si piegò in avanti, tenendosi la faccia nelle mani ammanettate. «Perché diavolo l'hai fatto?» Con una smorfia, si picchiettò con la punta di un dito la guancia malconcia.

«Hai sentito quello che ha detto la signora. Mostra un po' di rispetto», replicò Carver.

«Mio eroe», lo canzonò Alix, tenendo il coltello bene in vista. «Era nello stivale, e poi nella mia mano. Dall'istante in cui mi hai liberata, avrei potuto ucciderti in qualsiasi momento.»

«E perché non l'hai fatto?»

«Potrei ancora farlo.»

Carver ignorò l'affermazione e tornò a girarsi verso Colclough. Si tolse dalla tasca il panetto di plastico C4 e glielo mostrò. «Sai che cos'è?»

«Posso indovinarlo.»

«Bene. Adesso sta' a vedere.» Carver si chinò e attaccò il plastico sotto il sedile del passeggero, dove Colclough non avrebbe potuto raggiungerlo. Poi frugò in un'altra tasca e tirò fuori un detonatore a tempo. «Max è in città, vero?»

Colclough annuì.

«Come pensavo. Un'operazione come questa avrà voluto seguirla stando sul posto. E suppongo che non sia lontano da qui, giusto?»

Un altro cenno di assenso.

Carver tenne il detonatore sospeso davanti alla faccia di Colclough. «Adesso lo programmo su quindici minuti. Tanto è il tempo che hai per portarci da Max. Se arriviamo giusti, io stacco il detonatore e non succede nulla. Se non ci arriviamo, scendo e me ne vado. La signora esce dalla portiera posteriore. E tu te ne rimani qui, incatenato al volante.» Programmò il timer e lo appiccicò al plastico, come uno spiedo in un pezzo di carne. «In alternativa, posso riprogrammarlo su trenta secondi e noi usciamo in questo stesso istante. Allora, che si fa?»

In lontananza si udì echeggiare il suono di un allarme antincendio.

Colclough non disse nulla. Non ne aveva bisogno. Il respiro affannoso e il luccichio del sudore che gli stava affiorando sulla fronte dicevano tutto. Avviò il motore, ingranò la prima e si scostò dal marciapiede.

«Bravo, così mi piace», disse Carver. «E adesso è arrivato il momento di fare una bella chiacchierata. Non perdiamoci in stronzate. Dimmi dove stiamo andando. Descrivimi il posto. Quante persone ha Max? Mancano quattordici minuti e mezzo. Parla.»

11

Mentre l'auto si allontanava, Carver chiese di nuovo: «Quante persone?»

«Non lo so», piagnucolò Colclough. «Si sa soltanto ciò che è indispensabile sapere. Si vede soltanto ciò che è indispensabile vedere.»

«D'accordo, e tu cos'hai visto?»

«È una grande residenza. Antica. Posto di gran lusso. Arrivi e c'è il palazzo che dà direttamente sul marciapiede, quasi come una specie di muro che si affaccia sulla strada. C'è un arco con un passaggio carrabile. È da lì che si entra.»

«Sicurezza?»

«Cancelli. Cancelli metallici.»

Erano tornati di nuovo sul fiume. Al di là dell'acqua, Carver riusciva a vedere le guglie di Notre-Dame illuminate dai riflettori. Le ignorò, cercando di concentrarsi su quanto stava dicendo Colclough.

«Si entra con l'auto, e sulla sinistra, all'interno dell'arco, c'è una piccola guardiola. Là ci trovi di sicuro un tizio, che controlla tutti quelli che entrano ed escono.»

«Videocamere?»

«Un paio all'ingresso. Altre non ne ho viste. Ma potrebbero essercene.»

«Bene. E poi, che altro?»

Colclough rimase a pensare un momento. «Un cortile. Su un lato c'è una vecchia scuderia, o qualcosa del genere, che usano come rimessa per le auto. Il portone principale è di fronte all'arco d'ingresso; è protetto da una copertura, in modo che si possa arrivare in auto e poi camminare fino alla porta senza bagnarsi. Si entra e c'è una grande sala spoglia, con una scalinata di marmo che sale fino a metà dell'edificio.»

«È una residenza hotel», intervenne Alix.

Carver si girò nel sedile. «Come, scusa?»

«Una residenza hotel. Una classica residenza parigina, costruita probabilmente nel XVII o nel XVIII secolo.»

«E tu come lo sai?»

«Perché sono stata addestrata a parlare di questo genere di cose.»

«In Russia?»

La donna annuì. «Era essenziale per il mio lavoro.»

«Che era?»

Alix fece uno dei suoi sorrisi evasivi. «Fare conversazione. Dunque, se questo è un tipico hotel, tutte le principali stanze di rappresentanza si trovano al primo piano. È lì che si trovava Max?»

«Sì, in una specie di sala da pranzo», rispose Colclough. «Il suo capo era lì vicino, in un'altra stanza.»

Carver aggrottò le sopracciglia. «Intendi dire che c'è qualcuno che dà ordini a Max? E chi è?»

«Come faccio a saperlo? Non l'ho mai visto.»

«E allora come fai a sapere che c'è?»

«Perché Max è stato chiamato nella stanza accanto. E c'è andato subito, senza discutere. Per cui quel tizio doveva essere il suo capo. Voglio dire, mi sembra logico, no?» Lanciò a Carver uno sguardo supplichevole, nel disperato bisogno di sentirsi dire che si stava comportando bene e che tutto si sarebbe sistemato. Gli s'incrinò la voce. «Cristo, sto facendo del mio meglio. Ho una moglie, una figlia. Non voglio morire. Insomma, che cosa vi ho mai fatto di male, per l'amor di Dio?»

«Okay», continuò Carver, ignorando le suppliche. «Uno all'ingresso. Max. Il suo capo. Chi altri?»

«Ve l'ho detto, non lo so. Non molti. Mi hanno detto di aspettare giù, in una specie di dispensa. C'erano cibo e caffè. Un paio di altri tizi andavano e venivano.»

«Armati?»

«Potevano esserlo. In effetti, sì, ce n'erano due che stavano sempre fuori della stanza di Max, come di guardia; quelli avevano delle pistole, di sicuro. In ogni caso, io me ne sono resta-

to là a bere caffè e a fare le parole crociate fino alle undici circa. Poi ho ricevuto ordine di prendere la mia posizione. Il resto lo sapete.»

«Non esattamente», replicò Carver. «Dove si trova la dispensa, rispetto alla sala da pranzo dove stava Max? Tu come
ci sei arrivato?»

«C'erano altre scale che scendevano sul retro. Sai, tipo per
la servitù.»

Carver rimase a pensare. *Quattro persone per sorvegliare ade-
guatamente gli obiettivi nelle ore immediatamente precedenti il colpo.
Un paio dovevano stare sul luogo dell'incidente, per controllare quello che succedeva e seguire l'ambulanza. Perciò ne rimangono due, più
quello alla porta, Max, le sue guardie e il suo misterioso capo. Sette
contro uno. Le probabilità non sono granché favorevoli.* Si girò di
nuovo verso Alix. Alla fermata dell'autobus era riuscito a di-
sarmarla piuttosto facilmente; non era un gran bel segno.
«Quanto sei stata effettivamente addestrata per il combattimento armato?»

Lei scrollò le spalle. «Un po'. Qualche rudimento di auto-
difesa, uso delle armi da fuoco... niente di speciale.»

«E lancio di coltelli», aggiunse Carver.

«No. Quello l'ho imparato da sola. Tutte le ragazze devono
avere un modo per spaventare i luridi vermi.»

«Un po' estremo, non trovi?»

«Non meno di quanto lo siano i luridi vermi.»

Colclough prese la parola. «Posso chiedervi una cosa?»

«Cosa?» fece Carver.

«Perché non ve ne andate? Fidatevi di me, terrò la bocca
chiusa. Ve lo giuro su Dio, sulla mia bambina... non una parola. Vi prendete quest'auto, puntate all'aeroporto più vicino. E
ve ne volate via, il più lontano possibile.»

Alix annuì. «Oppure potremo volare in posti diversi. Ciascuno per conto proprio.»

«Sì, si potrebbe fare», disse Carver. «Ammesso che tu voglia farti venire il torcicollo a furia di guardarti le spalle per il
resto della tua breve vita, e che non ti dia noia quel continuo
prurito alla schiena, in attesa che arrivi la prima pallottola. La
gente che ci ha assoldato ci voleva morti; non cambieranno

idea riguardo a questo. Perciò ci rimane un'ora al massimo, prima che la polizia scopra che in quell'appartamento non c'era nessuno, e prima che ripeschino quel cadavere dalle fogne. Dobbiamo supporre che Max e il suo capo stiano controllando le comunicazioni della polizia, oppure che abbiano qualcuno infiltrato lì dentro; presto sapranno che siamo ancora vivi. Dobbiamo colpire prima di quel momento, e dobbiamo scoprire il più possibile sulla loro organizzazione. Presumo che Max abbia installato un qualche sistema informatico. Tu ne sai qualcosa?» chiese a Colclough.

«C'erano dei monitor di computer sul tavolo, ma non mi ci hanno fatto avvicinare, quindi non chiedermi che cosa facessero.»

«Non ne ho bisogno. So cosa facevano: dirigevano lo spettacolo. E nel computer c'è tutto quello che abbiamo bisogno di sapere. Se non riusciamo a scoprirlo da Max, lo scopriremo dal computer. Allora, Alix, ci stai?»

La risposta fu un'alzata di spalle. «Penso di sì. Ma devi sapere che io non sono un soldato. Attaccare un'abitazione? Non ho nessuna preparazione per questo genere di azioni.»

«Allora limitati a seguire me. Fa' esattamente quello che ti dico e guardami la schiena. E guarda al lato positivo: quei bastardi volevano ammazzarci, adesso stiamo per restituirgli il favore.»

Colclough fermò la vettura. Si trovavano nel Marais, esattamente dall'altra parte del fiume rispetto all'Ile Saint-Louis.

Un tempo, aristocratici e uomini di corte facevano costruire lì le loro residenze, in modo da essere il più vicino possibile ai sovrani nel loro palazzo del Louvre. Vestivano di seta e merletti, le loro dimore erano piene zeppe di quadri, di sculture e di mobilia di gusto squisito; eppure, dietro le impeccabili facciate e l'etichetta di corte, infuriava un'accanita guerra per accaparrarsi il potere, la ricchezza e l'accesso al trono. Quando l'antico regime si dissolse nella frenesia rivoluzionaria del 1789, anche il Marais crollò. L'intera zona rimase trascurata per quasi due secoli, per ritornare a nuova vita solo nei decenni più recenti, come un equivalente parigino del quartiere di Soho a New York o di Notting Hill a Londra. Ormai ricchezza e mondanità vivono spalla a spalla con l'etnico e l'esotico: esclusive boutique accanto a negozi di specialità ebraiche, gay-bar porta a porta con ristoranti algerini. Ma molte delle antiche dimore sono rimaste; tra quelle, ve n'era almeno una nella quale avvenivano ancora intrighi e cospirazioni.

«È proprio qui», disse Colclough, indicando con la mano libera un cancello, circa cinquanta metri più avanti, sul lato opposto della strada. Poi, lasciandosi sprofondare nel sedile, borbottò: «Non so neanche perché mi do tanto da fare, dal momento che mi ammazzerete comunque».

Carver gli afferrò la spalla. «Non ti ammazzerò. Non lo farò, se fai esattamente quello che ti viene detto. Se noi rimaniamo vivi, lo rimani anche tu.»

«Non avete paura che io parli?»

«E con chi? Non ti ci vedo a correre dalla polizia. E, se noi saremo vivi, vuol dire allora che Max non lo sarà più. E, a quanto pare, non ne sai più di noi, su chi possa essere il suo capo. Perciò non ti devi preoccupare. Ti ho creduto, quando hai giurato che non avresti spifferato niente. Ma con questa chiacchierata abbiamo appena sprecato trenta secondi. Quindi adesso guida fino al cancello, in tutta naturalezza. Lascia che la guardia ti apra. E tieni la bocca chiusa.» Mentre l'auto si avviava, Carver tirò fuori dalla tasca una terza stringa di plastica. «L'ultima della confezione», disse con un mezzo sorrisetto, mentre la dava ad Alix. «È per l'uomo di guardia. Ti dirò io quando.»

L'auto si fermò davanti al cancello; Colclough lampeggiò con gli abbaglianti. I battenti cominciarono a ruotare sui cardini, mentre dall'altra parte un uomo faceva loro cenno di passare; aveva un mitra, e lo teneva puntato dritto verso il basso, lungo una gamba, nel tentativo simbolico di nasconderlo alla vista dei passanti casuali. Il guardiano si avvicinò all'auto e fece cenno a Colclough di aprire il finestrino.

Carver contava sul fatto che facesse quello che fanno tutti i guardiani: piegarsi in giù e guardare dentro l'auto. Quando l'avesse fatto, avrebbe visto la pistola puntata su di lui. In quel momento sarebbe saltata fuori Alix, che avrebbe dovuto ammanettarlo. Facile... se Colclough avesse tenuto la bocca chiusa.

Ma l'ex poliziotto perse la testa. Non appena il cancello di metallo si fu richiuso dietro l'automobile e il guardiano fece per chinarsi verso il finestrino aperto, Colclough gridò: «Attento! Ha una pistola!»

L'uomo fece un passo indietro e cercò di portare l'arma, un Uzi, in posizione di tiro. Carver fu più veloce. Sollevò la pistola e sparò due volte attraverso il finestrino mezzo aperto del conducente. Piazzò nel torace del guardiano due pallottole ben ravvicinate, la cui potenza lo mandò a sbattere contro il muro in mattoni a lato dell'arco d'ingresso.

«Grosso sbaglio», mormorò Carver, quasi parlando a se stesso.

Colclough cominciò a piangere. «Oh, Gesù, mi dispiace, per favore, non uccidetemi...»

Carver lo ignorò. Lanciata ad Alix la sua pistola, gridò: «Seguimi! Presto!»

I principi chiave del combattimento urbano a distanza ravvicinata sono la sorpresa, la velocità e la violenza controllata. Qualsiasi speranza di poter contare sulla sorpresa era appena andata in frantumi. Rimanevano velocità e violenza. Carver cominciò a correre.

Da un lato all'altro dello spiazzo acciottolato, s'innalzava il corpo principale della casa, un edificio di pietra grigia. Mentre correva, Carver buttò uno sguardo a destra, dove nei recessi della vecchia rimessa luccicava il cofano nero di una BMW Serie 7. *Max viaggia con stile*, pensò. Se ne fosse uscito vivo, quella sarebbe stata l'auto della sua fuga.

Attraversò il cortile, ricaricando l'arma mentre correva. Arrivato al portone d'ingresso, si fermò e con un gesto ordinò ad Alix di mettersi sul lato opposto. Trasse un profondo respiro, cercò di riacquistare la calma e contò fino a tre. Spalancata la porta con un calcio, entrò, con la pistola spianata dritta di fronte a sé; Alix lo stava seguendo, immediatamente dietro di lui. Il salone d'ingresso era pavimentato con piastrelle di marmo bianco, che a ogni angolo avevano piccole mattonelle nere a forma di diamante; al centro della tromba delle scale pendeva un enorme lampadario con candele elettriche. La scala saliva al primo piano curvandosi a spirale.

All'improvviso Carver sentì un urlo di avvertimento alle sue spalle, vide una porta aprirsi sulla destra delle scale e un uomo correre fuori. La sua reazione fu automatica, al di sotto del livello di coscienza: sparò all'uomo e al compagno che veniva dietro di lui a dargli manforte. Caddero entrambi. Doveva salire di sopra, e in fretta, ma la sua regola era di non dare mai le spalle a un uomo ferito. Attraversato il pavimento di marmo a grandi falcate, finì il lavoro: due colpi a bruciapelo alla testa. Sangue, osso e materia cerebrale schizzarono per tutto il pavimento di marmo.

Alix emise un mugolio di orrore.

«Andiamo!» le urlò Carver, prima di voltarsi e di correre verso le scale. *Tre uomini*, pensò mentre saliva. *Ne rimangono quanti? Altri tre, quattro?* Doveva arrivare al piano superiore prima di...

La scala davanti a lui fu crivellata da raffiche di mitra. Carver si buttò giù, cercando di strisciare al riparo della balaustra di marmo che seguiva la curvatura della scalinata. Poi, attraverso il tintinnio che ancora gli riempiva le orecchie, sentì una voce familiare, calma e impassibile.

«Adesso basta, Carver. Alzati. E getta l'arma.»

Carver lanciò lo sguardo in cima alla scalinata. Riuscì a distinguere tre uomini. Due erano tipi grossi, di costituzione massiccia che andava però trasformandosi in pinguedine, col collo più largo del cranio. Il terzo uomo era in piedi in mezzo a loro, una figura alta e snella in pantaloni eleganti grigio antracite, camicia bianca con le maniche arrotolate sugli avambracci e occhiali firmati privi di montatura.

Max abbaiò un ordine. «McCall, portami qui quell'uomo.» Poi si girò verso l'altro. «Tu coprilo, Harrison. Se prova qualche scherzetto, sparagli. Spara anche a McCall, se sei costretto.» Abbassò lo sguardo su Carver: lo scrutava con occhi colmi di disapprovazione, come se fosse deluso da ciò che vedeva. «Te lo dico un'altra volta, getta l'arma.»

Carver lasciò cadere la pistola, che andò a cozzare contro lo scalino di marmo. Notò allora di essere da solo, sulla scala; Alix era sparita.

Be', difficile fargliene una colpa. Voleva che riuscisse a scappare, quindi decise di farle guadagnare tempo. «Tu devi essere Max», disse, tirandosi su in piedi.

«Se lo dici tu. E, adesso, forse vorrai dirmi che cosa stai facendo qui.»

McCall, il mitra puntato su Carver, fece un cenno verso l'alto con la canna. «Muoviti.»

Harrison si trovava pochi scalini più in alto, e cercava di assumere un'aria minacciosa.

«Cristo, Max, è questo il meglio che ti puoi permettere, quanto a staff?» fece Carver, mentre saliva lentamente su per le scale. «Lascia che ti dia qualche consiglio. Se vuoi dei collaboratori al top, ti conviene non uccidere proprio quelli che ti servono a qualcosa. Quindi dimmi: cos'è che ti ha fatto decidere di sbarazzarti di me? Se sto per essere giustiziato, potresti almeno dirmi perché.»

Max lo guardò con l'espressione colma di disprezzo che la

gente ben informata riserva a chi invece si trova all'oscuro di tutto. Aprì la bocca per parlare; poi si fermò, inclinando leggermente la testa da un lato. «Cos'è questo rumore?»

Dal cortile provenivano le grida di un uomo al limite estremo del terrore e del panico. «Aiuto! Per l'amor di Dio, qualcuno mi aiuti! Vi prego, aiutatemi!»

Max guardò Carver aggrottando le sopracciglia. Ormai si trovavano a non più di due metri di distanza. «Chi è quell'uomo?» chiese. Non ottenuta risposta, si rivolse a Harrison. «Va' a vedere di cosa si tratta.»

Lo sgherro si affrettò giù per le scale e attraversò il portone.

Max riportò la propria attenzione su Carver. «Quindi, ovviamente, sei riuscito a...»

Non finì la frase. La deflagrazione si propagò nel cortile, facendo esplodere il portone d'ingresso dell'edificio con uno scoppio che riecheggiò per tutto il salone.

McCall scese le scale col mitra alla spalla, pronto a far fuoco, mirando verso il portone d'ingresso. Carver cercò di approfittare del fatto di non essere più sotto tiro e saltò alla gola di Max; strinse con tutte le sue forze, ignorando i pugni con cui l'altro cercava di scrollarselo di dosso e i passi di McCall che stava risalendo su per le scale.

Fu colpito alle reni col mitra, un colpo violento che gli fece esplodere una scarica di dolore e di nausea per tutto il corpo. Mollata la gola di Max, Carver cadde a terra, scosso da conati di vomito.

«Portalo nella sala da pranzo», ordinò Max.

McCall sollevò Carver afferrandolo per la collottola, poi lo pungolò con la canna del mitra. «Lo hai sentito. Cammina.»

Barcollando piegato su se stesso, Carver entrò nella sala da pranzo. C'erano valigette da computer aperte e, sparsi sul tavolo, un modem, un monitor da venti pollici, cavi scollegati e avvolti, pronti per essere imballati; appesa allo schienale di una sedia, c'era la giacca del completo di Max. Carver cercò d'ignorare il dolore lancinante alla schiena; voleva stare in piedi diritto, riconquistare la propria dignità e creare almeno l'illusione che lui e Max stessero parlando su un piano di parità.

Max non si lasciò impressionare. «Pensa a te stesso come a

un uomo morto», gli disse mentre girava intorno al tavolo e sconnetteva altri cavi dal retro del computer. «Fammi un favore, rendi le cose più facili. Rispondi alle mie domande. Che cosa è successo a Kursk?»

«Chi diavolo è Kursk?»

«Il russo.»

«È morto.»

«E la donna?»

«Tu che dici? Io sono qui, lei no. Morta, anche lei. Li ho buttati giù per le fogne, come merda. Pensavo lo sapessi.»

Per un momento Max non disse nulla, mentre infilava il computer dentro la sua custodia, poi gli domandò: «Colclough ha visto due persone rientrare nell'appartamento. Chi erano?»

«Non ne ho idea. Non conosco nessuno di nome Colclough. E non intendo rispondere più a nessuna delle tue domande finché tu non rispondi alla mia. Perché mi vuoi morto?»

Max fece un sospiro, mentre chiudeva la zip della valigetta. «Per favore, non trattarmi come un idiota. Perché sei tornato all'appartamento? Non avevi nessuna ragione per farlo. A meno che tu non volessi farmi credere che la donna fosse morta. E ci sarebbe una sola ragione per darsi tutta questa pena: se...»

«Se io fossi viva?» Davanti a un'altra porta al lato opposto della stanza, c'era Alix; spostava il suo Uzi da una parte all'altra, cercando di coprire Max e McCall allo stesso tempo. Nel punto in cui la stringeva, l'arma tremava leggermente, tradendo la sua tensione. Sembrava una bimba che si sta gingillando con un giocattolo del fratello maggiore.

Per qualche attimo tutti rimasero immobili. Solo un istante di più, e sarebbe stato troppo tardi. Se McCall non avesse fatto nulla, se avesse costretto Alix a prendere l'iniziativa, se l'avesse sfidata a sparare a sangue freddo, lei avrebbe potuto farsi prendere dal panico. Ma l'uomo ebbe la presunzione di puntare la propria vita sulla convinzione che la ragazza non sarebbe stata in grado di tradurre in un gesto reale la minaccia rappresentata dal mitra che stringeva fra le mani; con la mano sinistra agguantò Carver e lo buttò di lato, aprendosi lo spazio per puntare la propria arma.

Ma Alix fece fuoco per prima, e lo fece come si deve. Non si mise a sparare proiettili a destra e a manca; piazzò una scarica di tre colpi dritta su McCall. Non c'era più nulla in lei che ricordasse una bambina: nei suoi occhi si vedeva solo una concentrazione feroce, quasi ossessiva, nel momento in cui si voltò verso Max, che stava disperatamente cercando d'indietreggiare verso il muro. Un'altra raffica lo colpì al petto, alle spalle e al collo, con la traiettoria dei colpi deviata verso l'alto a mano a mano che la potenza degli spari sollevava la canna tra le mani della donna.

Max ruotò su se stesso, mentre il sangue spruzzato da un'arteria squarciata disegnava un arco scarlatto lungo tutto il muro. Poi cadde a terra, morto.

Con una smorfia di dolore, Carver attraversò la stanza. L'aria puzzava di sangue e cordite. Alix era paralizzata, gli occhi sbarrati; poi di colpo si accartocciò su se stessa e si mise a tremare. Era scossa da conati asciutti, benché grondasse di lacrime, succhi gastrici e moccio.

Carver rimase in piedi accanto a lei, tenendole una mano appoggiata sulla spalla, e le porse un fazzoletto. «Prima volta?»

Alix annuì.

«Te la sei cavata bene. Mi hai salvato la vita. Grazie.»

Nel suo profondo si stava risvegliando un sentimento familiare, quel cameratismo che esiste tra coloro che hanno vissuto insieme esperienze di combattimento e sono sopravvissuti. Carver aveva provato una cosa del genere alle Falkland, in Iraq e nella cosiddetta *bandit country* del South Armagh, in Irlanda. Sapeva bene che cosa significasse sentire quel legame, quando si trattava di uomini uniti nella lotta; ma una bionda russa fasciata in un corto abito di seta... be', forse gli ci sarebbe voluto un po' di tempo per abituarsi all'idea.

A poco a poco, il corpo di Alix smise di tremare e il respiro riacquistò un ritmo regolare. La donna si rialzò e si pulì il viso con la mano. Per un paio di secondi rimase a osservare i due cadaveri. Poi guardò Carver, e fu come se vedesse la propria immagine riflessa nei suoi occhi. «Oh, mio Dio! Devo avere un aspetto orribile!»

Lui accennò una risata ironica. «Neanche la metà di quanto

lo sia il loro. Ti passerà, credimi. Ma ora dobbiamo uscire fuori di qui. Pulisci il mitra dalle tue impronte e ficcalo in mano a Max... è quello coi capelli grigi. Deve sembrare che si siano sparati l'un l'altro.»

Gli investigatori della polizia avrebbero impiegato almeno un giorno per scoprire che tutti i proiettili provenivano dalla stessa arma. E per allora, secondo i suoi piani, loro due avrebbero già dovuto essere parecchio lontani. Carver rivolse l'attenzione al computer che si trovava sul tavolo, dentro la valigetta. Da qualche parte lì dentro c'era tutto ciò che lui doveva sapere sulla gente da cui era stato assoldato, e tutto ciò che si poteva sapere su di lui, a disposizione di chiunque volesse scoprirlo. Per l'una e l'altra ragione, quel computer sarebbe andato via con lui.

Accanto al tavolo c'era una sacca di pelle marrone, di Max con tutta probabilità. Dentro c'era una camicia bianca pulita, ancora avvolta nel cellophane della lavanderia.

Carver la indossò, poi s'infilò la giacca di Max. Quindi prese la valigetta col computer. «È ora di andare», disse.

Mentre usciva dalla stanza, fu colto da un pensiero: se quella era la prima volta che Alix Petrova aveva imbracciato un mitra sparando in preda alla rabbia, che diavolo ci faceva in un'operazione come quella?

Il complesso ospedaliero della Pitié-Salpêtrière risale al 1656, al tempo di Luigi XIV. Nel corso dell'ultimo secolo è stato ammodernato e le sue dimensioni sono aumentate enormemente, facendolo diventare una piccola cittadina riservata ai malati e a quanti si prendono cura di loro. Ma quella notte il reparto di pronto soccorso si era trasformato in un incrocio tra una zona di guerra e un cocktail-party tra diplomatici.

C'erano il ministro degli Interni francese, il prefetto di Parigi e l'ambasciatore del Regno Unito. Quando l'ospite d'onore fece il suo arrivo, erano le due del mattino passate. Con un elegante ritardo, come si conviene alla donna più famosa del mondo. Ma, invece che sulla solita limousine, quella volta arrivò in ambulanza.

Il direttore operativo si trovava lì all'ospedale, in attesa. Del tutto irrazionalmente, si sorprese irritato per quel ritardo; in fin dei conti, la voleva morta, quella donna. Ma, più di ogni altra cosa, voleva soltanto che tutta quella storia finisse presto. Si voltò verso l'uomo abbronzato e grassoccio che era accanto a lui. «Cristo, Pierre, perché ci mettono tanto?»

Pierre Papin lavorava per i servizi segreti francesi; non rivestiva cariche specifiche. Ufficialmente, non aveva nessun lavoro, il che gli dava una certa libertà di movimento. A volte, per esempio, lavorava su progetti di cui non sapevano nulla neppure i suoi capi; quei capi che, ufficialmente, lui non aveva. «Rilassati, *mon ami*», disse, prendendo un pacchetto di Gitanes dalla tasca della giacca. Indossava un'immacolata T-shirt bianca e un paio di jeans neri attillati; aveva l'aria di un reduce da una notte di follie a Saint Tropez. «Qui in Francia non amiamo fare le cose in fretta. Voi anglosassoni schiaffate in ambulanza la vittima di un incidente e la fate viaggiare a centoventi chilometri all'ora, e poi vi domandate perché i vostri pazienti arrivino a destinazione morti. Noi preferiamo stabilizzarli sul posto e poi trasportarli all'ospedale *très douce-ment*, con delicatezza...»

«Be', spero che questo riusciate a spiegarlo ai media. Credimi, sentiranno subito puzza di complotto in questo ritardo.»

Il francese sorrise. «Forse perché un complotto c'è per davvero.»

«No che non c'è. Non riguardo alla stramaledetta ambulanza.» L'umore del direttore operativo non era migliorato dalle difficoltà che aveva nel mettersi in contatto con Max. Non avevano più parlato da un'ora, da quando Max aveva chiamato per informarlo che i russi erano stati eliminati, esattamente come previsto dal piano.

Non era una cosa inusuale per Max scomparire di tanto in tanto, a causa della sua preoccupazione ossessiva per la sicurezza, la segretezza e la sopravvivenza personale. Ma non era da lui dileguarsi in quel modo prima che un'operazione fosse stata completata.

Il direttore operativo premette ancora il tasto di composizione veloce. E ancora una volta non vi fu risposta. Allora tornò a rivolgersi a Papin. «Che dicono i dottori?»

Il francese fece un lungo tiro dalla sua sigaretta. «La vena del ventricolo sinistro è stata strappata dal cuore. Quella poveretta pompava sangue nel torace.» Fissò il direttore operativo. «È stata un'operazione pulita, questa. La principessa non sopravvivrà. Ma una pallottola sarebbe stata più pietosa.»

«Sì, va bene, ma quella non era un'opzione praticabile. E, per l'autopsia, che intendi fare?»

«Il patologo sta aspettando fuori della sala, insieme con tutti gli altri avvoltoi.»

«E la formaldeide?»

«Verrà pompata nel corpo subito dopo la necroscopia. Ma perché è così importante?»

«Produrrà un falso positivo ai test di gravidanza che potrebbero esserle somministrati in seguito.»

«Così tutto il mondo crederà che fosse incinta?»

«Così nessuno al mondo potrà saperlo per certo.»

Papin aggrottò le sopracciglia. «Perché è morta, me lo sai dire?»

Il direttore operativo fece un sorriso, ma non rispose alla domanda. «Scusami un momento.» Voltò le spalle a Papin e compose di nuovo il numero. Ancora nessuna risposta da parte di Max. *Ma che diavolo sta succedendo?*

Non c'era modo di lasciare Parigi a quell'ora del mattino. I treni ancora non circolavano, e Carver non aveva nessuna intenzione di avvicinarsi a un aeroporto. Impossibile anche noleggiare un'auto; avrebbe potuto rubarne una senza difficoltà, ma non gli era mai piaciuto commettere reati minori mentre stava portando a termine un lavoro. Al Capone l'avevano beccato per evasione fiscale; lui non si sarebbe fatto fregare per un'auto rubata.

Insomma, erano bloccati. Non potevano correre il rischio di fermarsi in un hotel, neppure sotto falso nome. Avevano bisogno di un posto dove andare per qualche ora, un posto che rimanesse aperto fino all'alba, dove poter passare inosservati. Non doveva essere così difficile trovare un posto del genere, un sabato sera.

Carver si fermò a raccogliere la sua Sig Sauer, poi uscirono sul retro del palazzo, attraversarono un giardino all'italiana fino a una porticina che si apriva nel muro posteriore, dove Alix aveva lasciato la sua borsa. Carver portava il computer. S'incamminarono lungo rue de Rivoli; Carver buttò in un bidone della spazzatura la sua vecchia T-shirt e la giacca. Si muoveva con gesti metodici, senza fretta; non c'era niente nel suo atteggiamento che tradisse l'intensità delle esperienze che aveva vissuto durante quella notte.

D'un tratto, senza preavviso, si fermò. Si trovava di fronte a un negozio di elettrodomestici; nella vetrina c'era una mezza dozzina di televisori, tutti sintonizzati sullo stesso canale. Un cronista, in mezzo a una strada, stava parlando alla telecamera, senza emettere nessun suono: dalla parte opposta della vetrina, tutti gli apparecchi erano muti. Il cronista era davanti a uno schieramento di forze di polizia, circondato da una calca di altri giornalisti, fotografi e telecamere; si spostò leggermente di lato, in modo che il cameraman potesse riprendere ciò che si trovava alle sue spalle.

« Aspetta un attimo », fece Carver, trattenendo Alix con una mano.

La vetrina era completamente occupata da sei immagini del tunnel dell'Alma. La telecamera zoomò all'interno del tunnel, dove un'ambulanza era ferma accanto alla carcassa accartocciata di una Mercedes nera.

Alix osservava le stesse immagini, con uno sguardo attonito che lasciò il posto allo sconcerto quando venne folgorata da ciò che esse significavano. « Mio Dio! È quella, l'auto? Quella che abbiamo... »

« Sì. Questo è ciò che le ho fatto io dopo che tu e Kursk l'avete fatta sbandare verso di me. Ma che diavolo ci sta facendo lì? »

« Che vuoi dire? »

« L'ambulanza. Non riesco a credere che qualcuno ne sia uscito vivo. Ma, se è così, a quest'ora di certo dovrebbe trovarsi all'ospedale. Insomma, lo scontro è stato... » Carver guardò l'orologio. « ... un'ora fa. Perché sono ancora in giro là intorno? »

« Un'ora? » mormorò Alix, quasi parlando a se stessa. « Soltanto? »

Le immagini erano cambiate. Sullo schermo era apparsa la principessa del Galles. La donna disse alcune parole, poi l'immagine tagliò su una sequenza della principessa pigramente sdraiata su uno yacht enorme, circondata da barche più piccole, tutte stipate di gente che si affannava per carpire una sua foto.

Carver scosse il capo. Non che avesse nulla contro la principessa. Era andata in visita alla sua unità, una volta, e tutti gli uomini della base, nessuno escluso, ne erano rimasti affascinati. Quando prestava servizio, Carver si era sottomesso a un giuramento di fedeltà alla Corona, e quel giuramento l'aveva sempre preso molto sul serio. Ma non aveva mai nutrito nessun interesse per le notizie di gossip, né per quel cicaleccio continuo sulle celebrità.

« Andiamo, qui non scopriremo niente di utile per noi »,

disse allora, mentre riprendeva a camminare lungo la strada. Si avvicinò al bordo del marciapiede, osservando il traffico notturno che scorreva lungo rue de Rivoli. «Dobbiamo trovare un taxi.»

Alix fece allora un sorriso impertinente, e una luce inaspettata le si accese negli occhi. «A questo lascia che ci pensi io.»

15

Jack Grantham stava sorseggiando un caffè disgustoso, domandandosi quanto ancora avrebbe potuto peggiorare il suo weekend. Non ancora quarantenne, aveva raggiunto uno dei massimi gradi all'interno dei servizi segreti britannici: MI6, così era conosciuto dal mondo esterno il suo dipartimento. Ma la celebrità aveva anche i suoi lati negativi. Grantham era stato trascinato a Whitehall all'una di mattina per una riunione dell'unità di crisi, cosa già abbastanza spiacevole; ma c'era dell'altro: la crisi riguardava un terribile incidente, una bella principessa e i media del mondo intero.

E poi, naturalmente, c'erano i suoi colleghi. Se faceva scorrere lo sguardo intorno al tavolo, Grantham aveva modo di contemplare un tipico esemplare di mellifluo sottosegretario del ministero degli Esteri, trasudante untuosità e spocchia da Eton vecchio stile; accanto a lui, la segaligna presenza di Agatha Bewley, bocca tirata e occhi aguzzi, del dipartimento MI5. La lotta intestina stava per avere inizio. Ciascun dipartimento avrebbe fatto del suo meglio per evitare la tempesta di merda che si sarebbe abbattuta su di loro non appena il grande pubblico inglese avesse scoperto che cosa era accaduto alla loro amata Regina di Cuori; tutti si sarebbero fatti in quattro per scaricare addosso agli altri la maggior quantità possibile di quella merda.

Ci sarà di che divertirsi, pensò Grantham. *E, tanto per rendere la vita ancora più piacevole, quello stronzo di Ronald Trodd ha pensato bene di venire a ficcare il naso.* Grantham aveva più fiducia nei fatti nudi e crudi che nella psicologia freudiana. Ma non poteva fare a meno di pensare a Ron Trodd come all'alterego scurrile e senza freni che si annidava sotto la lustra e briosa personalità del primo ministro; era l'ultimo dei tirapiedi, sempre pronto a fare qualsiasi cosa, non importa quanto ributtante, in modo che il suo capo potesse mantenere pulite le sue manine di giglio.

Il primo a prendere la parola fu il sottosegretario del ministero degli Esteri. «Bene, come sapete, il nostro ambasciatore a Parigi si è precipitato all'ospedale. Potrete immaginare il terribile imbarazzo in cui si trovano i francesi; non è certo il tipo di faccenda che uno vorrebbe vedersi piombare addosso. Naturalmente, noi abbiamo messo ben in chiaro che non li riteniamo in nessun modo responsabili. Nel frattempo, ci stiamo occupando dei preparativi per portare sua altezza reale il prima possibile a Parigi; adesso si trova a Balmoral. Suppongo che i principini siano già stati informati che la loro madre è rimasta coinvolta in un incidente.»

«Grazie, Sir Claude», disse Trodd, con un tono di disprezzo che faceva sembrare il titolo più un insulto che un'onorificenza. «Che cosa sanno i servizi segreti, Jack?»

«A Parigi è il caos totale», rispose Grantham, cercando di capire quanto era il caso di rivelare, e in quale momento. «C'è qualcuno che sta trasformando la città in una zona di guerra. Alcuni rapporti hanno dato segnalazione di esplosioni attutite provenienti da qualche parte nel sottosuolo, proprio davanti al luogo dell'incidente, sulla sponda opposta della Senna. E sul tratto sud del fiume è saltato in aria un appartamento, ridotto in mille pezzi. Alla gente del posto la polizia va raccontando che si è trattato di una fuga di gas; ma è stata vista un'automobile che si allontanava a gran velocità. Quindici minuti più tardi, la stessa automobile è esplosa nel cortile di una residenza del Marais. Una squadra di poliziotti armati ha fatto irruzione nell'edificio pochi minuti fa. Hanno trovato cadaveri ovunque. E sembra che parecchi siano inglesi.»

«Coglioni!» Trodd sbatté la mano sul tavolo in un accesso d'ira. «Dimmi che questa non è una vostra colonna impegnata in una qualche missione segreta. Avete combinato qualche cazzata lavorando in incognito?»

«No, certo che no. Avevamo degli agenti a Parigi, naturalmente, ma era soltanto per una questione di sorveglianza.

Nessuno di loro era coinvolto in lavori sporchi. Questo te lo posso assicurare.»

«Naturalmente, è possibile che chi ha fatto questo, di chiunque si tratti, sia persona a noi nota.» La voce di Agatha Bewley era secca quanto il suo aspetto.

Trodd si rivolse a lei, con un'espressione accigliata. «Che cosa intende dire?»

«Be', tutti noi facciamo ricorso a qualche aiuto esterno, di tanto in tanto. Gente che fa di tutto un po'. E questa gente potrebbe aver attaccato la principessa di propria iniziativa, magari assoldata da un altro mandante. Forse era il nuovo fidanzato della principessa l'obiettivo principale: suo padre ha nemici a bizzeffe. Oppure potrebbe essere stato soltanto un terribile incidente.»

«Questo è senz'altro ciò che si tende a supporre», disse Sir Claude. «Qualcuno sta davvero insinuando che questo sia stato una specie di attentato con fini omicidi?»

«Non lo sappiamo», fece Trodd. «Per l'opinione pubblica, è stato un incidente. La storia è questa e, dannazione, spero con tutta l'anima che sia vera, perché, se non lo è, la ricaduta sarà tale da fotterci tutti quanti. Ma, se davvero c'è in giro un bastardo che ha tolto di mezzo la madre del futuro re d'Inghilterra, non voglio svegliarmi un mattino e leggerlo sul *Sun*. Voglio essere il primo a saperlo.»

«E il primo ministro?» chiese Sir Claude.

«A quello lasciate che ci pensi io. Per adesso, voglio che il ministero degli Esteri aderisca in tutto e per tutto alla linea ufficiale: terribile incidente, condoglianze da ogni dove. E continuate a fare i carini coi Mangiarane.»

Il diplomatico fece una smorfia. «Ma certo, certo... però dovremmo aspettare finché il ministro degli Esteri non avrà deciso come procedere.»

«Il ministro degli Esteri procederà esattamente come gli dico io, cazzo! Bene, dov'eravamo arrivati? Ah, sì, Jack... voglio che i servizi segreti scoprano che cos'è successo esattamente a Parigi. E lei, Agatha: voglio una lista di chiunque in questo Paese avesse qualche motivo per togliere di mezzo la donna più popolare del mondo, e i nomi di chi potrebbero aver usato per farlo.» Trodd si sporse in avanti, facendo scorrere lo sguardo intorno al tavolo. «A proposito... se trovate il bastardo che ha fatto tutto ciò, occupatevene voi. In modo definitivo. E fate in modo che Downing Street ne stia fuori.» Senza aggiungere altro, Trodd si alzò e abbandonò la stanza a grandi passi.

Sir Claude lo seguì a ruota. Grantham cercò di fingersi impegnato a riporre nella valigetta il blocco per gli appunti e la biro, ma riusciva a sentir bruciare su di lui lo sguardo da falco di Agatha Bewley.

«Lei ce l'ha un'idea di chi c'è dietro questa storia, vero?»

«Andiamo, Agatha, sa bene che non è così semplice. Ci sono squadre in tutta Europa che potrebbero aver portato a termine l'operazione, metà delle quali proprio qui a Londra. Senza contare che, come ha suggerito anche lei, il lavoro potrebbe essere stato commissionato da un sacco di gente.»

La donna sostenne il suo sguardo per un momento, poi gli parlò con un tono basso, quasi come facendogli una confidenza. «Credo che lei abbia una qualche idea su questa gente, e non mi piace quando ho la sensazione di essere tenuta fuori dal giro. Mi dispiace, Jack, ma non sono pronta a rimanere in silenzio tanto a lungo. C'è in ballo la reputazione del mio dipartimento.»

«Non è il momento di metterci a fare la guerra tra noi», replicò Grantham. «E poi, anche se, per ipotesi, avessi un'idea di chi potrebbe essere stato, non ho nulla che si avvicini neanche lontanamente a un indizio. Prove, poi, neanche a parlarne.»

Agatha Bewley lo guardò in silenzio, arricciando le labbra in un modo che lasciava trapelare scetticismo e disapprovazione.

«E va bene», cedette Grantham. «Ammetto che ci sono una o due possibilità che mi vengono in mente. Farò una chiacchierata confidenziale con Percy Wake. Ai vecchi tempi, prima della caduta del Muro, ha aiutato i servizi segreti a risolvere diversi problemini spinosi. Tutta roba al di sopra del mio livello, non ho mai assistito a nulla personalmente. Ma a quei tempi si diceva che Wake avesse il tocco magico per risolvere le cose; sapeva chi contattare, era in grado di prevedere come si sarebbe sviluppata una certa situazione. Lui lo negherà, naturalmente, ma, se c'è stata qualche cospirazione, il caro vecchio Percy avrà di sicuro un'idea di chi sia il responsabile.»

«Anch'io ho avuto a che fare con Wake», replicò Agatha Bewley, gelida. «Non ho mai conosciuto nessuno con maggiore influenza a Whitehall, qualunque fosse il governo in carica al momento. E non soltanto là: aveva contatti a Washington, a Mosca, a Pechino... Ha un istinto straordinario per sostenere gli uomini giusti al momento giusto. Ma non dimentichi neanche per un momento che, a dispetto di tutto il patriottismo e dei principi di cui fa sfoggio con tanto orgoglio, la più alta lealtà di Sir Percy Wake è verso se stesso. E a Trodd che cosa diremo?» chiese poi, ammorbidendo il tono in modo appena percettibile.

Per la prima volta da quand'era entrato nella stanza, Grantham sentì un sorriso attraversargli il volto. «Niente. Penso sia arrivato il momento che qualcuno mostri a quel bullo da bar chi governa veramente il Paese. Non è d'accordo?»

Agatha Bewley annuì. «Sì. È quello che penso anch'io.»

16

L'ultima volta che Carver aveva buttato l'occhio, non c'era un taxi in vista da nessuna parte. Ma Alix non aveva nemmeno raggiunto il bordo del marciapiede, che una Peugeot 406 bianca col cartello TAXI sul tetto le si fermò accanto con gran stridore di freni.

Il conducente rispose radiosamente al sorriso di lei. Aveva l'aspetto nordafricano. Muoveva la testa avanti e indietro al ritmo della musica araba che usciva rimbombando a tutto volume dal piccolo impianto stereo. «Pop-rai», disse, indicando la radio col pollice. «*C'est fantastique!*»

Carver stava per chiedergli di abbassare il volume, ma cambiò idea. Il frastuono avrebbe impedito al conducente di sentire quello che si dicevano lui e Alix. «Certo. Gran bella musica», disse invece. «*Gare de Lyon, s'il vous plaît.*»

La vecchia e imponente stazione, con le sue torri a orologio che rassomigliano a una versione in miniatura del Big Ben, costituiva il punto di partenza per i treni diretti verso le Alpi, in Svizzera e in Italia. «*Attendez ici un moment*», disse Carver al tassista quando l'auto fu ferma. Afferrata la valigetta del computer, socchiuse la portiera e si voltò di nuovo verso Alix. «Dammi la tua borsa; la metto in deposito. Ci vorrà un minuto.»

La donna rovistò nella borsa e ne tirò fuori sigarette, rossetto, cipria e mascara. «Generi di prima necessità. Devo rimettermi in sesto la faccia. E tu dovresti fare lo stesso, sai; approfitta del bagno, mentre sei là dentro.»

Carver rispose con una scrollata di spalle, quindi scese dall'auto. «Non muoverti da qui», le disse, poi entrò nella stazione e si diresse verso gli armadietti del deposito bagagli.

Più tardi, quando si guardò nello specchio del bagno degli uomini, sotto la violenta luce del neon, capì che cosa Alix intendesse dire. Aveva la faccia striata di sudiciume e sudore, e tra i capelli c'era polvere di cemento; nessuna meraviglia che Max lo avesse canzonato sul suo aspetto. Si sciacquò con acqua fredda e si passò le dita bagnate tra i capelli, quindi si diede un'altra occhiata: il miglioramento era notevole.

Quando tornò al taxi, Alix si stava mettendo il rossetto. Nello specchietto del portacipria controllò la lucida bocca scarlatta poi, con un sorriso scherzosamente malizioso, passò i cosmetici a Carver. «Okay», gli disse. «Dove andiamo?»

Mentre s'infilava in tasca i cosmetici, Carver fece un ghigno. «Buona domanda. Vediamo se il nostro uomo qui ha qualche idea.» Si sporse in avanti e cominciò a parlare col tassista. Con grande sorpresa di Alix, Carver parlava un ottimo francese. Si dimostrò in grado di chiacchierare e anche di fare un paio di battute. Alla fine diede un'ultima pacca d'incoraggiamento sulla spalla del nordafricano e tornò ad accomodarsi sul suo sedile. «Dice che sa lui dove.» Mentre il taxi ripartiva, Carver si voltò e guardò la donna dritto negli occhi. «Mi dici perché sei tornata indietro? Là nel palazzo... perché non sei scappata via?»

«E dove?» Alix lanciò un'occhiata al conducente; poi, per essere sicura di non essere sentita, si chinò verso Carver, parlando a voce bassa e incalzante. «Quando sei corso su per le scale, andavi così veloce che non sono riuscita a starti dietro», disse. «Poi ho sentito gli spari e ho capito che lassù doveva esserci qualcuno. Allora ho pensato, okay, forse posso tornare indietro e uscire dai cancelli, ma c'era in mezzo quella macchina, che stava per esplodere da un momento all'altro. A quel punto non sapevo proprio cosa fare. Penso di essermi fatta prendere dal panico. Sentivo le urla provenire da fuori, e poi quell'uomo che è corso giù per le scale. Ho dovuto nascondermi, e poi sono passata per la porta da cui erano usciti gli altri uomini. Quelli cui tu hai sparato...» Si fermò per un secondo. «Comunque, sono passata per di là e, quando davanti a me ho visto delle scale, mi sono ricordata che quel tipo di edificio ha delle scale sul retro. Ho pensato di prendere quelle per scoprire che cosa ti fosse successo. Se potevo aiutarti a scappare, forse ci rimaneva una possibilità. E poi... be', il resto lo sai. »

« In ogni caso, sono contento che tu l'abbia fatto. »

« Anch'io. È terribile a dirsi, sono morte delle persone, ma sono contenta. Questo fa di me un soggetto tremendo? »

« Non peggiore del resto di noi », le rispose Carver. Stavano risalendo lungo boulevard de Sébastopol quando vide l'insegna al neon verde di una farmacia aperta tutta la notte e disse al conducente di fermarsi. « Scusami. Solo un'ultima sosta », disse poi, rivolto ad Alix.

Entrò nel negozio e acquistò occhiali da sole, della gradazione più bassa che riuscì a trovare, un paio di forbici e tre confezioni di tintura istantanea per capelli: nero, castano e rosso. Alix stava per dire addio alla sua chioma bionda.

È un peccato, ma forse l'aiuterà a restare viva.

« Che hai comprato? » gli chiese lei, sorridendo maliziosa. « Un po' di protezione, magari? Nel caso stanotte tu sia fortunato? »

« Protezione, sì, ma per te. » Carver le mostrò gli acquisti nel sacchetto di carta. « Puoi scegliere di essere come vuoi. Tutto tranne bionda. » Lo disse col tono di un uomo che si prepara ad affrontare una litigata.

Ma Alix non fece una piega. « Okay. Non sono più la stessa donna di un'ora fa. Non indosso neanche gli stessi vestiti. Perché dovrei avere gli stessi capelli? »

Erano arrivati alla destinazione che Carver aveva concordato col tassista: un club poco distante da rue de Sébastopol. All'esterno non c'erano indicazioni sul nome del locale, ma l'ingresso si trovava sotto un arco molto alto; ai lati della porta, due statue dorate di donne in abito classico che reggevano delle lanterne. C'era una ressa di persone che stava premendo contro la cancellata nera dalle punte dorate davanti al club, chiedendo di entrare; e, dagli sguardi sulle loro facce, s'intuiva che la maggior parte lo stava chiedendo invano.

« Maledizione! Avrei dovuto pensarci », borbottò Carver.

Alix non disse nulla; aveva un'aria assolutamente serena. Scese dal taxi, si lisciò il vestito, si buttò indietro i capelli e si diresse decisa verso la folla accalcata all'ingresso.

Sulla porta c'era un buttafuori: centoventi chili di muscoli dell'Africa occidentale racchiusi in un completo grigio argento. Lanciata un'occhiata ad Alix, sganciò la fune che era stata tirata per tenere a bada la folla. Lei entrò con gran sussiego, come una diva del cinema.

Carver cercò di andarle dietro. Il buttafuori lo fermò. L'inglese allora gli disse qualche parola in francese, poi gli ficcò qualcosa nel taschino della giacca. Il buttafuori ebbe un attimo di esitazione, tenendo Carver sulle spine, poi gli fece cenno di passare.

«Che gli hai detto?» chiese Alix.

«Gli ho detto che sono la tua guardia del corpo. Poi gli ho allungato un centone.»

«Ehi! Guarda che sono stata io a salvarti la vita, ricordi?»

«Scusami, quella parte mi era sfuggita di mente. Vieni, adesso, mangiamo qualcosa.»

Una volta entrato nel club, nel giro di pochi secondi Carver aveva già escogitato sei possibili vie d'uscita, individuato due gruppi di uomini che potevano costituire una minaccia e scoperto che al piano superiore c'era una specie di ristorante. Allungando un centone al maître riuscì ad avere un tavolo d'angolo con un'ampia visuale su tutto il locale. Poi diede ad Alix forbici e tintura. «Va' e provvedi. Prenditi tutto il tempo che ci vuole.»

«Potrebbe essere una cosa lunga.»

«Va bene. Io non vado da nessuna parte.» Carver rimase a osservarla mentre spariva verso il bagno delle signore. Quindi chiamò una cameriera e ordinò un Johnnie Walker Blue Label doppio, senza ghiaccio. Non sapeva quanti altri drink gli rimanessero ancora; meglio riservarsi quelli davvero buoni.

17

Il bagno delle signore sembrava un bordello. In uno dei séparé c'era una coppia che stava scopando. Due ragazze si stavano scambiando un bacio appassionato contro una parete. Un altro séparé veniva usato a mo' di bancarella da un ossuto nordafricano con una maglietta degli Iron Maiden, impegnato a vendere dosi di amfetamine, cocaina ed eroina.

C'erano alcune donne intente a formare delle strisce con la polvere picchiettando sul bordo del lavandino; poi la inspiravano, e con le dita si tamponavano le narici per raccogliere qualche granello smarrito e depositarlo sulla lingua. Altre, meno originali, stavano pisciando o si controllavano il trucco, oppure sparlavano degli uomini che avevano lasciato in sala.

Alix trovò un lavandino libero. Per un secondo osservò la propria immagine riflessa nello specchio che correva lungo il muro; poi cominciò a tagliare. Qualche donna girò lo sguardo su di lei; una le rivolse la parola in francese. Alix la guardò e a gesti le spiegò che non capiva.

«Sei matta?» ripeté allora la donna, in inglese. «Tagliare quei bei capelli. Il tuo uomo non ti riconoscerà più.»

«Proprio così.»

La donna scoppiò a ridere. «*Chérie*, dovrà ben esserci un modo più semplice per scappare da lui, no?»

«Forse non è da lui che voglio scappare.»

«Oh, benone, una donna del mistero!»

Alix tornò al lavoro di taglio. Si fermò soltanto quando la sua capigliatura fu ridotta a una linda zazzera bionda che le arrivava a metà del collo. Si passò le dita nella nuova acconciatura, scuotendo la testa in qua e in là per vedere l'effetto che faceva. «No, troppo banale», mormorò. E riprese in mano le forbici.

In pochi minuti, si ritrovò con un taglio quasi da maschio. Si guardò di nuovo allo specchio, più soddisfatta. Poi prese le confezioni di tintura e rifletté per qualche istante prima di decidere. Riempì il lavandino di acqua calda, si chinò e immerse la testa; quindi si fece uno shampoo con la tintura nera.

Doveva aspettare venti minuti perché la tintura facesse effetto. Così, si sedette sul bordo del lavandino e si fumò una sigaretta, osservando la gente che le passava davanti. I due tizi che avevano fatto sesso riemersero dal loro séparé: la donna si fiondò subito allo specchio per controllare viso e capelli, mentre l'uomo la guardava con impazienza, tutto accigliato; nessuno dei due sembrava granché interessato al lato romantico della faccenda. Alix si chiese se non fosse stata una transazione di carattere professionale. Probabilmente no, decise. Una prostituta avrebbe quantomeno finto che la cosa le fosse piaciuta; così magari il tizio avrebbe pagato per un secondo servizietto.

Per qualche minuto i traffici dello spacciatore ebbero una battuta d'arresto, e allora l'uomo tentò di convincere Alix a comprare; poi si lanciò in una conversazione, in un inglese stentato, sulla difficoltà di fare affari con clienti che per definizione erano dei cazzoni. Alix dava l'impressione di conoscere bene l'argomento.

Lo spacciatore ne rimase colpito. «Vendi polvere anche tu?»

«No. Ma vendo qualcos'altro», rispose lei.

Entrarono due bionde, barcollando su dieci centimetri di tacco a spillo, e per un secondo il chiacchiericcio che riempiva il bagno si zittì. Le due nuove arrivate erano identiche, ma in un modo inquietante, innaturale nella loro perfezione da bambola; avevano grandi occhi color turchese, nasini perfetti, e turgide labbra atteggiate a un'espressione imbronciata. Si guardarono intorno con vuota indifferenza, come se da un pezzo si fossero stufate dell'effetto che il loro aspetto sortiva sulla gente.

Forse le loro facce sono così gonfie di Botox da non riuscire più ad assumere nessuna espressione, pensò Alix.

Le due bambolone si misero di fronte allo specchio, lagnandosi l'una con l'altra dell'uomo che le accompagnava. Parlavano in russo.

Una di loro guardò Alix attraverso lo specchio e azzardò un'occhiata interrogativa: «*Ya znayo vast?*» Ci conosciamo?

Alix strabuzzò gli occhi con aria smarrita. «Mi dispiace, non capisco», disse con l'accento più americano che le riuscì di produrre. «Ma questo vostro giochino delle gemelle mi piace un casino, davvero.»

Le bambolone tornarono a girarsi verso le loro immagini riflesse e si scambiarono malignità su quei cretini degli yankee. Si sistemarono i capelli, una lisciatina ai minuscoli vestitini, e uscirono dal bagno.

Non appena la porta si fu richiusa dietro di loro, Alix fece una risatina tra il divertito e il sollevato.

«Un bel duetto, eh?»

Alix alzò lo sguardo e incontrò il volto fresco e sorridente di una ragazza; non doveva avere più di vent'anni, indossava dei jeans e aveva i capelli tagliati cortissimi. Aveva gli occhi azzurro chiaro, e una spolverata di lentiggini sul viso leggermente abbronzato.

«Americana?» le chiese Alix.

«No, canadese. Vengo da Winnipeg. Mi chiamo Tiffany.»

«Piacere, Tiffany, io sono Aleksandra. Senti, me lo faresti un piccolo favore? Potresti dare un'occhiata fuori dalla porta e dirmi se il tizio del tavolo all'angolo è ancora lì?»

«Certo.» La ragazza andò alla porta e guardò fuori. «Vuoi dire quello carino, coi capelli scuri, con maglietta bianca e giacca grigia?»

Alix sorrise. «Carino» non era la prima definizione che le veniva in mente per Carver. «Sì, proprio lui.»

«Aspetta un attimo. Torno subito.» Tiffany scomparve attraverso la porta. Venti secondi dopo era tornata. «Sai cosa? È davvero carino. Un po' del genere 'istrice', ma mi piace. È di gran lunga più carino del ragazzo con cui esco io, questo è certo. Comunque, sono andata e gli ho chiesto se volesse compagnia; mi ha detto che stava aspettando qualcuno. Penso che tu gli piaccia veramente.»

Trascorso il tempo di posa della tintura, Alix risciacquò i capelli, poi si accucciò sotto l'asciugamani elettrico e si diede una passata di aria calda alla testa; le ci vollero solo pochi secondi. Tornò a guardarsi allo specchio e decise di avere bisogno di un ultimo tocco. Passò in rassegna le altre donne intorno a lei: un paio di lavandini più in là c'era una ragazza abbigliata da punk che aveva un grosso barattolo di gel trasparente. Alix indicò il gel e chiese: «Posso?»

La ragazza annuì.

Alix pescò un po' di gel, poi si strofinò insieme le mani e cominciò a passarsi le dita avanti e indietro tra i capelli, fino a dar loro un aspetto più folto e mosso. Quindi si allontanò di un passo dallo specchio e girò la testa da una parte e dall'altra, per controllare bene ogni angolo prima di lasciare la stanza.

«È valsa la pena di aspettare», le disse Carver, quando lei tornò al tavolo. «Sei strepitosa.»

«Lo pensi davvero? È una sensazione strana; mi sembra quasi di non avere niente in testa. Però, se ti piace, dovremmo brindare al mio nuovo stile...» Chiamò un cameriere. «Una bottiglia di Cristal, per favore.»

Un minuto dopo, sul loro tavolo c'erano due calici colmi di champagne e una bottiglia infilata in un secchiello da ghiaccio.

«*Na zdorovye!*» disse Alix, sollevando il bicchiere. Per un secondo rimase a osservare il frizzante liquido dorato, sentì il freddo ghiacciato del vetro contro le dita e colse l'aroma pungente della bevanda nelle narici. Capì di non essersi mai sentita più viva, più in sintonia coi propri sensi. L'aver capito sino in fondo che cosa aveva fatto quella notte la riempiva ancora di orrore, ma la verità rimaneva la stessa: aveva visto la morte in faccia, ed era sopravvissuta. Si sentiva completamente dominata da una profonda consapevolezza della fragilità dell'esistenza. Per quanto le era possibile, voleva spremere ogni goccia di vita da ogni momento che le veniva concesso. A cominciare da quel momento.

Carver la osservò con attenzione. I capelli neri la facevano sembrare più dura, più enigmatica. In quella cornice scura, gli occhi azzurri brillavano con un'intensità ancora maggiore; i lineamenti si mostravano in tutta la loro elegante perfezione. Si chiese che cosa sarebbe potuto succedere se si fossero incontrati in qualcosa che somigliasse un po' di più a circostanze normali. Ridacchiò. Una ragazza come quella? Su di lui non avrebbe nemmeno sprecato una seconda occhiata.

«Allora, cosa mangi?» le chiese.

Alix vuotò il bicchiere. «Mangiare? Non se ne parla. Voglio ballare. Andiamo!» Si alzò dalla sedia e cominciò a tirare il braccio di Carver.

Lui aggrottò le sopracciglia, nervoso. «Ballare, hai detto?» Quella possibilità non l'aveva presa in considerazione. Per quanto lo riguardava, quel club era soltanto un posto per sfuggire a eventuali inseguitori.

Alix scoppiò a ridere. «Ma certo che voglio ballare. E se tu non balli con me, signor Timidone Inglese, mi cercherò qualcun altro. E lui mi prenderà tra le braccia; i nostri corpi si strofineranno insieme e poi...»

«Okay, ho afferrato il concetto», fece Carver. Lanciò un'occhiata alla pista da ballo: sembrava ondeggiare, tanto era gremita di corpi. *Be', se non altro, in mezzo a quella calca daremo meno nell'occhio che non standocene seduti in disparte.* Si arrese. «D'accordo, allora. Balliamo.»

18

Il tombino si spostò di pochi centimetri, giusto il necessario per rimuoverlo dal suo incastro. Per qualche secondo non accadde nulla. Poi si mosse ancora, uscendo del tutto dal buco e andò a fermarsi con un tonfo sul marciapiede.

Grigorij Kursk fece una smorfia, mentre una scarica di dolore gli si propagava come un fulmine attraverso le costole incrinate. Respirava a fatica; anche quello gli faceva male. Poi si trascinò fuori del tombino. Sputò sul marciapiede, cercando di togliersi dalla bocca il sapore di lerciume. Aveva ingoiato mezza rete fognaria di Parigi. Avrebbe dovuto fare iniezioni contro il colera, la dissenteria, il tetano e qualunque altra cosa venisse in mente al dottore.

Aveva nausea e vertigini, si sentiva scosso e confuso. L'esplosione lo aveva reso temporaneamente sordo, lasciandolo coi timpani invasi da un iroso strillo di protesta che non cessava di risuonare. Sebbene indossasse una leggera corazza protettiva, la deflagrazione gli aveva procurato contusioni alla cassa toracica e una commozione cerebrale. Era dagli ultimi giorni a Kabul che non aveva avuto un mal di testa così forte, quando lavavano via la vergogna della sconfitta con la vodka di patate fatta in casa.

Al diavolo! si disse. Ne aveva passate di peggiori, e aveva sempre continuato a combattere. Ma puzzare mentre si è rintanati in una trincea sperduta in Afghanistan, e tutti quanti intorno a te puzzano allo stesso modo, è una cosa. Se ci si trova nel bel mezzo di Parigi, la faccenda non è altrettanto semplice.

Kursk si guardò intorno. Si trovava su un ampio viale. Davanti a sé vedeva le rampe che conducevano a una superstrada, ma il traffico era scarso. Alle sue spalle c'erano degli scali ferroviari, parzialmente illuminati da fari grigi e arancione.

Alcuni addetti delle ferrovie stavano gironzolando tra i vagoni merci; nessuno sembrava particolarmente preso dal lavoro. Allora Kursk si buttò a terra, appoggiato a un lampione accanto a una fermata dell'autobus, e aspettò.

Arrivò della gente. Tre operai delle ferrovie alla fine del turno, contenti perché stavano tornando a casa, gli urlarono dietro qualcosa: che si trovasse un lavoro e facesse un bagno. Uno di loro stava per sferrare un calcio nella sua direzione quando il suo compagno lo fermò. « Ehi, sei scemo? Non ti toglierai più la puzza dallo stivale! » E se ne andarono via ridendo.

Kursk aspettò.

Ci vollero all'incirca venti minuti prima che trovasse quello che voleva: un tizio da solo, più o meno della sua stessa taglia. L'uomo non avrebbe saputo come difendersi; bastava un'occhiata per esserne sicuro. Quando gli si avvicinò, Kursk si alzò e camminò verso di lui, come uno dei tanti barboni ubriachi che vanno in giro a mendicare qualche spicciolo.

L'uomo spalancò gli occhi, allarmato. Cercò di fare il duro. « Levati dai coglioni, vagabondo! »

Con un largo sorriso stampato sulla faccia, Kursk si avvicinò ancora di qualche passo. L'altro si girò e si allontanò camminando veloce; voleva mantenere una parvenza di dignità, evitando di mettersi a correre. Kursk gli fu addosso in pochi passi, gli afferrò la testa e la ruotò, spezzandogli il collo, poi lo afferrò mentre cadeva.

Si sentì attraversare il busto da un'altra fitta acuta, che si trasformò in un dolore tanto atroce quanto persistente mentre trascinava il cadavere su un lato della strada, buttandolo oltre la staccionata della ferrovia. Sentì dolore quando tolse all'uomo giacca, pantaloni e camicia. Sentì dolore quando lui stesso uscì dai suoi vestiti fradici e puzzolenti, ormai ridotti a brandelli. Sentì dolore quando si rivestì. Qualsiasi cosa facesse, sentiva dolore.

Rovistò nel portafoglio e nelle tasche del morto: trentacinque franchi in banconote e altri nove o dieci di moneta. Lasciò l'uomo accasciato contro la staccionata, con indosso i vestiti zuppi di acqua di fogna. Ci sarebbe voluto un po' prima che qualcuno si accorgesse che era morto; nessuno sarebbe stato tanto ansioso di avvicinarsi a un tipo simile.

Kursk si avviò lungo il viale, camminando al di sotto della superstrada. Più avanti le vie si restringevano. Avevano tutte lo stesso aspetto, una serie infinita di isolati residenziali, alti quattro o cinque piani, con un bistrot, un bar o un negozio di tanto in tanto.

A un incrocio, Kursk trovò un gabinetto pubblico. Infilò un paio di franchi nella fessura e aspettò che la porta metallica a scorrimento si aprisse. Cercò di lavarsi al meglio nel lavabo: s'insaponò viso e testa e sciacquò via la sporcizia dai tagli che s'incrociavano sopra il cranio rasato, godendo nel sentire l'effetto di carta vetrata che i capelli cortissimi facevano sotto il palmo della mano.

Quando ebbe finito, si guardò allo specchio. Non male. Aveva l'aria dura di un brutto ceffo appena uscito da una zuffa, piuttosto male in arnese. Si abbandonò a un ghigno, al pensiero di tutti i borghesi parigini che vedendolo avrebbero provato un brivido di paura. Per lui la capacità d'incutere timore era un fatto scontato, nello stesso modo in cui una bella donna presume che gli uomini si volteranno al suo passaggio; una semplice passeggiata per la strada diventava uno sfoggio dei suoi poteri.

Uscì dal gabinetto e si guardò intorno, alla ricerca di una cabina telefonica. Ficcò nell'apparecchio tutte le monete che aveva e compose un numero estero. «Qui Kursk. Chiamami Jurij. Sì, lo so che ore sono. Sta' zitto e chiamami Jurij.»

19

«Mi dai una di quelle tue schifose sigarette?»

Papin sghignazzò. «Pensavo che non fumassi.»

Il direttore operativo fece una smorfia. «Di solito non fumo. Ma stanotte penso che farò un'eccezione.»

Papin prese le Gitanes, e per un secondo tenne la mano sospesa per aria, prima di appoggiarla sul suo auricolare. Rimase in ascolto con le sopracciglia aggrottate in un'espressione concentrata, quindi parlò brevemente nel microfono che gli pendeva dal collo. Un altro cenno di assenso, un rapido saluto, poi spense il telefono.

«Temo di avere cattive notizie», disse mentre allungava una sigaretta e faceva scattare l'accendino. «C'è stata una strage nel Marais. Una delle più belle residenze hotel di Parigi è stata trasformata in un mattatoio. Un'automobile saltata per aria. Un cadavere al cancello. Altri due nell'ingresso. E ancora altri due al piano superiore. E resti umani sparpagliati per tutto il cortile come confetti, il risultato dell'esplosione. I morti erano armati di fucili a mitraglia; erano killer professionisti, rimasti uccisi a loro volta. Per cui mi domando, perché questa notte dovrebbero esserci dei killer in giro per Parigi?»

«Che proponi di fare?»

«Andiamo a dare un'occhiata.»

Nelle prime luci grigiastre dell'alba, si recarono in macchina fino al palazzo. Papin mostrò un tesserino agli ufficiali di polizia che stavano di guardia all'ingresso e tenevano lontane le frotte sempre più nutrite di curiosi attratti dai lampeggianti dei furgoni e delle volanti ammassati sulla strada, fuori del cancello. Una volta dentro, scambiò una rapida e rabbiosa conversazione con un uomo dal collo taurino che indossava un completo troppo stretto, chiazzato di sudore sotto le braccia.

«Era il detective incaricato del caso», disse Papin al direttore operativo.

«L'avevo intuito. E che problema aveva?»

«Vuole rimuovere i cadaveri in modo che possano essere esaminati il prima possibile. Io gli ho detto che li potrà avere tra cinque minuti. Quindi non sprechiamo tempo. Dimmi tutto.» Si avvicinarono al primo cadavere. «Lo conosci?»

«Sì. Si chiamava Whelan, ex parà. Mi sembra abbastanza ovvio quello che è accaduto. Qualcuno arriva al cancello d'ingresso. Whelan va a dare un'occhiata, e si becca una pallottola.»

Passarono oltre, entrarono, e videro la carcassa bruciata dell'automobile saltata per aria. Il detective era in piedi accanto ai pochi brandelli che rimanevano della portiera sul lato del conducente. «*Regardez*», disse loro, indicando l'interno.

I due uomini guardarono dentro e videro il volante annerito dal fuoco. Agganciato a esso, c'era un legaccio di plastica che stringeva un frammento di mano recisa. Il resto del corpo era in pezzi, sparso per il cortile. Un investigatore della scientifica stava fotografando ogni reperto.

Papin allungò la mano, prese le sigarette e le offrì all'inglese. «Un'altra?»

«No, grazie, sto bene. Ne ho viste di peggio.»

Entrarono nell'edificio e videro i due uomini riversi sul pavimento dell'ingresso; gli schizzi del sangue si stagliavano contro il bianco e nero delle piastrelle.

«Nichel, Jarret. Anche loro parà», disse il direttore operativo. «Erano nella squadra insieme con Whelan e altri due.»

«Forse dovresti rivedere la tua politica di reclutamento», disse Papin.

«Non c'è di che preoccuparsi. Noi prendiamo il meglio. Ecco perché questi due sono morti.»

«Sai chi è stato?»

«Ne sono quasi sicuro. Lo saprò per certo quando avrò visto di sopra.» I due entrarono nella sala da pranzo. Alla vista di Max, il viso del direttore operativo s'irrigidì. «Quello in jeans è il quarto membro della squadra: McCall. Immagino che ciò che rimane del quinto uomo, Harrison, lo troverai giù in cortile.»

«E l'altro uomo... quello che sospetto tu conosca bene?»

«Si chiama Max. Così lo chiamavo io, almeno. Non ti so dire che cosa fosse scritto sul suo certificato di nascita. Non eravamo così intimi da chiamarci col nome vero.»

«*Alors*, chi è? Hai notato l'interessante differenza che c'è tra le morti in questa stanza e quelle dabbasso?»

«Certo. Max e McCall sono stati colpiti da raffiche di mitra. Gli altri sono stati uccisi da colpi separati e, secondo me, i vostri esperti balistici scopriranno che è stata una Sig Sauer P226. Se è così, l'uomo che li ha colpiti mi è noto col nome di Carver. È la sola persona che potrebbe averlo fatto. Eccetto per un unico, trascurabile dettaglio: dovrebbe essere morto.»

«Supponiamo che non lo sia. Puoi descrivermelo?»

«Indossa bomber, T-shirt e jeans, tutti neri, e guida una Honda XR400, nera anch'essa.»

«Come fai a saperlo?»

«Sono stato io a pagare per tutta quella roba.»

«Capisco. E sei stato tu a pagare anche il suo complice?»

«No. Carver ha sempre lavorato da solo.»

«E allora perché qui ci sono due armi?»

«Non ne ho idea.»

«Per favore, non farmi perdere tempo. O questo Carver è arrivato qui con la sua pistola preferita – una pistola, nota bene, con dodici colpi a disposizione –, ha sparato quattro colpi e poi, per qualche strana ragione, ha deciso di prendere un'arma completamente diversa, oppure qui c'erano due persone distinte, che hanno sparato con due armi diverse. *Alors*, Charlie, tu che ne pensi?»

«Sul serio, Pierre, non ho idea di cosa sia successo qui. Non so neppure con certezza se si tratta di Carver. Secondo i piani, doveva essere tolto di mezzo non appena fosse stata condotta a termine l'operazione. E, per quanto ne so io, così è stato.»

«Ma se lui fosse sopravvissuto...»

«...allora sarebbe un uomo molto arrabbiato.»

«E andrebbe in cerca di vendetta.»

«Mi pare ovvio.»

«Era mai stato qui, prima?»

«No.»

«E tuttavia il tuo Mr Carver, tra tutti i palazzi di Parigi, riesce a individuare questo e a uccidere tutta la gente che c'è dentro, usando due armi diverse. Poi svanisce senza lasciare traccia.» Papin scosse la testa. «Hai ragione, Charlie. Voi prendete il meglio. Forse è per questo che non siete riusciti a toglierlo di mezzo con la facilità che...»

«Dannazione! Il computer!»

«*Pardon?*»

«Max aveva un computer, un portatile.»

«E...»

«E guarda sul tavolo. Non c'è. Quel bastardo di Carver ha il nostro computer!»

Papin rimase in silenzio per qualche momento, a raccogliere le idee. Poi parlò con la calma artefatta di chi sta cercando di appianare una situazione troppo tesa. «Forse stiamo saltando a conclusioni affrettate, no? Dimmi, in che modo intendevate farlo fuori?»

«Due russi, un uomo e una donna, di nome Kursk e Petrova; venivano da Mosca. Ma sono morti anche loro. Abbiamo fatto saltare per aria il loro appartamento.»

«L'appartamento sull'Ile-Saint-Louis?»

«Sì.»

«Be', che sia esploso, questo è certo. Ma dentro non c'era nessuno. Nessun morto, nessun ferito. Agli occhi del pubblico e dei media, si è trattato soltanto di uno sfortunato incidente, un tubo del gas che perdeva, nulla di cui preoccuparsi.»

«Non può essere. Avevamo piazzato qualcuno a controllare l'appartamento. Ci ha comunicato che vi sono entrati un uomo e una donna. E poi c'è stata un'esplosione. Siete sicuri che la gente all'interno non si sia semplicemente disintegrata?»

«No. Non c'era nessuno dentro quell'appartamento al momento dell'esplosione. E allora chi erano quell'uomo e quella donna? E dove sono adesso?»

20

Avevano ballato, avevano bevuto champagne, avevano persino mangiato cibo tailandese nel ristorante del club. Isolati dall'esterno, in un mondo che dal loro tavolo si estendeva fino al bar e alla pista da ballo, per Carver e Alix era come se quella folle ora di violenza e di morte non fosse mai esistita. Finché la musica continuava a suonare, finché l'alcol continuava a scorrere, loro non erano nient'altro che due persone normali che si godevano il sabato sera.

Poi Carver si rese conto di essere stati incastrati. «C'è un uomo laggiù che non la smette di guardarti», disse ad Alix, cercando di farsi sentire al di sopra del frastuono martellante della musica.

Lei roteò gli occhi con aria beffarda e gli urlò di rimando. «Figurati se guarda me.»

«No. Ti sta guardando veramente. Il grassone, con quella pupa al braccio, accanto alla parete là in fondo. Sembra che ti conosca.»

Alix lanciò un'occhiata attraverso la pista da ballo. A uno dei tavoli era seduto un grosso tizio di mezza età, i capelli rasati, una rozza faccia con la pelle cascante sotto il mento, occhi da suino e uno scintillante completo marrone-dorato. La commistione di violenza, autocompiacimento e volgarità era inconfondibile.

Russo, pensò Carver. Magari un giorno avrebbe incontrato un ricco moscovita che non avesse l'aspetto di un gangster, ma fino a quel momento non gli era ancora successo. Continuò a osservare. Le mani del tipo erano spalmate su due biondone con addosso dei microscopici abitini tutti sfavillanti che riuscivano a malapena a contenere le tette. Gli palpeggiava con noncuranza le cosce e il petto, mentre quelle si dimenavano emettendo risatine sceme e fingendo che la cosa le divertisse; era il loro lavoro. Ma, qualunque cosa il grassone stesse facendo con le mani, la sua testa non era assolutamente concentrata sulle donnine; ciò che stava guardando si trovava sulla pista da ballo.

D'un tratto il russo diede una gomitata alle costole della ragazza che si trovava alla sua sinistra. Immediatamente ebbe la sua totale attenzione. Le abbaiò qualche parola in un orecchio, indicando con la testa in direzione di Alix. La ragazza gli farfugliò qualcosa in risposta, e lui alzò le mani portandosele davanti al petto, come per tranquillizzarla. Lei annuì immusonita, scrollando le spalle: ogni finzione di attrazione sessuale tra i due era completamente sparita.

Alix rimase a guardare tutta quella pantomima, quindi scosse la testa. «Non lo conosco.»

Tiratala vicino a sé, Carver le parlò dritto nell'orecchio. «Non prendermi per il culo. Quello è un russo. Mi basta dargli un'occhiata per dirlo. Perché ti stava guardando?»

«Non lo so, va bene?»

Carver non disse nulla.

Alix emise un profondo sospiro. «D'accordo, le ragazze erano nel bagno delle signore mentre c'ero anch'io. Magari gli stanno raccontando di quella pazzoide che si stava tagliando i capelli. Come faccio a saperlo?»

Carver lanciò un'occhiata al russo, che aveva un bicchiere in una mano e una pupa nell'altra e sembrava aver perso qualsiasi interesse verso Alix. Tuttavia Carver desiderava uscire di lì al più presto; il problema era riuscire a farlo senza attirare l'attenzione del grassone. Stava giusto per fare la sua mossa, quando all'improvviso si accesero le luci, e lui seppe perché Max lo voleva morto, e perché la posta in gioco era di gran lunga più alta di quanto non avesse mai immaginato.

Accadde senza preavviso. In un attimo, il ritmo martellante della musica si era spento. Le luci si accesero.

«Signore e signori, non so come dare questa notizia», cominciò il deejay, con voce tremante. «Non riesco a crederci. Ma la principessa del Galles è morta. È rimasta ferita in un terribile incidente automobilistico, proprio qui a Parigi, nel tunnel dell'Alma. L'hanno portata all'ospedale della Pitié-Salpêtrière, ma i dottori non hanno potuto fare niente. È morta.» Per qualche secondo, non disse nulla, poi aggiunse: «Mi dispiace. Non so proprio che musica mettere, in questo momento».

La gente era immobile sulla pista da ballo, guardandosi intorno come in cerca di qualche indizio su come fosse il caso di reagire. Lentamente, il mormorio crebbe. Vi fu una corsa alla pedana del deejay, alla ricerca di altre informazioni. A poco a poco, attraverso la confusione cominciò a insinuarsi il singhiozzare di chi era scoppiato in lacrime.

In mezzo al caos, Carver rimase immobile, folgorato come se fosse stato colpito dal raggio del *dazzler*, incapace di afferrare l'enormità di quanto era successo. Era madido di sudore, con la testa pesante e il sangue che gli pulsava nelle orecchie; gli si era annebbiata la vista, e lampi di luce gli scoppiettavano negli occhi, frantumando il mondo tutt'intorno in una miriade di frammenti. Sentiva che la mente gli stava scivolando fuori di controllo; cercò affannosamente di mantenere l'equilibrio, come un uomo su una parete di montagna che lotti disperatamente per tirarsi su dall'abisso. Poi, alla fine, il suo istinto di sopravvivenza ebbe la meglio; una volta recuperato il controllo sulla propria coscienza, sentì che il battito rallentava e la respirazione tornava alla normalità.

Tenendo le mani appoggiate sulle ginocchia, si piegò quasi a metà, lasciando ciondolare la testa verso il basso. Quindi fece uscire il respiro in un lungo flusso costante e si raddrizzò, pronto ad affrontare la verità. Era successo per davvero, e lui era l'uomo che l'aveva fatto succedere. Quelle immagini sugli schermi televisivi, che dal disastro nel tunnel dell'Alma tagliavano sulla principessa in vacanza, ormai avevano perfettamente senso.

Ripensò al momento in cui aveva trovato la valigia di Alix nell'appartamento, alla conversazione con Max, al suo tentativo di giustificare quello che faceva puntando solo a obiettivi «meritevoli di eliminazione», cercando di evitare vittime tra i civili. Tanti bei principi finiti in una maniera maledettamente catastrofica.

In qualche remoto angolo della coscienza, Carver era consapevole della presenza di Alix accanto a lui. La donna aveva il volto cereo, lo sguardo distante mille chilometri da lì. Non era in grado più di quanto lo fosse lui di dare forma al guazzabuglio di pensieri e sentimenti che la stavano dilaniando; continuava a gemere, senza proferire parola.

Carver aveva l'impressione che tutti gli occhi nella sala fossero puntati su di lui, quasi che sulla sua fronte stesse bruciando il marchio di Caino. *Sto diventando pazzo*, si disse. Tutti quanti erano troppo impegnati a digerire quanto avevano appena sentito per accorgersi di qualsiasi altra cosa. E poi si rese conto che il suo istinto aveva colto nel segno: in effetti, qualcuno lo stava guardando, così come stava guardando anche Alix. E quella giostra di follia stava per rimettersi in moto.

Nella piatta e violenta illuminazione del locale, Carver vide il russo togliere le mani dalle ragazze e dal drink. «Maledizione!» sibilò. «Dobbiamo uscire di qui! Subito!» Senza aspettare la risposta di Alix, l'afferrò per il braccio e la trascinò via dalla pista da ballo. C'era una cameriera accanto al tavolo dove prima erano seduti loro due. Carver le diede cinquecento dollari, schiacciandole le banconote in mano. «*Pour l'addition. Tennez la monnaie. Alors, ou est la cuisine?*»

La cameriera non rispose, e quasi non si accorse neppure del denaro nella sua mano. Aveva il volto rigato di lacrime.

Carver la strattonò, ripetendole la domanda, e l'urgenza nella sua voce la costrinse a prestargli ascolto.

«La... cucina? Laggiù», mormorò la ragazza, alzando mollemente un braccio in direzione di una porta a due battenti.

«C'è un'uscita per il personale?»

«Sì, ma...» La cameriera se ne restò lì, immobile, bofonchiando confuse proteste mentre i due le sfrecciavano oltre.

Carver si voltò a dare un'occhiata al tavolo dov'era seduto il grassone: l'uomo si stava alzando, gesticolando alla volta di due tirapiedi che si erano materializzati davanti a lui. Dopo essere sgusciato attraverso la porta a due battenti, l'inglese sentì il frastuono, il calore e gli odori di una cucina in attività, in una pungente miscela di pesce, carne, spezie e sudore. Si voltò a guardare attraverso i battenti. Uno degli scagnozzi del grassone si stava dirigendo al piano di sotto, mentre l'altro, un tipo alto e massiccio, faccia butterata e coda di cavallo, stava puntando verso la zona ristorante.

Alix era già alcuni passi più avanti di Carver, facendosi strada attraverso i membri dello staff che, sudati e macchiati di cibo, erano intenti a lavorare alle loro postazioni. Un paio di loro al suo passaggio le lanciarono dietro un fischio e un commento sconcio; poi si accorsero dello sguardo di Carver e decisero che, se quella era la sua donna, era cosa saggia tenere la bocca chiusa.

Oltre la cucina, un'altra porta si apriva su un angusto atrio. Sulla sinistra, c'era una rampa di scale che scendeva al pianterreno. In fondo al corridoio si aprivano un paio di porte: un magazzino, un ufficio. Le luci erano spente. Non c'era nessuno.

«Continua ad andare», disse Carver. «Scendi giù per le scale. E cerca di fare un bel po' di rumore. Vai!» Entrò nell'ufficio, si nascose dietro la porta e rimase lì, tenendola quasi chiusa ma senza che l'arresto scattasse completamente.

Pochi secondi dopo, udì spalancarsi di colpo la porta della cucina. Riusciva a immaginare l'uomo con la coda di cavallo nel corridoio, il fucile spianato davanti a sé, che scrutava nel vuoto e poi sentiva il rumore di Alix che correva giù per le scale.

Sentì dei passi quando l'uomo gli passò davanti scappando via. Carver aprì la porta con cautela e uscì sul corridoio; fece tre rapidi passi in avanti. Al terzo il russo lo sentì, ma ormai era troppo tardi; non fece in tempo a fermarsi, girarsi e puntare il fucile. Carver gli aveva già spazzato via il braccio destro e, allo stesso tempo, con la velocità di un cobra, gli aveva ficcato due dita negli occhi.

Il russo emise un urlo stridulo, lasciò cadere il fucile e si portò le mani agli occhi. Carver non si fermò. Spostato il peso su un piede solo, ruotò le spalle e colpì l'avversario al mento con la parte bassa del palmo destro.

Un'altra rotazione delle spalle, accompagnata da uno spostamento di peso sulle anche, e il gomito sinistro di Carver si trovò all'altezza giusta per spaccare lo zigomo del russo. Poi fu la volta del ginocchio destro, che andò ad affondarsi nell'inguine privo di difese dell'altro. E, quando questi si accasciò in preda al dolore, Carver gli vibrò un colpo di karate sul collo. Il russo cadde al suolo, privo di sensi. Era la lezione numero uno sul manuale delle forze speciali di combattimento; funzionava sempre, a meno che l'avversario non avesse letto lo stesso libro.

Per un momento Carver pensò di tirare l'uomo lungo il corridoio afferrandolo dalla coda di cavallo, poi cambiò idea e lo prese invece sotto le ascelle. Trascinò il corpo esanime nell'ufficio vuoto, poi ritornò nel corridoio. Salì in cima alle scale e sbirciò giù per la tromba. Alla fioca luce che proveniva dal corridoio, riuscì a distinguere una rampa di scalini, quindi un piccolo pianerottolo, poi un'altra rampa, che girava nella direzione opposta per poi scomparire sotto di lui. «Alix?» chiamò con un soffio di voce. *Chissà se c'è ancora*, si chiese.

Se era scappata, allora lui avrebbe saputo per certo di essere rimasto solo. Se era ancora lì, la cosa non sarebbe stata altrettanto semplice da interpretare: poteva darsi che la ragazza stesse davvero dalla sua parte, oppure poteva essere rimasta con lui solo perché in quel modo riusciva ad aiutare qualcun altro.

Alix apparve sul pianerottolo e sollevò lo sguardo. «Bene. E adesso che cosa facciamo?»

«L'unica cosa che possiamo fare, per ora. Sparire.»

LUNEDÌ, 1º SETTEMBRE

21

Il direttore operativo cercò di scacciare via la stanchezza dagli occhi iniettati di sangue. Era con Papin, fuori dalla residenza teatro del massacro. Presto la città si sarebbe svegliata, scoprendo gli orribili eventi che erano accaduti mentre era immersa nel sonno.

«Vediamo di ricostruire tutto dall'inizio», disse Papin. «Dimentica per il momento qualunque cosa sia successa nel tunnel dell'Alma, concentrati su quanto è accaduto qui. Nessun cittadino francese è rimasto ferito. Faremo del nostro meglio per coprire tutto. Ma, se vuoi che ti aiuti, devo sapere che cos'è accaduto. E tu dovrai sistemare i vostri – com'è che li chiamate? – *cani sciolti*. Allora, cominciamo. Di chi è la casa?»

«Non lo so. Immagino che, quando i vostri cercheranno di risalire al proprietario, si troveranno di fronte a una serie di scatole vuote, collocate in diversi paradisi fiscali. Ma non ho idea di chi sia il proprietario. E, anche se ce l'avessi, non potrei dirtelo.»

«Come posso aiutarti, se ti ostini con questi giochetti?»

«Non faccio nessun giochetto, davvero non so nulla. E ti garantisco che, qualunque nome possa farti, non comparirebbe mai su nessun documento di proprietà, da nessuna parte.»

«Va bene. Problema numero due: chi ha combinato tutto questo?»

Il direttore operativo ci pensò su un momento. Poi soffiò uno sbuffo di fumo nell'aria di primo mattino e disse: «Carver. Dev'essere lui. Sapeva degli esplosivi in quell'appartamento perché è stato lui a piazzarceli. Kursk non ne aveva idea. Se fosse entrato, sarebbe rimasto ucciso, e con lui anche la donna».

Papin annuì. «Quindi sappiamo che un uomo e una donna

sono entrati nell'appartamento. Siamo d'accordo sul fatto che l'uomo doveva essere Carver. E quanto alla donna? Poteva trattarsi di Aleksandra Petrova? Stanno lavorando insieme, adesso? Se è così, devono anche essere usciti insieme, perché nell'esplosione non è morto nessuno.» Papin fece una pausa. «Domanda numero tre: sono venuti qui, dopo? Abbiamo prova dell'esistenza di due armi. La spiegazione più semplice è che a sparare siano stati in due. Abbiamo altri sospetti? No. Carver aveva forse qualche altro complice di sesso femminile?»

«No.»

«*Bien*, supponiamo che Carver e Petrova siano i responsabili di questa carneficina. È evidente che devono essere eliminati prima che causino altri problemi. Ci vogliono le loro descrizioni. Dunque dimmi, Charlie, sei sicuro di non sapere che aspetto abbia Carver?»

Il direttore operativo schiacciò il mozzicone di sigaretta sotto il tacco. «Lo abbiamo fatto controllare durante un paio di missioni, in passato; una precauzione ovvia. Un metro e ottanta, circa, per un peso di forse settantacinque chili. Capelli scuri, occhi verdi... a meno che non li abbia modificati, naturalmente. Volto magro, sguardo intenso. A parte questo, nessun altro segno distintivo, che io sappia. No, aspetta... qualcos'altro c'è...»

«Cosa?»

«Max non aveva addosso la giacca, quand'è morto. E la sua giacca non era dove l'aveva lasciata l'ultima volta che l'ho visto, appesa allo schienale della sedia. Forse Carver ha buttato via la giacca nera e ha preso quella di Max. È grigia, dello stesso tessuto dei pantaloni.»

«Okay. E la donna?»

«Tutto quello che so è la fama che si porta dietro. A quanto pare, è il tipo della biondona con corpo mozzafiato. Uno schianto.»

Papin sollevò le sopracciglia, con l'aria di chi la sa lunga. «Ma, se lei era la compagna di Kursk, che ci fa su una moto in compagnia dell'uomo che lo ha ammazzato? Perché entra ed esce dagli appartamenti con Carver? Perché si unisce a lui in una sparatoria?»

« Come diavolo faccio a saperlo? Magari si è presa una cotta per lui. Magari ha cambiato idea. »

« O magari no. » Papin fece un sorriso. « Cos'è che dite, voi inglesi, sulle femmine della specie? »

« Era Kipling. Diceva che le femmine della specie sono più letali dei maschi. »

« *Alors*, un inglese che capisce le donne. *Incroyable!* »

Erano seduti in un bistrot aperto tutta la notte, infilato tra i sexy-shop e le trappole per turisti di Châtelet-Les Halles. Erano le cinque meno un quarto. Anche le battone del quartiere ormai avevano finito di lavorare per quella notte ed erano entrate per un ultimo cicchetto prima di andare a dormire.

Esaurita tutta l'adrenalina, Alix aveva un'aria sfinita. Carver le prese un cappuccino con un *pain au chocolat*. Non era esattamente una dieta salutare, ma la ragazza aveva bisogno di tutta l'energia che grassi e zuccheri le avrebbero fornito. Alix lasciò da parte la pasta, prese un sorso di cappuccino e si accese una sigaretta.

Carver si sporse verso di lei attraverso il tavolo, in un gesto da innamorato. «Chi era quell'uomo nel club, che ci ha sguinzagliato dietro i suoi scagnozzi? Come si chiama? Perché s'interessa a te?»

Lei fece un altro tiro dalla sua Marlboro e si soffermò a giocherellare soffiando un filo di fumo verso il soffitto, senza dire niente.

«Andiamo, Alix, non prendermi per il culo. Tu lo conoscevi. E di certo lui conosceva te. Perché? E perché ci ha spedito dietro i suoi uomini?»

Lei si strinse nelle spalle. «Si chiama Grigorij Sergejevič Platonov. Tutti quanti lo chiamano Platon. Appartiene a quella che voi chiamereste mafia russa. Ma le bande, i 'clan', diciamo noi, non sono soltanto russi. Sono di tutte le etnie: cechi, azeri, kazaki, ucraini. E si danno dei nomi, come se fossero dei gruppi rock o delle squadre di calcio. I ceceni hanno la Tsentralnaja, la Ostankiskaja, la Automobil'naja. I russi hanno la Solntsevskaja, la Pušinskaja, la Podolskaja: è questa la gang di Platon. Ogni gang odia tutte le altre, ma, quando sei una donna, una vale l'altra. Tutte quante vogliono fotterti o picchiarti, o entrambe le cose. Sono dei maiali, tutti quanti.»

«E tu come fai a sapere così tante cose di questo Platon, allora?»

«Tutti quanti lo conoscono. È un gangster, ma i giornali in Russia ne parlano come di una specie di superstar: quante case possiede, che nuova automobile si è comprato, qual è l'amante della settimana. E immagina che non è neanche il boss della Podolskaja. Ce ne sono altri, molto più in alto di lui. E anche loro hanno dei boss, uomini che non appartengono a nessuna banda, ma che le controllano tutte come... come dei burattini.»

«D'accordo. E allora che ci fa Platon a Parigi?»

«Potrebbe farci qualunque cosa. Potrebbe essere qui a trattare un affare per conto della Podolskaja. Potrebbe essere venuto a passare una tangente a un ministro del governo francese. O magari ha portato le sue ragazze a fare shopping a Parigi. Sai, le stavo osservando, mentre eravamo nel bagno delle signore. Non riuscivo a capire se fossero gemelle o se fossero semplicemente andate dallo stesso chirurgo estetico. È il tipo di cose che piace a Platon: prendere due ragazze e trasformarle in una coppia di Barbie. Lo troverebbe divertente.»

Carver percepì un accento di acrimonia nella sua voce. La cosa stava virando sul personale. «Come lo conosci?»

«Che cosa credi? In che modo una donna arriva a conoscere un uomo come quello?»

Carver pensò a quel grassone, al suo corpo schiacciato su quello di Alix. Non era una bella immagine. «Okay. Chi stava chiamando?»

«L'uomo che mi ha mandato qui.»

«Chi è?»

«Non lo so. E come potrei saperlo? Tu sai chi ti ha mandato? Il mio tramite è Kursk.»

«Lo era. È morto.»

Alix scosse il capo. Un sorrisetto amaro le increspò un angolo della bocca. «Tu credi? Hai visto il cadavere?»

«No.»

«Tu non lo conosci, Kursk. Molte persone prima d'ora hanno cercato di finirlo. Qualcuno ha perfino creduto di esserci riuscito. Ma lui è come Rasputin. Lo devi uccidere, e poi uccidere, e poi uccidere ancora, prima che muoia per davvero.»

«Se lo dici tu. Ma nella mia esperienza la gente muore una volta sola. In ogni caso, lavoravate sempre insieme, voi due?»

«No. Non prima di questa notte... non come compagni.»

«Cos'è cambiato?»

Lei fece un altro sorriso stanco, gli occhi pesanti. «È andata come nel *Padrino*. Mi ha fatto un'offerta che non ho potuto rifiutare.»

«Che vuoi dire?»

«Oh... è una lunga storia. E adesso non ho intenzione di raccontartela.»

Carver diede un'occhiata all'orologio, poi si girò a intercettare lo sguardo della cameriera e le fece un gesto, come per chiedere il conto. Tornò a voltarsi verso Alix. «Non m'interessa sentire tutta la storia. M'interessa come va a finire. M'interessa sapere se posso fidarmi di te. Da che parte stai, ora?»

Alix schiacciò la sigaretta. «Onestamente? Non lo so. Anch'io devo decidere di chi mi posso fidare. A ottobre compirò trent'anni. Me ne sono andata di casa quando ne avevo diciotto. Il che significa che ce l'ho fatta da sola per dodici anni. Non sono una tossica. Non sono sulla strada, a buttarmi via con degli ubriaconi per una manciata di rubli senza valore. Non sto tirando su tre bambini in un appartamento infestato dai topi. Capisci cosa sto dicendo?»

«Che sai come si fa a sopravvivere?»

«Proprio così. Non mi espongo a rischi non necessari. Per cui, la domanda che mi faccio quando ti guardo è: mi fido di quest'uomo? Credo davvero che mi aiuterà a rimanere viva? Oppure me ne torno a Mosca e mi gioco il tutto per tutto con uomini come Platon?»

«Non è di Platon che ti devi preoccupare», precisò Carver. «Piuttosto, di chi ha organizzato il lavoro di questa notte, di chiunque si tratti. E, se puoi anche solo pensare di tornare a Mosca, significa che laggiù devi avere un qualche aggancio... qualcuno che potrebbe essere in grado di metterti al sicuro.»

«Può essere. Ma, come hai detto tu, 'potrebbero' essere in

grado di mettermi al sicuro. Se ho fatto l'ipotesi giusta. Se sono disposti ad aiutarmi. Lo vedi, questi sono i fattori di cui devo tener conto.»

«Solo di questo si tratta? Di un calcolo?»

«Quando stai cercando di rimanere vivo, si tratta sempre di un calcolo e di nient'altro.»

Aveva ragione, naturalmente. E Carver lo sapeva. Ma sapeva anche di aver oltrepassato il punto in cui le giustificazioni che si dava per la presenza della ragazza erano molto più di una semplice finzione. Certo, avevano molte più probabilità di farcela stando insieme che separati. E non voleva che lei se ne scappasse via a raccontare di lui a tutto il mondo. Senza contare che avrebbe potuto fornirgli una traccia per arrivare alla gente che lo aveva mandato in quella missione fatale. Ma, alla fine dei conti, il fatto era che lui voleva stare con lei; semplicemente quello. Lasciò dei soldi per il conto. «Andiamo. Presto comincerà a funzionare la metropolitana. È il posto più sicuro per noi.»

«E poi?»

«Poi prenderemo un treno, che parte alle sette e un quarto.»

«Per dove?»

«Per casa.»

La linea diretta impiegava esattamente tre minuti per andare da Châtelet-Les Halles alla Gare de Lyon. Carver fece un giro turistico, attraversando in lungo e in largo tutta Parigi, cambiando treno ogni due o tre fermate. Gli ci volle più di un'ora.

Non era perché pensava che i russi si fossero messi sulle loro tracce dopo che lui e Alix avevano lasciato il nightclub. Erano usciti dalla porta sul retro; il tizio che aspettava sul davanti non poteva averli visti in nessun modo. Ma immaginava che, là da dov'erano venuti i primi due, potessero esservi altri sicari. Non aveva senso sfidare la sorte.

Per la maggior parte del tragitto, rimasero seduti in silenzio. Poi fecero l'ultimo cambio e saltarono su un treno della linea D che li avrebbe portati alla Gare de Lyon.

«Ci sono telecamere a circuito chiuso alla stazione», disse Carver. «È meglio se non ci facciamo vedere insieme. Quando arriveremo là, tu va' a recuperare la tua borsa nel deposito bagagli. Poi controlla il tabellone delle partenze. Dovrebbe esserci un treno per Milano che parte alle 7.15. Prendilo. Va' allo scompartimento di prima classe. Io ti raggiungerò là.»

«Perché dovrei venire con te?» chiese Alix.

Carver non aveva tempo di mettersi a elaborare una risposta brillante. «Perché ti va di farlo, magari?»

Alix non se l'aspettava. Il suo sorriso fu sincero, la voce più calorosa di quanto non fosse mai stata da quand'erano usciti dal club. «Okay. Immagino che al momento non ci siano offerte migliori in giro.»

«Andiamo, è la nostra fermata.» Carver le diede una chiave numerata. «Il tuo armadietto. Ci vediamo sul treno.» Lasciò che Alix uscisse dalla vettura prima di lui, poi aspettò sulla banchina per controllare che nessuno li stesse pedinando. Quando il treno successivo si accostò alla banchina, Carver si unì al flusso di passeggeri che smontavano e cominciò a camminare verso la stazione; andò a recuperare il computer da un altro armadietto, quindi si recò alla biglietteria. Indossava gli occhiali da sole che aveva acquistato nella farmacia notturna; non che facessero granché per cambiargli l'aspetto, ma ogni minimo aiuto poteva essere utile. Chiese due posti di prima classe per Milano e pagò in contanti. Si allontanò dal banco e si diresse verso una biglietteria automatica, nell'atrio.

Alcuni viaggiatori mattinieri stavano facendo colazione sotto gli ombrelloni bianchi del caffè della stazione. Dietro di loro, dentro l'edificio principale, c'era il magnifico ristorante della Gare de Lyon, Le Train Bleu, con elaborati intagli dorati sul soffitto e imponenti divani imbottiti di pelle bruna. In confronto coi luridi buffet delle stazioni inglesi, dove un personale arcigno serviva insipide sbobbe, Le Train Bleu appariva davvero come un paradiso dei gourmet; ma Carver non aveva tempo per godersi i piaceri che offriva. Comprò una manciata di biglietti per destinazioni diverse, tutti in contante. Raggiunse il treno per Milano venti minuti dopo aver salutato Alix.

La trovò addormentata, la testa appoggiata contro il finestrino della vettura. Rimase a osservarla per qualche secondo, abbracciando con lo sguardo i contorni del suo viso. Ogni tensione era scivolata via dai suoi lineamenti; era rimasta soltanto la vulnerabilità.

Carver si tolse la giacca e la ripiegò con cura sul sedile di fronte a quello di Alix. Poi allungò una mano e scosse la donna per la spalla. «Svegliati», disse. «Dobbiamo andare.»

Alix tornò in sé. Aggrottò le sopracciglia. «Sembri diverso. Più vecchio.»

«Sono soltanto gli occhiali.»

«Dove siamo?»

«Ancora a Parigi, ma stiamo per cambiare treno. Prima però dobbiamo fare una telefonata.»

Alix lo guardò con una smorfia perplessa mentre le prendeva il telefono da una delle tasche e componeva un numero. Dal marsupio di lui provenne uno squillo.

Carver tirò fuori il proprio telefono e rispose alla chiamata. Quindi piazzò entrambi gli apparecchi nella reticella portabagagli sopra le loro teste. «Andiamo», disse. «Seguimi.» Prese la borsa di Alix, se la mise su una spalla e appese la valigetta del computer all'altra. La giacca la lasciò sul sedile. Afferrò la mano di Alix e, praticamente trascinandola, la guidò fuori dello scompartimento, giù dal treno, dall'altro lato della banchina infine su un altro treno, che cominciò a muoversi venti secondi dopo che erano saliti a bordo.

«Dove stiamo andando?» chiese Alix.

«Ah... questa è una sorpresa!»

Due russi andarono a prendere Kursk su una Mercedes Classe S nera e lo spinsero nell'auto in gran fretta.

«Madre di Dio, Grigorij Michailovič, puzzi come un cesso ceceno», fece l'uomo che era alla guida. «Mi costerà una fortuna far ripulire l'auto.»

«Chiudi quella bocca, Dimitrov. Ho bisogno di antidolorifici, di quelli forti. Subito.»

«Certo, Grigorij, tutto quello che vuoi.»

Portarono Kursk in un modesto hotel. Il padrone li stava aspettando: era russo, avrebbe fatto quello che gli dicevano e tenuto la bocca chiusa. Dimitrov scomparve; dieci minuti dopo era di ritorno. Il padrone gli disse che Kursk era di sopra nella sua stanza, a farsi una doccia.

Quando Dimitrov bussò, Kursk andò ad aprire con soltanto un asciugamano addosso. Aveva il corpo ricoperto di lividi neri e viola, e sfregiato da abrasioni sanguinolente.

Dimitrov seguì Kursk dentro la stanza e gli porse due pillole. «Demerol. Non appena possibile te ne procurerò delle altre.»

Kursk ingollò le pillole accompagnandole con vodka liscia. Si pulì la bocca col dorso della mano quando ebbe finito. «Okay, fuori di qui, adesso. Ho bisogno di riposarmi.» Dormiva da meno di un'ora quando bussarono di nuovo alla sua porta. Si alzò e attraversò la stanza a grandi passi, completamente nudo. Aprì la porta. «Credevo di averti detto di non disturbarmi, cazzo!»

Dimitrov gli stava tendendo un telefono. «È Jurij.»

Non vi furono frasi introduttive, solo una voce dall'altra parte della linea che diceva: «Salta sul prossimo treno per Milano. Porta con te Dimitrov.»

Kursk si strofinò gli occhi cercando di scacciare via il sonno. «Sì, certo... Perché?»

«La tua compagna ha tenuto il telefono acceso. L'abbiamo rintracciato mentre stava attraversando la Francia in direzione sud-est; a quanto pare, si trova su un treno diretto a Milano. Quasi certamente l'inglese è con lei; si chiama Samuel Carver. Sono stati visti ballare insieme in un club di Parigi. Platon era là, in compagnia di un paio delle sue ultime puttane, e mi ha chiamato. Mi dicono che questo Carver avrebbe con sé un computer contenente informazioni che sarebbe meglio non diventassero di pubblico dominio. Farò in modo di avere qualcuno che intercetti il treno a ogni fermata. Se Petrova e Carver scendono, saranno seguiti fino al tuo arrivo.»

«E poi?»

«Poi, Kursk, tu ucciderai Carver e prenderai quel computer.»

«E quanto alla donna?»

«Riportala qui. Non ho ancora deciso cosa fare di lei.»

Alix dormì per la maggior parte del viaggio.

Carver era seduto di fronte a lei. Sull'aereo, nell'ultimo tratto della traversata atlantica, era crollato, svegliandosi solo pochi minuti prima dell'atterraggio a Parigi. Ma, per quanto stanco, in quel momento non era dell'umore giusto per dormire. Così guardava fuori dal finestrino, mentre la periferia di Parigi lasciava il posto al piatto paesaggio della Francia settentrionale, e poi al lussureggiante srotolarsi delle colline della Borgogna; infine, passata Digione, ai dirupi di pietra calcarea e alle gole del Giura, fino a raggiungere i primi rilievi delle Alpi.

Pensava a se stesso e a quello che aveva fatto, pensava alla ragazza, cercava di capire che cosa fare. Aveva ancora la testa presa in un turbinio di domande senza risposta e di emozioni non risolte. Non aveva senso continuare a crucciarsi per cose che ormai erano successe, e non si potevano riportare indietro, si disse. La principessa era morta. Niente avrebbe cambiato quel fatto. Ciò che doveva fare era attenersi alle regole: concentrarsi su ciò che era in grado di controllare.

Ma chi voleva prendere in giro? Aveva scelto di complicarsi la vita portando con sé quella ragazza: quanto controllo poteva avere su di lei? Era lì che la guardava dormire, abbandonata contro la fiancata della vettura, quando Alix, ancora mezza addormentata, aprì lentamente gli occhi e lo salutò con un sorriso pigro che si trasformò in uno sbadiglio.

«A cosa stavi pensando?» mormorò lei, strofinandosi gli occhi per scacciare via gli ultimi brandelli di sonno.

«Oh, non lo so...»

Alix si tirò su dritta, gli occhi del tutto svegli puntati dritti nei suoi. «Ti stavi domandando come sarebbe fare sesso con me?»

Carver inspirò bruscamente. «Porca miseria, non è che tu faccia tanti giri di parole, eh?»

Lei scoppiò a ridere, l'espressione piena della soddisfazione di una donna che guarda con sufficienza alla prevedibilità della categoria uomini, sempre con una cosa sola in mente, ma che nello stesso tempo è fiera del potere conquistato su un uomo in particolare. «Non è stato difficile indovinare, visto il modo in cui mi stavi guardando.»

«Credi? Vorrei che fosse una cosa così semplice.»

L'osservazione la sorprese. «Che vuoi dire?»

«Voglio dire che, sì, forse stavo pensando a te. Ma mi stavo anche domandando perché mi sono messo nella situazione di poterli anche solo fare, pensieri simili. Stavo cercando di capire la portata del rischio cui mi sto esponendo, lasciandoti entrare nella mia vita.»

Lei annuì. «Un bel po' di pensieri...»

Carver sorrise. «Magari sono solo un tipo più riflessivo di quanto non sembri.»

«Davvero? Be', in questo momento ho troppo sonno per preoccuparmi dei tuoi pensieri.» Alix allargò le braccia per stiracchiarsele, si sgranchì le spalle, quindi si risistemò nel suo sedile. «Svegliami quando arriviamo. Di qualunque posto si tratti», disse.

Carver aspettò fino a quando non fu sicuro che fosse di nuovo addormentata, poi si alzò dal sedile e attraversò il vagone, portandosi nello spazio vuoto tra le due porte di uscita. Tirò fuori il suo telefono di riserva e compose un numero di Londra.

«Pronto?» disse una donna con una voce stanca, dalla tonalità acuta. In sottofondo si sentiva il pianto di un neonato.

«Ciao, Carrie. Qui Pablo. C'è mica Bobby?»

«Sto bene, grazie», fu la risposta della donna. «E, sì, mi farebbe molto piacere raccontarti tutto quello che ho fatto nei tre anni dall'ultima volta che ti sei preso il disturbo di chiamarci.»

«Mi dispiace, Carrie. Credimi, mi piacerebbe un mondo

chiacchierare un po' con te, ma non ora. Posso scambiare una parola con Bobby? »

« Te lo chiamo. Caro! Telefono per te! » Poi lo scatto di una derivazione che veniva presa su.

Una voce maschile disse: « Aspetta un secondo ». Poi ci fu un altro urlo smorzato: « Ce l'ho! » e i rumori di sottofondo di mamma e bambino sparirono. « Scusa, così va meglio », disse l'uomo dall'altra parte.

« Ciao, Bobby. Sono Pablo. »

« Cristo! Che bello risentirti. Che diavolo hai combinato in tutto questo tempo? Sono passati secoli dall'ultima volta. »

« Già », fece Carver. « Senti, mi dispiace di sembrarti uno scorbutico asociale, ma non ho molto tempo. Hai il numero di Trench? Ho bisogno di parlargli e ho sentito che è andato in pensione. »

L'altro fece una risatina. « In pensione? Be', non è più il capo, ma non sono sicuro che sia corretto parlare di pensione. Consulenze di qui, amministrazioni di là... il vecchio si tiene piuttosto impegnato. E allora, perché hai bisogno di lui? Sei in cerca di un lavoro? »

« Qualcosa del genere. Ce l'hai o no il numero? »

« Ma sì, certamente. Resta in linea un minuto. » Ci fu una breve pausa. « Okay, ecco qui... »

« Grazie, amico. Senti, lo so che dovremmo, sai... recuperare il tempo perduto. In ogni caso, sembra che siate stati alquanto impegnati da quelle parti, voi due. Sono felice per te. Ho sempre pensato che saresti stato un papà fantastico. Ma sul serio, ora non posso fermarmi a parlare. Ci sentiamo un'altra volta, okay? » E interruppe la telefonata.

Ripensò all'ultima volta che aveva visto il colonnello Quentin Trench, l'uomo che per lui era stato un ufficiale in comando, un amico, perfino una figura paterna. A quel tempo, lui era Paul « Pablo » Jackson, recentemente congedato dai Royal Marines, un ex « ufficiale e gentiluomo » che si era trasformato in un elemento autodistruttivo, sempre impegolato in risse tra ubriachi.

« Ciao, Pablo. Questo non è un comportamento molto intel-

ligente», aveva detto Trench, dando un'occhiata alla cella della polizia del Dorset in cui l'amico aveva passato la notte.

«Non molto, no», aveva replicato Paul Jackson, vergo-
gnandosi del fatto che Trench lo vedesse in quelle condizioni.

«Sempre il solito caratteraccio, eh?»

«Già.»

«Perché non ti misuri con qualcuno della tua stessa taglia,
allora?»

«Che cosa intendi dire?»

«Potresti mettere a frutto i tuoi talenti in qualcosa di meglio
che accapigliarti con giovinastri gonfi di birra. Lascia che ci
metta una parola io. Non si sa mai, potrebbe venirne fuori
qualcosa.»

Tre settimane più tardi, il telefono aveva squillato. Chi
chiamava non aveva detto il proprio nome. Né aveva chiesto
quello di Jackson. «Potremo accordarci sui nomi in seguito.»
L'uomo rappresentava un gruppo di ricchi e potenti personaggi che aveva base a Londra. I suoi datori di lavoro si occupavano di risolvere certi problemi che si situavano al di là del
raggio d'azione delle strutture governative limitato dalla legge. «Mi è stato detto che lei potrebbe trovarsi nella condizione
di aiutarci. Il suo nome ci è stato caldamente raccomandato.»
Quando la telefonata stava per finire, l'uomo aveva aggiunto:
«Senta un po', perché non mi chiama Max?»

«D'accordo», aveva risposto Jackson. «E lei mi chiami pure Carver.» Era il nome della sua madre naturale. Tanto gli
avevano detto i Jackson, subito dopo il suo ventunesimo com-
pleanno; avevano pensato che avesse il diritto di sapere. Più
tardi, quando aveva cominciato a crearsi un'identità nuova
dal nulla, si era deciso per il nome di Samuel. Nessuna ragione particolare: gli piaceva soltanto come suonava.

Carver compose il numero che gli era stato dato.

Ancora una volta rispose una donna, con una dizione che
evocava scuola di buone maniere e balli delle debuttanti, tanto
tempo addietro. Pamela Trench, la moglie del colonnello, disse a Carver che suo marito era andato a caccia di pernici nelle

Highlands scozzesi, e che sarebbe rimasto fuori per il week-end. «Mi duole terribilmente, ma non è raggiungibile per telefono. Vuole lasciare un messaggio?»

«No, non si preoccupi.»

Vi fu un momento di silenzio, quindi Pamela Trench parlò di nuovo. «Mi fa piacere che lei abbia chiamato, Paul. È solo che, be', non abbiamo mai avuto l'opportunità di parlare dopo che quella povera ragazza...»

Quelle parole piene di buone intenzioni colsero Carver alla sprovvista, colpendolo come uno sparo a bruciapelo, prima che fosse riuscito a indurire la corazza contro i ricordi. «Lo so», mormorò.

«Dev'essere stato terribile, per lei.»

«Sì, non è stato granché.»

«Be', volevo soltanto che lei sapesse che tutti noi l'abbiamo pensata.»

Carver riuscì a dire grazie prima di chiudere di scatto il telefono. Lottò per soffocare le immagini che gli affollavano la mente: due auto, due incidenti, due donne innocenti morte per causa sua. Si sentì afferrare da un senso di vergogna che gli affondava nell'anima, una macchia che mai avrebbe potuto essere cancellata. E la vergogna fu seguita da una rabbia fredda e dura, un bisogno implacabile di vendetta e di castigo contro quelli che lo avevano mandato avanti, senza che sapesse nulla del male che stava facendo. Li avrebbe fatti pagare per la condanna che gli avevano riversato addosso.

Ma in quel momento non poteva permettersi di perdere l'autocontrollo. Ne andava della sua vita e di quella di un'altra donna. Così ingoiò la rabbia, insieme con tutto il resto, e se ne tornò al suo posto.

Alix era ancora profondamente addormentata.

Carver svegliò Alix appena prima che il treno raggiungesse Losanna. Cambiarono treno e arrivarono a Ginevra alle 10.45, in perfetto orario, quindi presero un autobus che attraversava il *business district*; passò sul Rodano, oltre lo Jet d'eau che proietta in cielo un getto d'acqua a quasi cinque metri di altezza. Vicino al fiume, gli edifici erano anonimi palazzi moderni di uffici, negozi e banche; sarebbe potuta essere una qualsiasi città dell'Europa centrale. Ma dietro di loro s'innalzava la collina che porta a San Pietro, cattedrale della città; lì c'è la Città Vecchia, il cuore di una cittadina che ha duemila anni.

«Ecco, noi scendiamo qui», disse Carver. Guidò Alix lungo vie tortuose che salivano su per la collina, attraverso angusti vicoli tra la mole incombente di vecchi palazzi residenziali. «A Ginevra si è sempre costruito in altezza», spiegò Carver, vedendo che la donna aveva lo sguardo fisso verso l'alto, a seguire le file di persiane che puntavano al cielo lontano. «In origine la città era circondata da mura. Non le fu possibile espandersi in larghezza. Perciò, l'unica alternativa era andare verso l'alto.»

«Mio Dio, una lezione di storia!»

Carver assunse un'aria contrita. «Scusami, non era mia intenzione tenere una conferenza.»

«No, è tutto a posto. Mi piace. È che non sapevo t'interessassero cose di questo genere.»

Passarono davanti a una libreria di libri usati che aveva due finestre ad arco racchiuse entro una facciata rivestita con pannelli di legno. Il negozio era chiuso, ma fuori c'erano dei banchetti che davano sulla strada, pieni zeppi di vecchi libri cartonati e di tascabili.

Alix si fermò un istante, stupefatta per la fiducia dimostrata dal libraio. «Chiunque potrebbe rubarli!»

«Ma dai, qui siamo a Ginevra! Ci sono palazzi delle Nazioni Unite stipati di funzionari corrotti e banche piene zeppe di dollari sgraffignati dagli aiuti al Terzo Mondo. Nessuno si prende il disturbo di rubare libri. Qui si rubano Paesi interi.»

La donna lo guardò. «Che cosa stai cercando di dirmi?»

«Solo che ci sono persone che se ne vanno in giro per questa città con le loro belle targhette da diplomatici e i vestiti eleganti, e che fanno sembrare quello che fanno un'opera di beneficenza. Andiamo...» Carver entrò in un piccolo caffè accanto alla libreria: qualche tavolino in plastica sistemato sull'acciottolato della strada e alcuni gradini che scendevano in un minuscolo locale dal soffitto basso.

Alix lo seguì e rimase a guardare mentre il proprietario, uscito da dietro il bancone, andava ad abbracciarlo con affetto prima di abbandonarsi a un profluvio di parole in un francese velocissimo che lei non riuscì a seguire. Le sembrò però che quell'uomo lo chiamasse «Pablo».

Dopo un po', il padrone del caffè sparì in cucina e ricomparve portando una borsa di plastica piena di provviste. Carver cercò di pagare, ma l'altro non glielo permise. Lo svizzero lanciò un'occhiata in direzione di Alix e fece un ampio sorriso; quindi si voltò e disse qualcosa a Carver, accompagnandolo con una strizzatina d'occhio e una gomitata alle costole. La donna non aveva bisogno di parlare francese per capire di cosa si trattava.

«Mi scuso per Freddy», le disse Carver non appena ebbero ricominciato a camminare. «Si lascia andare un po' troppo all'entusiasmo quando si trova in presenza di una bella donna. Se tu vedessi sua moglie, capiresti il perché. Comunque, è un bravo diavolo.» Sollevò la borsa. «Almeno non moriremo di fame.»

Salirono una rampa di scale che portava in un cortile lastricato di ciottoli, contro il pendio della collina. Tutt'intorno agli edifici che s'innalzavano lungo il perimetro del cortile, si sviluppavano serpeggiando scale esterne e passaggi coperti, come in un disegno di Escher.

«Eccoci arrivati», annunciò Carver. «Purtroppo è all'ultimo piano.»

Alix guardò di nuovo verso l'alto, con un'espressione di terrore negli occhi. «Dobbiamo farci tutte quelle scale? Ti prego, dimmi che dentro c'è un ascensore...»

«Mi dispiace. Le autorità locali non lo consentono. Dicono che rovinerebbe il carattere storico di questo magnifico edificio di quattrocento anni fa. Almeno così mi tengo in forma», concluse sogghignando.

La donna gli restituì il sorriso; le piaceva quella natura più profonda di Carver che stava emergendo da dietro la sua maschera di protezione. Non aveva idea di cosa aspettarsi, quando entrarono nell'appartamento di Carver. I killer che aveva conosciuto in Russia erano dei completi cialtroni oppure dei fanatici dell'igiene; i primi vivevano in porcilaie cosparse di materiale pornografico, dove le uniche cose a venire regolarmente pulite erano le armi, e l'unico elemento decorativo era costituito dallo schermo gigante della TV; i secondi erano maniaci dell'ordine, del tutto vuoti dal punto di vista emotivo, vivevano in ambienti asettici ricoperti di acciaio, superfici cromate, pelle e marmo nero. L'unica cosa che le due categorie avevano in comune era lo schermo gigante. Esisteva una terza categoria, naturalmente: gli uomini dai quali i killer prendevano gli ordini. Loro caratteristica precipua era di avere amanti costose e giovani mogli da esporre come un trofeo; era alle donne che spettava la parte decorativa.

Carver non viveva come un russo. Il suo stile assomigliava di più a ciò che lei assimilava all'inglese tipico. L'appartamento aveva travi a vista e pavimenti di legno ricoperti di vecchi e stinti tappeti persiani, leggermente lisi. C'erano scaffali colmi di biografie e opere di storia militare affiancate a malconci volumi di romanzi thriller. C'erano vecchi dischi in vinile, CD a centinaia e file di videocassette. Nel salotto troneggiavano un paio di enormi poltrone antiche e un immenso sofà Chesterfield tutto rovinato, sistemati intorno a un caminetto aperto.

Alix s'immaginò in quella stanza in inverno, accoccolata come un gatto su uno di quei sedili, mentre si crogiolava al calore del fuoco.

Carver era sparito nella cucina adiacente. «Sto facendo un po' di caffè. Ti va un espresso? Un cappuccino?» chiese la sua voce attraverso il muro.

«Lo sai fare?»

«Certo! Non sono un completo selvaggio. Di cos'hai voglia?»

«Un cappuccino, per favore. Senza zucchero.»

C'era un quadro, appeso sopra il caminetto, una marina datata 1887, dipinta in toni brillanti in uno stile per nulla impressionista: una famiglia era in piedi al bordo dell'acqua; gli uomini avevano i pantaloni arrotolati, le donne si tenevano le gonne sollevate giusto quel tanto che bastava per intingere nel mare la punta di un alluce.

«È Lulworth Cove», disse Carver tornando in salotto con due tazze. «Si trova sulla costa del Dorset, a solo pochi chilometri dalla mia vecchia base.»

«È molto bello», osservò Alix. «Che base era?»

Carver scoppiò a ridere. «Non posso dirtelo. Potresti essere una pericolosa spia russa.»

«Oh, no! Non sono una spia. Non più», replicò Aleksandra Petrova.

Carver la guardò, assorto. «Allora, hai intenzione di raccontarmela, quella storia? Quella lunga, di cui mi hai parlato?»

La ragazza sorseggiò il cappuccino e si leccò uno sbaffo di schiuma bianca dal labbro superiore. «Okay. Ma prima ci sono delle cose che devo fare.»

«Che genere di cose?»

«Be', voglio darmi una bella lavata.»

«Giusto. Il bagno è proprio in fondo al corridoio, sulla destra. Io intanto preparo qualcosa da mangiare. E poi potrai raccontarmi quella storia.»

Papin stava facendo lenti progressi. Non erano molti i tecnici di fotofit pronti a rispondere al telefono l'ultima domenica di agosto. Alla fine, era riuscito a trovare qualcosa, ma la foto non sarebbe stata pronta prima delle dieci; poi avrebbe dovuto trovare qualcuno disposto a mandarla in onda.

In qualsiasi altro giorno, la minaccia di un killer inglese e della sua sexy complice bionda avrebbe aperto i telegiornali e sarebbe stata schiaffata in prima pagina. Ma quello non era un giorno come tutti gli altri. I network francesi, così come quelli di tutto il resto del mondo, parlavano di un solo argomento: la morte della principessa. E così, ironia della sorte, l'uomo che l'aveva uccisa era stato relegato a una notiziola di pochi secondi, con un fotofit mostrato in fretta e furia.

Marceline Ducroix, che aveva servito a Carver paste e caffè nella bettola aperta ventiquattr'ore su ventiquattro a Les Halles, vide la foto nel piccolo televisore posto nel retrobottega dove suo padre e suo zio erano seduti a guardare il notiziario. Stavano discutendo rumorosamente se lo scontro nel tunnel fosse un incidente o piuttosto il risultato di un perfido complotto anglosassone. Il killer inglese ricercato dalle autorità sembrava proprio l'uomo gentile e ben vestito che quella mattina le aveva parlato in un perfetto francese; però non era sicura che fosse lui.

«E allora non andare dagli sbirri», le disse suo padre, quando Marceline gli chiese consiglio. «Sono tutti figli di puttana. Meno ci hai a che fare, meglio è.»

Jerome Dominici rientrò a casa alle 8.30 dopo aver terminato il turno di notte alla farmacia. A quell'ora aveva già sentito della tragedia nel tunnel dell'Alma; tutti quelli che erano entrati nel negozio ne stavano parlando. Colse una decina di minuti del notiziario televisivo prima di cadere addormentato sul divano.

Era ora di pranzo quando si risvegliò. Si stava preparando un po' di pane e formaggio, un occhio al piatto e un altro alla televisione, quando vide la foto: quell'uomo aveva un'aria familiare. Compose il numero in sovrimpressione sullo schermo.

Papin era già alla Gare de Lyon quando sentì che un uomo in giacca grigia era stato avvistato in una farmacia su boulevard de Sébastopol, dove aveva acquistato della tintura per capelli e delle forbici; l'uomo corrispondeva in ogni dettaglio alla descrizione di Carver. Papin aveva accertato che il soggetto aveva comprato due biglietti per Milano, poco prima delle 7.00; ciò significava che doveva aver preso il treno delle 7.15, ma quel convoglio era già arrivato a Milano e il controllore, interrogato dalla polizia locale, non ricordava di aver visto nessuno che assomigliasse ai fotofit. Nel tragitto tra Francia e Italia non venivano effettuati controlli del passaporto, per cui non c'erano registrazioni alla frontiera; non c'era modo di stabilire se Carver fosse mai salito su quel treno e in compagnia di chi fosse. E, se pure vi era salito, non era in nessun modo possibile stabilire dove fosse sceso senza effettuare un'attenta indagine in ogni singola stazione lungo il percorso.

Prima di fare ciò, Papin aveva deciso di controllare le registrazioni delle telecamere a circuito chiuso. La copertura era frammentaria: non si estendeva a tutta la stazione, né comprendeva tutto il tempo. Ma Papin aveva individuato un uomo con occhiali e giacca grigia che si stava allontanando dalla biglietteria alle 7.05.

« È lui? » domandò al direttore operativo.

« Potrebbe essere. »

« Okay. Ma ora guarda. Lo abbiamo qui alle 7.05. In una sequenza successiva, lo vediamo avvicinarsi al binario del treno per Milano; sono le 7.09.»

«Sì. Ha comprato un biglietto. È salito sul treno. E allora?»

«E allora dov'è stato? Ci vogliono solo pochi secondi per attraversare l'atrio. Deve aver fatto qualcosa nel frattempo. Cosa?»

«Non lo so. Magari è andato in bagno o ha comprato un giornale.»

«O forse ha comprato un altro biglietto, per un'altra destinazione. Carver è in gamba; doveva sapere che avremmo tenuto d'occhio la biglietteria, così se n'è servito per metterci fuori strada. Poi avrà preso gli altri biglietti alle macchinette automatiche. *Merde!* E su quelle non c'è nessuna copertura video. Qualcuno dovrà controllare le macchinette per tutti gli acquisti effettuati tra le 7.05 e le 7.09. E, intanto, io mi occuperò di qualcos'altro.»

«Di cosa?»

«Di trovare la ragazza.»

Dopo la doccia, Alix andò in cucina. Aveva un asciugamano avvolto intorno al corpo, un altro intorno ai capelli. «Ce l'hai una vecchia maglietta, o qualcosa del genere, da mettermi addosso?» chiese. «Nessuno dei miei...»

«Sstt!» Carver la zittì alzando una mano.

Lei stava per reagire in malo modo, quando si accorse del piccolo televisore acceso.

Carver stava guardando un notiziario. «È incredibile! Ci sono migliaia di persone fuori dai cancelli di Buckingham Palace, e tante altre stanno deponendo corone di fiori a Kensington Palace, dove lei viveva. Hanno messo un libro delle condoglianze e la gente sta facendo la coda per apporre la propria firma. Il primo ministro parla di lei come della 'principessa del popolo'. Personalità politiche stanno inviando messaggi da tutto il mondo. E ci sono esperti di ogni tipo che non la smettono di pontificare su tutto, dai paparazzi che perseguitano i VIP al modo in cui i principi reali riusciranno a far fronte al lutto... A proposito, hanno indicato le 4.00 di mattina come orario effettivo del decesso; come se questo facesse differenza.»

«Noi non sapevamo che cosa stessimo facendo...»

«Come se pure questo facesse differenza. Mi è passato l'appetito. E, tu, la vuoi un'omelette al formaggio? Non è male. Questa è la patria del formaggio svizzero, dopotutto.»

«Sicuro, grazie. Ma credo che dovrei infilarmi addosso qualcosa, prima di mangiare.»

«Ma certo. Aspetta.» Carver tornò pochi secondi dopo, portando una T-shirt grigia. Sul davanti c'era la scritta SAND-HURST SPECIAL FORCES 1987. «Ti va bene? Temo di essere rimasto un po' indietro col bucato, ultimamente. Ero in Nuova Zelanda, a godermi le mie stramaledette vacanze, quando mi hanno contattato. »

Alix percepì nella sua voce la tensione raffrenata a stento, e gli sfiorò leggermente la mano. « È tutto okay. Questa maglietta andrà benissimo. »

« Bene. Ripensandoci, magari prenderò un po' di quell'omelette. »

Si sedettero a mangiare, guardando la TV. Le telecamere erano alla base aerea di Biggin Hill, a sud di Londra. Il corpo della principessa era atteso da un momento all'altro.

Alla fine, Carver si alzò dal tavolo e spense l'apparecchio. « Penso che ne abbiamo visto abbastanza. Non mi potranno dire nulla che io già non sappia. E non c'è stato il minimo cenno al ruolo che abbiamo giocato noi. Niente riguardo a esplosioni o sparatorie nel cuore di Parigi. O non lo sanno, oppure c'è qualcuno che si sta dando un gran daffare per mettere tutto a tacere. » Si alzò e raggiunse il salotto. « Non dovevi raccontarmi la storia della tua vita? » Si buttò sul sofà e con un gesto della mano indicò le due poltrone. « Accomodati pure. Sono tutt'orecchie. »

Alix si sistemò su una poltrona. Si portò le ginocchia al mento e si avvolse le braccia intorno agli stinchi, come a volersi proteggere in un abbraccio.

Carver la osservò, cercando d'impadronirsi di ogni dettaglio. Guardò il modo in cui la luce del sole accarezzava le sue lunghe cosce abbronzate; guardò il modo in cui lei si passava le mani tra i capelli ancora umidi. Si domandò se l'avrebbe tradito. Pensò che valesse la pena di rischiare, solo per la possibilità di averla lì nel suo appartamento, anche per un giorno soltanto. Finché Alix era lì, lui poteva tenere lontano il pensiero della morte.

Poi la donna cominciò a parlare. « Immagina un mondo senza colore. Il cielo è grigio. I palazzi sono grigi, e così anche la gente. L'erba è grigia. D'inverno perfino la neve è grigia, di sporcizia. Nessuno ha denaro, e il capitalismo è il nemico; per cui nei negozi non c'è niente, nulla esposto nelle vetrine. Non ci sono cartelli pubblicitari per le strade, nessuno sfavillio di luci. Fai la coda per il pane insieme con tua madre domandandoti quanto sarà ubriaco tuo padre più tardi, e chi di voi due picchierà se la vodka non lo stende prima al tappeto. Ecco come sono cresciuta io. Vivevamo in una città che si chiama Perm, a circa milleduecento chilometri da Mosca. Ero una brava studentessa. Avevo un sacco di tempo per studiare, perché nessuno s'interessava a me.»

«Oh, andiamo!» la interruppe Carver. «A questo non ci credo.»

«No, davvero. Non ero una ragazza carina, e avevo gli occhi... come si dice quando gli occhi vanno nella direzione sbagliata?»

«Strabici?»

«Sì, ecco. Erano strabici.»

«Ah, questo spiega tutto.»

«Spiega che cosa?»

«I tuoi occhi. Hanno un qualcosa d'irregolare, che si percepisce appena.»

Alix sussultò, come se qualcuno le avesse dato uno schiaffo. Carver si maledisse. «Scusami, ho detto una cosa incredibilmente stupida. Ciò che intendevo è che hai degli occhi stupefacenti. Sono bellissimi. Ed è come se avessero un potere ipnotico. Non riesco a smettere di guardarli e... be', ora so perché.» Attese qualche istante, per vedere se fosse stato perdonato. «Stavi dicendo...»

«Stavo dicendo che i miei occhi strabici non erano così *ipnotici* quand'ero una ragazzina. Dovevo portare degli occhiali con una montatura grossissima, davvero orribile, e gli altri bambini si prendevano gioco di me. Poi sono cresciuta. Di corpo non ero male, e lo sapevo, ma il viso... quello era tutto da dimenticare.»

«E poi, come ha fatto il brutto anatroccolo a trasformarsi in uno splendido cigno?»

Alix reagì con un rapido cenno del capo, che riconosceva il complimento e nello stesso tempo lo rifiutava. «Ero un membro del Komsomol, l'Unione comunista della gioventù. Non che amassi il Partito. Non m'interessavo di politica. Ma ci si doveva iscrivere, e si potevano avere dei vantaggi: campi estivi, posti nelle università migliori... cose così. Be', in ogni modo, loro organizzavano un concorso letterario. Sotto il comunismo era importante essere *kulturny*...»

«Colti?»

«Sì. Danzare o suonare davvero bene uno strumento oppure, per me, scrivere un lungo saggio su Čecov. Dissi che esprimeva la decadenza e la vacuità della società borghese sotto la Russia imperialista, fornendo così la prova della necessità di una rivoluzione. Mi fece vincere un viaggio a Mosca, per partecipare a un grande convegno del Komsomol. C'erano giovani atleti, scienziati, artisti e studiosi; noi non lo sapevamo, ma lo Stato usava quei convegni per selezionare i giovani migliori, che sarebbero poi stati addestrati per lavorare nelle varie agenzie governative.»

Carver alzò un indice per aria, come il classico detective vecchio stile che risolva un mistero. «Ah! Ecco dove ti hanno pescata per diventare una pericolosa spia sovietica!»

Sorridendo, Alix annuì. «Al convegno venni avvicinata da una donna, che mi tolse gli occhiali e si mise a guardarmi, in silenzio, come un visitatore al museo che osservi un quadro per decidere se gli piace o no. Io non sapevo cosa fare. Ero diventata tutta rossa.

«Andammo in una saletta appartata. C'erano due uomini, seduti a una scrivania. Avevo appena letto il mio saggio davanti ai giudici del concorso letterario, e quegli uomini avevano esattamente lo stesso aspetto, come se fossero in procinto di giudicarmi. La donna mi disse: 'Togliti i vestiti, cara'. Io ero molto timida, non avevo mai mostrato il mio corpo a nessun uomo; ma sapevo che dovevo obbedire agli ordini.

«La donna mi disse di non preoccuparmi, che non era in nessun modo diverso dal farsi visitare da un dottore. Mi tolsi anche gli indumenti intimi, e tutti e tre cominciarono a discutere di me. Fu terribile, umiliante; mi sentii come se fossi una bestia da portare al mercato. Parlavano delle mie gambe, del mio seno, del mio culo, della mia bocca, dei miei capelli, di tutto. Poi uno degli uomini disse: 'Naturalmente dovremo fare qualcosa per gli occhi', e l'altro rispose: 'Non c'è problema, è un'operazione semplice'. Non potevo crederci. I dottori a Perm mi avevano sempre detto che non potevano fare nulla per me, che il mio problema non era abbastanza serio da giustificare i costi di un'operazione.

«Alla fine, la donna mi disse di rivestirmi. Gli uomini parlottarono ancora per qualche momento. Poi uno di loro mi disse che ero stata selezionata per un grande onore: sarei stata sottoposta a uno speciale addestramento in un'accademia d'élite, avrei imparato ad assumermi compiti che sarebbero stati di grande utilità per la patria. Se avessi completato l'addestramento in maniera soddisfacente, avrei ricevuto un appartamento a Mosca, e anche ai miei genitori sarebbe stato assegnato un alloggio più confortevole.

«Era incredibile; come in una favola, come diventare una star del cinema. Quando lo dissi a mia madre, lei scoppiò in lacrime... era così orgogliosa; anche mio padre pianse dalla gioia. L'operazione agli occhi fu eseguita dallo stesso dottore che mi aveva detto che era impossibile. Buttai via gli occhiali. Quando salii sul treno per Mosca, ero triste di lasciare casa, ma ero anche talmente eccitata. Non riuscivo a credere che il destino avesse scelto proprio me per una simile fortuna.»

Carver cambiò posizione sul sofà. «Sento che sta per arrivare un 'ma'. Che cosa successe una volta arrivata a Mosca?»

«La mia accademia era la Feliks Dzeržinskij, diretta dal KGB. Venni assegnata al Secondo consiglio direttivo, che si occupava di monitorare gli stranieri entro i confini dell'Unione Sovietica. M'insegnarono l'inglese; ricevetti una preparazione nel campo della cultura occidentale, dell'arte, del cinema, della politica perfino, in modo da poter sostenere una sofisticata conversazione anche coi più insigni visitatori del nostro Paese. E poi scoprii il vero motivo per il quale ero stata addestrata. Hai mai sentito l'espressione 'trappola con miele'?»

«Certo. Un tizio incontra una bella ragazza in un bar; vanno da lei, fanno sesso. Il giorno dopo qualcuno gli mostra le foto e parte il ricatto: o lui dice loro quello che vogliono sapere, o la mogliettina si ritrova quegli scatti sotto il naso. Dalle vostre parti si faceva un grande uso di tali trappole. Ai vecchi tempi, qualsiasi diplomatico occidentale, addetto militare o uomo d'affari che visitasse l'Unione Sovietica veniva avvisato che, se la ragazza sembrava troppo bella per essere vera, probabilmente era una di quelle trappole. E quindi tu eri...?»

«Io ero il miele nella trappola; ero una prostituta di Stato. Quando arrivai a Mosca, ero vergine. Il tempo di diplomarmi, e non c'era niente che non sapessi riguardo all'arte di sedurre gli uomini e dar loro piacere, ogni trucchetto, ogni perversione... Ci raccomandavano sempre di essere il più perverse possibile, perché un uomo parlerà molto di più se viene filmato sulle ginocchia mentre lo stanno frustando o mentre gli infilano un vibratore su per il culo, che se sta semplicemente mettendo l'uccello in bocca a una puttana da quattro soldi.

«Ed ero brava, sai. Quando Aleksandra Petrova riceveva un incarico, tutti i ragazzi della base accorrevano a vedere le foto e i video. E, naturalmente, agli ufficiali più alti in grado piaceva assicurarsi che il mio fosse un lavoro della miglior qualità. Così m'invitavano nelle loro dacie per il weekend e... Be', puoi immaginare che cosa succedesse là.» Alix sbatté le palpebre tre o quattro volte e distolse lo sguardo.

Carver le porse un fazzoletto. «Ehi, dai. Smettila di biasimarti in questo modo. Eri una bambina. Vivevi in una dittatura. Non avevi scelta. Voglio dire, che cosa sarebbe successo se tu avessi detto: 'No, questo non lo voglio fare?'»

«Se ero fortunata, sarei stata trasferita in un qualche gelido e sperduto villaggio in Siberia. Altrimenti... che cosa succede alle puttane che fanno arrabbiare il loro pappone? Finiscono stuprate, picchiate, ammazzate...»

«E allora non hai nessuna colpa.»

Alix fece del suo meglio per mettere insieme uno stanco sorriso. «E così, eccoci qua: il killer e la puttana.»

«Questo è un modo di vedere le cose, suppongo. Ma ce ne possono essere anche degli altri.»

Alix si sciolse i muscoli delle braccia e allungò le gambe, tirandosi giù la maglietta sulle cosce. Poi si sporse in avanti e guardò Carver dritto negli occhi, come per lanciargli una sfida. «Forse. Ma non lo saprò fino a che non avrò sentito anche la tua storia.»

«Be', prima di cominciare a svuotare la mia fogna ho bisogno di un drink.» Carver si alzò e si diresse verso la cucina.

«Che ne dici di un bicchiere di vino? Fingiamo di essere una coppia normale che si stappa una bottiglia ghiacciata di ottimo Pinot Grigio in un bel pomeriggio d'estate.»

Alix ci pensò su per un secondo. «Pinot Grigio, un vino italiano. Conosciuto in America anche come Pinot Gris. Non un vino classico ma, come si suol dire, molto rinfrescante.» Fece un sorriso compiaciuto. «Lo vedi? Mi hanno addestrata bene.»

Carver si fermò sulla porta. Guardò la bella donna avvolta nella vecchia maglietta sdrucita. «Sì, non ho dubbi.» Poi andò a prendere il vino.

Il direttore operativo era tornato in Inghilterra; doveva parlare col suo superiore per decidere insieme il da farsi. Senza dubbio avrebbero fatto ricorso a tutti i loro mezzi per rintracciare gli agenti scomparsi.

Papin era deciso a batterli sul tempo e avrebbe usato a proprio vantaggio qualsiasi cosa fosse riuscito a scoprire. Lo divertiva pensare che nessun altro a Parigi condivideva il suo interesse per il destino della coppia. Le emittenti televisive avevano smesso di mandare in onda i fotofit nel primo pomeriggio. La morte della principessa era diventata un'ondata globale che aveva sommerso tutte le altre notizie con una valanga di cordoglio, speculazioni e mera curiosità. La polizia era stata ben felice che gli altri eventi della notte venissero spazzati da quella manifestazione di isteria collettiva.

Papin era compiaciuto: così, non aveva avversari. Tuttavia sapeva che Charlie lavorava per uomini ai quali sarebbe piaciuto molto scovare Carver, la ragazza e quel prezioso computer; e l'istinto gli diceva che quegli uomini non erano i soli, dovevano essercene anche altri impegnati nella ricerca. Dopotutto, se la sua idea era giusta e Petrova era la nuova partner di Carver, la donna doveva avere un capo in Russia che in quel momento probabilmente si stava domandando dove fosse finita e che cosa stesse facendo. Papin stimò che, se fosse riuscito a ottenere le informazioni che entrambe le parti volevano, avrebbe potuto far salire il prezzo alle stelle. Così s'impossessò di tutte le videoregistrazioni della Gare de Lyon e se le portò nel suo ufficio personale; si preparò una tazza di caffè, aprì un pacchetto di sigarette ancora intonso e si mise al lavoro.

La prima cosa che doveva fare era identificare Aleksandra Petrova. La tintura che Carver aveva comprato doveva essere destinata a lei, dal momento che lui non l'aveva utilizzata: lo si vedeva chiaramente dalle immagini delle telecamere a circuito chiuso in cui era già stato identificato. Quindi il fotofit della donna era già superato.

Papin decise di ripartire dall'inizio. Osservò ogni persona vista camminare verso il binario del treno per Milano tra le 6.45 e le 7.15, ora della partenza. Fortunatamente, a quell'ora di una domenica mattina, la stazione era relativamente tranquilla. Ignorò tutti i maschi che erano da soli, le famiglie con bambini, e chiunque fosse evidentemente al di sotto dei diciotto o al di sopra dei quarant'anni; quello che cercava era una donna adulta, giovane e sola. Ce n'erano ventidue che corrispondevano al ritratto, e Papin stampò un fotogramma per ciascuna di loro. Quindi si dedicò a un nuovo processo eliminatorio.

Aleksandra Petrova era riuscita a far sì che un killer esperto mettesse da parte le più elementari regole del mestiere. Lui avrebbe dovuto ucciderla, anche se aveva trascorso la notte con lei; non poteva permettersi di lasciare in vita un potenziale testimone. E invece non l'aveva fatto. Per cui, evidentemente, doveva trattarsi di una donna eccezionale.

Fu una questione di secondi, per Papin, scorrere tutti i fotogrammi di donne, eliminare quelle manifestamente brutte e cicciotelle; quelle con lo zaino sulle spalle e le gambe troppo muscolose; quelle occhialute e i tipi da tappezzeria; insomma, tutte le giovani donne il cui destino sarebbe sempre stato quello di rimanere invisibili agli occhi degli uomini. Ne rimasero sette.

La bellezza è un accessorio veramente raro, pensò Papin.

Non che tutte e sette fossero bellissime. Ma bisognava stare attenti. Quella donna aveva passato una dura nottata: sarebbe stata stanca, l'aspetto non al meglio. E quelle prese da una telecamera a circuito chiuso non erano certo le immagini più lusinghiere.

Papin tornò a guardare con maggior attenzione. Altre quattro foto finirono nel cestino. Ormai nel suo personalissimo concorso di bellezza erano rimaste tre finaliste. La prima era una graziosa biondina con un paio di jeans stretti e una camicetta di pizzo bianco stile contadinella. Papin sorrise. Quella ragazza sarebbe stata una tentazione per qualsiasi uomo. Ma aveva capelli biondi che le scendevano fino alle spalle. E perché Carver aveva comprato forbici e tintura, se non per sbarazzarsi di una capigliatura che saltava tanto all'occhio?

Così, ne rimanevano due. La prima era una rossa. A dispetto dell'ora, era vestita in modo elegante: una dirigente giovane e ambiziosa che non tiene conto di weekend e vacanze. Papin studiò i suoi lineamenti decisi e il taglio secco e scuro della bocca dipinta col rossetto. Riusciva a immaginare come potesse essere a letto: focosa, dominante, nevrotica. *Una facile ad accendersi e difficile da controllare.* Un uomo avrebbe dovuto giocare il ruolo di Petruccio con la bisbetica. Non assomigliava molto alla seducente modella descritta da Charlie.

Così, ne rimaneva una soltanto; indossava un corto vestitino azzurro. Papin si fermò a immaginare l'effetto che il vestito avrebbe fatto mentre lei camminava, aderente sul culo ma fluttuante intorno alle cosce slanciate. Fece una pausa per godersi l'immagine. Si trattava di lavoro, si disse. Doveva mettersi nei panni di Carver.

Charlie aveva detto che Aleksandra Petrova aveva l'aspetto di una modella. Be', quella ragazza aveva il corpo adatto, così come l'eleganza e i lineamenti superbi. Saltava all'occhio anche da quel fermo immagine sfuocato e sgranato. Papin guardò i capelli nero corvino; erano tagliati in modo irregolare, come la testa di un ragazzino. Un'acconciatura come quella poteva costare una fortuna in un elegante salone parigino, oppure si poteva ottenere lo stesso identico effetto gratis: bastavano un paio di forbici e un flacone di tintura presa sullo scaffale di una farmacia.

Sì, è questa!

Era un azzardo eliminare tutte le altre possibilità, ma Papin era pronto a giocarsi il tutto per tutto. Era convinto di aver trovato Mademoiselle Petrova.

Si trovavano tutti e due sul sofà, seduti alle due estremità, con la bottiglia di vino vuota in un secchiello appoggiato per terra. Anche Carver si era fatto una doccia; indossava un'ampia T-shirt bianca e un paio di scoloriti pantaloni di lino blu. Era bello.

Alix si era accorta del modo particolare in cui la guardava, fin dal primo momento. Si domandava quando avrebbe fatto la sua mossa. «Tocca a te», gli fece.

«Devo proprio?»

«Sì! Io l'ho fatto. E, in ogni caso, voglio sapere come hai fatto a diventare quello che sei. Ne ho incontrate a frotte, di persone che ammazzano. Ma prima d'ora non ne avevo mai conosciuta una che mi preparasse le omelette o che fosse disposta ad ascoltare quello che avevo da dire. Non avevo mai incontrato un killer di buone maniere.»

«Mai farsi ingannare dalle buone maniere», replicò Carver. «Avere buone maniere non significa necessariamente che t'importi qualcosa degli altri. Qualche volta non è che un modo per nascondere il fatto che non te ne frega un accidente.»

Lei lo guardò. «E a te interessa qualcosa?»

«Di che?»

Alix non disse niente.

«Sì, m'interessa.»

Tutto quello che lui doveva fare era protendersi verso di lei e infrangere il muro invisibile, pensò Alix. Le pulsazioni cominciarono ad accelerarle. Il respiro si fece più profondo, mentre le si arcuava impercettibilmente la schiena. Le sue labbra si rilassarono, pronte a ricevere quelle di lui.

Ma Carver non si mosse.

Alix si sentì come un'idiota. Poi il suo temperamento ebbe

un guizzo. Come osava fare quei giochetti con lei? Come osava guardarla con quegli occhi freddi e calcolatori?

«Non hai ancora finito la tua storia», le disse Carver.

Alix non rispose.

«Dimmi di Kursk. Qual era quest'offerta che ti ha fatto? Quella che non potevi rifiutare.»

«Te l'ho detto. Ho già raccontato abbastanza. Adesso dimmi qualcosa tu.»

«Cosa?»

«Non lo so. Qualsiasi cosa. Purché sia vera.»

Carver distolse lo sguardo, portandosi una mano sul volto. Si appoggiò all'indietro e si mise a fissare il soffitto. «Okay, è giusto. Ti dirò perché un momento fa non ti ho baciata.»

Alix rimase in silenzio, ma i suoi occhi divennero fessure mentre continuava a guardarlo.

«Ho avuto paura. Temevo che se mi fossi aperto, anche solo quel tantino, non sarei più riuscito a fermarmi fino a essermi dato via completamente, ogni più piccola parte di me. Allora... ti sembra abbastanza sincera, come affermazione?»

«Sì», sussurrò Alix. Aveva osservato gli occhi di Carver, mentre parlava. Era cambiato qualcosa, in loro, come se si fosse alzato un sipario, lasciando vedere in lontananza l'uomo che era in realtà; ma si stava chiudendo di nuovo.

Quando tornò a parlare, l'altro uomo era scomparso. «Dunque... Kursk?»

Avrebbe voluto gridargli: «Lascialo perdere, Kursk!» Avrebbe voluto richiamare indietro il Samuel Carver nascosto. Ma doveva trovare la pazienza di aspettare, di lasciare che emergesse spontaneamente. Perciò, raccolse un momento le idee e disse: «È molto semplice. Mi ha ricattata».

«In che senso?»

Alix sospirò. «Posso fumare?»

Lo vide esitare un istante. C'era un lato pignolo in Carver, avvezzo alla disciplina. Probabilmente gli veniva dagli anni che aveva trascorso nell'esercito. Tutte le videocassette sugli scaffali erano disposte in ordine alfabetico, tutti gli utensili per cucinare erano sistemati secondo un assetto meticoloso.

Non lo entusiasmava che qualcuno fumasse nel suo appartamento.

Come se sapesse quello che Alix stava pensando, Carver scoppiò a ridere. «Ma certo. Fa' pure. E poi racconta.»

Alix inspirò a fondo, quindi lasciò lentamente uscire un lungo pennacchio di fumo che si arricciò mulinando nei fasci della prima luce serale. «Quando crollò il Muro, ero nel KGB da meno di due anni. Di colpo, tutti i nostri vecchi alleati ci si stavano rivoltando contro, e cacciavano i nostri soldati fuori dai loro Paesi. Un'umiliazione. Tutto ciò di cui tutti quanti eravamo stati convinti stava andando a pezzi.

«Per un po', a Mosca si continuò a tirare avanti come se nulla fosse successo. In un certo senso era anche più facile. C'erano più occidentali che venivano in città; pensavano che la guerra fredda fosse finita e che loro avessero vinto, e quindi non gliene fregava niente di quale ragazza scopassero, o di cosa ci dicevano. Ma poi Gorbačëv fu deposto e Eltsin assunse il potere; di colpo non c'erano più soldi per pagare nessuno. L'intero Paese cadde nelle mani di gangster. Per quanto dura fosse stata prima, diventò cento volte peggio. Non avevamo niente. In qualche modo dovevamo vivere.»

«Parli come se ti aspettassi che io ti giudichi. Non sono certo nella posizione di farlo.»

«Forse. Comunque, io fui fortunata. Riuscii a trovare lavoro in un importante hotel come addetta alla reception. E trovai anche un brav'uomo, un medico; non era né ricco né bello, ma mi trattava con rispetto. Per un bel po' di tempo pensai che tutto stesse andando bene. Poi Kursk cominciò a venire all'hotel.

«Lui aveva lavorato con noi ragazze come 'bodyguard'; in realtà doveva assicurarsi che non facessimo affari per conto nostro, o che non ce ne scappassimo via con un ricco cliente straniero. Kursk si divertiva un sacco a ricordarmi chi fossi e cosa avessi fatto. Mi poteva smascherare in qualsiasi momento; tutto ciò per cui avevo lavorato sarebbe andato in fumo. Gli offrii del denaro per andarsene, ma lui lo rifiutò; preferiva continuare a torturarmi, tenendomi come un pesce attaccato all'amo. Sapevo che avrebbe tirato la lenza, prima o poi.

«E infatti così accadde. Kursk si presentò in hotel, un venerdì mattina. Disse che gli serviva un partner per un lavoro. Voleva una donna: la gente ne sarebbe stata distratta e avrebbe fatto meno caso a lui. Se fossi andata con lui, mi avrebbe pagato diecimila dollari. In caso contrario...»

«Lasciami indovinare. Aveva ancora qualcuna delle tue vecchie foto. Saresti rimasta presa in una delle tue stesse trappole col miele.»

Alix annuì.

«E poi che ne è stato del medico?»

«È ancora là. Mi vuole sposare.»

«E tu che cosa vuoi?»

«Mi darà una casa, forse una famiglia. Diventerei una donna rispettabile.»

«Ma?»

«Ma non lo amo. Sarebbe solo un modo diverso di vendermi.»

«Vieni qua», disse Carver. Aprì le braccia, e la donna gli si accoccolò contro la spalla. Lui la circondò con un braccio; premette il naso contro i suoi capelli, ne respirò il profumo. Poi si appoggiò all'indietro contro il bracciolo del sofà.

Alix si abbandonò nel suo abbraccio asciutto e muscoloso. Le ci vollero un paio di minuti per capire che Carver si era addormentato. Fece un sorrisetto di autocommiserazione: forse stava perdendo il suo tocco, se gli uomini riuscivano a tenerla tra le braccia senza venire colti da un accesso di lussuria. Ma forse era un complimento ancora più grande che un uomo come Carver si fosse lasciato andare fino al punto di addormentarsi. Era l'ultimo grado di vulnerabilità, quello. In quel momento, lei avrebbe potuto fargli qualsiasi cosa.

Alix scivolò fuori dalle braccia di Carver e si alzò. Con una carezza gli spostò una ciocca di capelli dalla fronte, poi lo baciò dolcemente sulle sopracciglia, come fa una mamma col suo bambino. Raccolse la bottiglia e il secchiello del ghiaccio e li portò in cucina.

Attraversò il corridoio fino alla camera di Carver, abbandonandosi a un sorriso quando vide il televisore su un mobiletto ai piedi del letto, esattamente come si sarebbe aspettata. Vide un tavolino da notte con sopra alcune fotografie racchiuse in cornici d'argento e di pelle scura. C'era una foto in bianco e nero di un ragazzino in compagnia di un uomo con abiti di foggia sorpassata: Carver e suo padre. La donna nel ritratto da studio fotografico invece doveva essere la madre. Poi c'era una foto a colori di Carver al timone di uno yacht in compagnia di una donna che lo stava abbracciando da dietro; entrambi ridevano.

Alix provò una fitta di gelosia, secca e fulminea come una staffilata. Chi era quella donna che aveva reso Carver tanto felice? Nell'appartamento non c'era nessuna traccia di una presenza femminile; probabilmente lei non faceva più parte della sua vita. E tuttavia Alix provò del risentimento per la sua vicinanza con Carver, e per la gioia spontanea che emanava dalla loro risata.

Si disse che era soltanto una forma di diligenza professionale a spingerla a frugare nel guardaroba di Carver, mentre passava il dito sul tessuto dei completi di produzione italiana o inglese, e sorrideva alla vista dei jeans sdruciti e dei maglioni sformati. *Com'è che più i vestiti diventano vecchi e più gli uomini sembrano apprezzarli?* si chiese.

Sul ripiano più in alto del guardaroba, sopra i vestiti e le camicie appese, c'erano un paio di coperte ripiegate e un piumone arrotolato. Dovette allungarsi per raggiungerlo. Lo tirò giù, poi lo portò fino in salotto e lo stese sul corpo dell'uomo addormentato. Lei invece decise di dormire nell'unico letto disponibile in quell'appartamento da scapolo. Il letto di Carver.

Carver si svegliò che erano le tre del mattino appena passate. Gli ci volle qualche secondo per capire dove si trovava. Era sdraiato sul sofà, ancora vestito, ma qualcuno lo aveva avvolto con un piumone. Soppesò per qualche istante il valore di quel gesto; di certo sembrava un buon segno. Dinanzi alla scelta tra farlo fuori nel sonno e rimboccarlo per farlo stare più comodo, Alix si era data da fare per trovare la biancheria da letto.

Dov'è? si chiese.

In cucina non c'era nessuno, e neanche nello studio. Il bagno era vuoto, anche se c'era un paio di mutandine da donna steso ad asciugare su un portasciugamani. Rimaneva dunque una sola possibilità. Il più silenziosamente possibile, Carver aprì la porta della camera da letto e attraversò la stanza con passo felpato: lei era nel suo letto. Riusciva a distinguerne il contorno del corpo sotto le lenzuola, e il violento contrasto dei capelli color pece contro il bianco del cuscino. Alix aveva un braccio buttato in fuori davanti a sé, che le copriva il viso per metà; di tanto in tanto, respirando, emetteva un lieve rumore nasale, appena percepibile.

Carver sorrise, e scosse il capo nel riconoscere un sentimento da lungo tempo dimenticato: la tenerezza. Una cosa è desiderare una donna; ma quando la senti russare e ti viene da pensare a quanto è dolce, be', allora puoi essere sicuro che si tratta di una cosa seria.

Gli ci volle uno sforzo di volontà per girarsi e lasciare la stanza. Mentre tornava indietro lungo il corridoio, Carver ripensò a tutto quello che Alix gli aveva detto. Alla faccenda di lei che entrava a far parte del KGB ci credeva. Ma il solo fatto che fosse stata addestrata a imbrogliare gli uomini lo faceva dubitare del resto della storia.

Lei è lì che lavora dietro il banco di un hotel elegante ed ecco che si presenta una specie di gangster e le dice: « Vieni con me a Parigi per una pericolosissima missione top-secret, oppure io spiattello al mondo intero che eri una puttana ». No, questa proprio non suona credibile. D'altro canto, quella bugia non faceva automaticamente di lei una nemica. Vi erano ragioni di ogni genere per cui Alix poteva voler mentire riguardo alla sua identità e ai suoi scopi reali. Anche lui l'aveva fatto Dio solo sapeva quante volte.

Carver controllò i telefoni e il computer dello studio per vedere se lei aveva cercato di parlare con qualcuno o mandare qualche messaggio. I suoi telefoni erano collegati attraverso una sequenza di relè che rendevano impossibile a chiunque risalire alla provenienza della chiamata. Il sistema riusciva anche a scovare le tracce di qualsiasi attività, e non ce n'era stata nessuna; neanche nel server di posta elettronica.

Non rimaneva che il portatile di Max. Era un'ipotesi remota, ma Alix avrebbe potuto usare quello. La valigetta si trovava ancora sulla sedia della cucina dov'era stata lasciata quand'erano arrivati nell'appartamento. Sembrava che non l'avesse toccata nessuno, ma ciò non significava nulla; lei sarebbe stata abbastanza intelligente da lasciare tutto quanto esattamente come l'aveva trovato.

Carver aprì la valigetta imbottita di nylon nero ed estrasse il portatile. Era un parallelepipedo di plastica grigia identico a un milione di altri. Aprì il computer, pigiò il tasto d'accensione e aspettò che il sistema operativo si avviasse. Immediatamente apparve una finestra di dialogo, che chiedeva d'inserire la password. Carver non aveva la minima idea di cosa potesse aver scelto Max come parola d'ordine, e avrebbe scommesso il suo ultimo dollaro che non ce l'aveva neanche Alix; quindi, dall'ultima volta che Max l'aveva usato, da quel computer nessuno aveva spedito niente. Ormai Carver era sicuro che Alix, dal momento in cui aveva lasciato il suo telefonino sul treno per Milano, non aveva comunicato con nessuno. Almeno per il momento, la loro presenza a Ginevra era ancora un segreto.

D'un tratto, si rese conto di aver fame. Prese dalla dispensa una confezione di corn-flakes; erano vecchi a dir poco di tre settimane, ma non sembravano malvagi. Il latte invece era fresco e gelato.

Mangiò i cereali seduto al tavolo della cucina. Dopo un paio di cucchiaiate, allungò la mano verso il telecomando e accese la TV. Stavano ancora parlando della principessa, mostrando sempre le stesse sequenze del luogo dell'incidente, le stesse immagini di lei in vacanza. C'era una sua foto in costume da bagno che la mostrava stranamente rigonfia intorno alla vita; sulla CNN stavano ventilando l'ipotesi che potesse essere incinta. Altri reporter commentavano invece l'assenza di registrazioni dalle telecamere a circuito chiuso: vi erano dodici telecamere presenti lungo la strada fra l'Hôtel Ritz e il tunnel dell'Alma, e non una di loro aveva prodotto una singola immagine della Mercedes in nessun punto del tragitto. Carver sospirò; chiunque avesse messo in piedi tutto ciò doveva avere amicizie potenti. Ma qualche amico ce l'aveva anche lui.

Lavò la ciotola e l'appoggiò sullo sgocciolatoio. Pulì gli schizzi di latte e cereali sul piano di lavoro, usando le faccende domestiche per schiarirsi le idee. Rimase qualche istante accanto al telefono, la mano sospesa sulla cornetta; alla fine l'afferrò e compose un numero.

Squillò diverse volte, poi dall'altra parte della linea si udì un grugnito d'irritazione.

Carver sorrise. «Sveglia! Sono Carver.»

Un mugolio. «Ma che ore sono?»

«Le tre e mezzo. Sì, sì, lo so, mi dispiace. Ma è urgente. Dobbiamo incontrarci. Ce la fai a essere da Jean-Jacques tra venti minuti?»

Un altro grugnito, stavolta di assenso.

Carver prese il computer, afferrò una giacca di pelle da un attaccapanni in ingresso e uscì. Camminò scendendo verso il lago, attraversò il quartiere commerciale lungo la riva fino ad arrivare al Pont des Bergues, un ponte a forma di V i cui due bracci s'incontrano vicino a un'isoletta che si protende verso il lago. L'isola è collegata al ponte da una passerella pedonale con alberi e piccoli lampioni. In fondo, campeggia la statua di un uomo in abiti di foggia romana seduto su una sedia, lo sguardo rivolto al lago con un'espressione corrucciata e

pensosa. Si tratta del più celebre tra i figli di Ginevra, il filoso-
fo Jean-Jacques Rousseau.

Quando Carver raggiunse la statua, sentì una voce uscire
dall'ombra. «'L'uomo è nato libero, ma ovunque si trovi è in
catene.' Monsieur Rousseau, avevi proprio visto giusto.»

Carver scoppiò a ridere. «Su, Thor, piantala di piangerti
addosso.»

Una figura straordinaria si mostrò alla luce dei lampioni.
Superava di un bel po' il metro e ottanta, magro come un chio-
do, di carnagione chiara, occhi azzurri, ed era sormontato da
un'esplosione di bionde treccine rasta. Si strofinò la faccia con
le mani per dare maggior risalto alla sua stanchezza. Poi, con
un cantilenanate accento scandinavo, disse: «Dai, amico! Mi
svegli nel cuore della notte e mi fai correre fin qui come un
barboncino: come ti aspetti che mi senta?»

«Vieni a riposare le tue stanche membra su questa panchi-
na», gli disse Carver. «Vediamo se riesco a convincerti che è
valsa la pena di farsi tirare giù dal letto.»

Aveva incontrato Thor Larsson anni addietro in un bar dove entrambi erano andati ad ascoltare un chitarrista blues.
Avevano cominciato a chiacchierare sorseggiando un paio di
birre. Arrivati al quinto o sesto giro, Carver aveva scoperto
che quel rasta dai capelli d'oro era sia un ingegnere informatico sia un ex tenente dei servizi segreti nell'esercito svedese.

«Leva obbligatoria», aveva detto Larsson, in tono di scusa.
«Non avevo scelta.»

«Questo è niente», aveva replicato Carver. «Io mi sono fatto una dozzina di anni nella marina di sua maestà britannica.
E da volontario, pure.»

Avevano ascoltato il blues, avevano parlato, si erano fatti
parecchie altre birre. Da allora, Larsson era diventato il suo
consulente informatico personale. Non aveva mai chiesto dettagli sul perché Carver avesse bisogno di e-mail e numeri telefonici irreperibili, di computer che erano in anticipo di almeno diciotto mesi su tutto ciò che era possibile trovare sul mercato e della garanzia di potersi infiltrare in qualsiasi rete. Si li-
mitava a fare il lavoro, accettando le stravaganti somme di de-

naro in contanti che Carver gli pagava in cambio delle sue competenze e della sua discrezione.

«E allora, che cos'è questo grande affare?» domandò lo svedese.

«Questo», fece Carver sollevando la valigetta del computer. «Qui dentro c'è un portatile nel quale devo introdurmi, superando tutte le protezioni di codici e password. Il problema è che il computer e le informazioni che contiene farebbero gola a parecchie persone. Lo vogliono, a qualsiasi costo. Se venissero a scoprire che ce l'hai tu, o anche che l'hai avuto e sai che cosa c'è dentro, be', non staranno a perderci troppo tempo. Ti daranno la caccia.»

«Bene. E qual è la buona notizia?»

«Io darò la caccia a loro, che è il vero motivo per cui desidero conoscere qualsiasi nome o indirizzo elencato qui dentro.»

«Cioè, vuoi dire che c'è della gente, là fuori, che ha in mente di ammazzarti, e tu non sai nemmeno di chi si tratta?»

«Ci sto lavorando.»

«No, a quanto pare sono io che ci lavorerò. Insomma, è una specie di sfida?»

«Oh, sì, ci puoi giurare. Se c'è una cosa che so di questa gente, è che hanno contatti molto in alto. Useranno codici militari, forse perfino al livello della NASA. Non chiedermi i dettagli, ma è probabile che si tratti di roba molto sofisticata.»

Larsson fece un mesto sorriso. «Amico, non dire così. Lo sai che è una tentazione in più.»

Anche Carver sorrise. «Be', se non ti senti all'altezza, lo capisco...»

Lo svedese scosse la testa. «Ti costerà un bel po'. Tariffa grossa.»

«Non è forse sempre così?» replicò Carver passandogli la valigetta. «Davvero, Thor, potrebbe essere una faccenda spinosa. Mi metterò in contatto ogni giorno, per telefono o via e-mail, verso le sei di pomeriggio. Tu dammi un margine di quindici minuti. Se non senti nulla, butta via il computer e scappa. Non rimanere in circolazione, hai capito?»

«Sì.»

« E, se riesci a tirar fuori qualcosa dall'indirizzario, fammelo sapere immediatamente. Potrebbe salvarci il culo. »

Larsson fece un cenno per dire che aveva capito.

Camminarono insieme, senza parlare, ritornando verso il ponte. Arrivati là, lo svedese girò a destra, verso la parte più moderna della città. Carver tornò verso la Città Vecchia, ripercorrendo le familiari stradine tortuose su per la collina fino a raggiungere il suo appartamento.

Erano le quattro. Alix stava ancora dormendo. Carver si spogliò e tornò a sdraiarsi sul sofà, obbedendo a una delle regole d'oro della vita militare: non perdere mai una buona occasione per mangiare, dormire o cagare.

Più tardi, l'appartamento inondato di luce, la prima cosa di cui ebbe coscienza fu una mano che gli stava scuotendo dolcemente la spalla, mentre una morbida voce femminile gli diceva: « L'ho dimenticato. Il caffè lo prendi con latte e zucchero? »

Nel suo ufficio, nella notte tra domenica e lunedì, Pierre Papin stava considerando la faccenda di Carver, della ragazza e del treno che avevano preso per uscire da Parigi. Un controllo sulle biglietterie automatiche alla Gare de Lyon si era concluso con più di una dozzina di destinazioni probabili. Quattro erano per un biglietto soltanto. Papin era tentato di scartarle, ma doveva considerare la possibilità che l'inglese avesse scaricato la ragazza per continuare verso una destinazione separata.

Diversi acquirenti avevano usato carte di credito, nessuna a nome di Carver; se pure avesse usato una carta, il nome sarebbe stato sicuramente uno pseudonimo. Così a Papin rimaneva il compito di controllare dodici emissioni di biglietto che riguardavano più di venti individui, sperando di riuscire a rintracciare i suoi due sospetti procedendo per eliminazione.

Era un lavoraccio, e avrebbe richiesto un bel po' di collaborazione. In teoria, avrebbe potuto chiedere aiuto agli altri dipartimenti, ma non aveva nessuna intenzione di farlo, a meno che ciò non fosse assolutamente inevitabile. Doveva tutelare i propri interessi.

I tuoi avversari si trovano negli altri partiti, ma i nemici sono nel tuo.

Papin si muoveva secondo lo stesso principio valido in politica. Nutriva una viscerale sfiducia per i colleghi nelle varie branche del sistema di sicurezza francese. Sapeva che sarebbero stati ben contenti di pugnalarlo alle spalle, se ciò avesse dato anche solo un minimo vantaggio al loro dipartimento. Così andavano i giochi nel settore dell'intelligence, ovunque: non era dei terroristi, delle spie o degli altri pericoli assortiti che bisognava preoccuparsi; il vero problema era il bastardo nell'ufficio accanto.

Papin provò a mettersi al posto di Carver: *Okay, arriva alla stazione insieme con la ragazza. I due si dividono, nel caso qualcuno sia in cerca di una coppia. Lui le dice di salire sul treno per Milano, fa in modo di farsi vedere quando compra i biglietti e si fa riprendere dalla telecamera mentre cammina verso il binario giusto. Ma, a meno che non abbia messo in piedi un colossale doppio bluff, su quel treno non ci sale. Sale su un altro, usando i biglietti comprati a una macchinetta. Però Carver e la ragazza non ritornano nell'atrio...*

Papin aveva ripercorso tutte le registrazioni. Anche se i due avevano tenuto le facce nascoste alla telecamera, li avrebbe potuti riconoscere dagli abiti o dal modo di camminare.

E allora che cosa fa Carver?

Si alzò dalla sedia e andò verso il tavolino dov'era appoggiata la caffettiera; si versò gli ultimi rimasugli nella tazza sporca e fece una smorfia quando si sentì sulla lingua il liquido freddo e granuloso. Stava per sputarlo nel cestino della carta straccia, quando all'improvviso la soluzione lo fulminò.

Ma certo! La faccia di Papin esplose in un sorriso di trionfo.

A meno che non avesse fatto fare alla ragazza una corsa folle attraverso i binari, Carver doveva essere salito sul treno in attesa sul binario di fianco a quello per Milano. Papin allungò la mano verso un orario ferroviario: in partenza alle 7.13, l'espresso per Losanna. Carver e la ragazza erano saliti su quel treno, ne era assolutamente certo.

Se era riluttante a chiedere aiuto a uno qualsiasi dei suoi rivali parigini, Papin non ebbe invece nessuna esitazione a fare una telefonata in piena notte a Horst Ziegler, dello Strategischer Nachrichtendienst, i servizi segreti svizzeri. Ziegler non aveva nulla da guadagnarci a fregarlo.

Il francese andò subito al punto. «Ho bisogno del tuo aiuto, Horst. Sto cercando di trovare due persone... un uomo e una donna. Penso che siano arrivati a Losanna in treno da Parigi, questa mattina presto.»

«Qualcuno di cui farei meglio a preoccuparmi?»

«No, non costituiscono nessun problema per la Svizzera. Ma...»

«... per la Francia sono motivo d'imbarazzo?»

Papin fece una stanca risatina. «Qualcosa del genere. Diciamo soltanto che mi piacerebbe sapere dove sono andati una volta arrivati nel tuo Paese.»

«E, dunque, che cosa ti serve?»

«Un aggancio a Losanna, interrogare tutto il personale della stazione in servizio ieri, magari dare un'occhiata alle registrazioni della sicurezza, diciamo dalle 10.00 fino alle 15.00. Ma deve rimanere una cosa ufficiosa, senza troppa pubblicità.»

«Okay. In mattinata farò una chiacchierata confidenziale col dirigente della stazione. Gli dirò che sei del ministero federale degli Interni, e che stai seguendo un caso di probabili irregolarità su un visto; semplice routine, niente di cui preoccuparsi. Diciamo che ti chiami... non so... Picard, Michel Picard. Ti occorrerà una carta d'identità. T'invio il modello per e-mail: lavora su quello.»

«Grazie. Ti devo un favore.»

«Certo, ma sono sicuro che saprai trovare il modo di ricompensarmi...»

Papin rise ancora, con schietto divertimento. «Be', ora che mi ci fai pensare, c'è una casa che tenevamo d'occhio dalle parti di Parc Monceau, piena zeppa di ragazze molto belle. Era un punto d'attrazione per certi clienti assai interessanti, dai gusti sessuali straordinariamente esotici e fantasiosi. Forse dovrei inviarti qualche registrazione video per verificare se non c'è di mezzo qualche cittadino svizzero. Solo per un fatto di collaborazione internazionale, sai.»

«Naturalmente. Quale altra ragione potrebbe mai esserci? Come sempre, è un piacere fare affari con te, Pierre. La documentazione che desideri è già in viaggio.»

Papin prese il primo volo del mattino per Ginevra. Calcolava di arrivare a Losanna all'ora in cui il direttore della stazione prendeva servizio.

32

Carver aprì un occhio e sollevò la mano per ripararsi dalla luce del sole mattutino che entrava a fiotti attraverso la finestra aperta. «Solo un goccio di latte», bofonchiò. «E due cucchiaini di zucchero, grazie.» Lo colpì un pensiero comparso dal nulla, e Carver si portò una mano alla bocca. «Oddio, non mi sono lavato i denti! Spero che il mio alito del risveglio non sia troppo tossico.»

Alix scoppiò a ridere. «Penso che sopravvivrò.» Era là in piedi, il profilo sottolineato da un alone di luce. Indossava solo la vecchia T-shirt e un paio di mutandine, i capelli ancora arruffati dal letto, e neanche un filo di trucco sul viso.

Carver non aveva mai visto niente di così bello. «Sei uno schianto!» esclamò. Sembrava sorpreso, quasi non riuscisse a credere che lei fosse davvero lì.

«Stupido», mormorò Alix, scompigliandogli i capelli. «Va' a lavarti i denti. Ti porto il caffè.»

Al tocco delle sue dita sulla testa, Carver sentì diffondersi in tutto il corpo una raffica di brividi. Arraffò la coperta per coprirsi e sgattaiolò fuori della stanza. Tutti e due ridevano, ben sapendo entrambi quello che stava accadendo.

Carver si ficcò sotto la doccia e si diede una rapida lavata con l'acqua più calda che riusciva a sopportare, quindi girò il termostato nell'altro verso e per venti secondi rimase fermo sotto uno scroscio di acqua gelida come una cascata. Si era lavato i denti e si stava passando il rasoio sul mento quando entrò lei, portando una tazza di caffè. Colse il suo sguardo nello specchio e le sorrise, solo per il puro piacere di vederla lì. Lei lo raggiunse da dietro, porgendogli il caffè con una mano, mentre con l'altra gli faceva scorrere un dito lungo il dorso.

Carver prese la tazza, l'appoggiò sul bordo del lavandino, poi si girò sporgendosi verso di lei.

Alix gli portò un dito sulle labbra, tenendolo lontano col semplice tocco della sua pelle. «No», mormorò. La voce era molto più roca.

Carver vedeva i suoi capezzoli che spiccavano contro il cotone sottile e sbiadito della T-shirt. Si sentiva la pelle elettrica, accesa dalla smania di toccare il corpo di lei, ma Alix lo costrinse dolcemente a girarsi di nuovo verso lo specchio.

«Finisci di farti la barba. Bevi il caffè. C'è tempo.» Rimase dietro di lui, appoggiata alla parete, osservandolo con un'attenzione da investigatore mentre finiva di radersi, si sciacquava il volto e se lo asciugava con una salvietta appesa accanto al lavandino.

Carver lasciò cadere la salvietta sul pavimento, poi si voltò. Rimase lì, assolutamente immobile, serio, senza far altro che guardare la ragazza. Lei socchiuse gli occhi, mentre incrociava il suo sguardo e lo sosteneva. Carver la sollevò di peso dal pavimento, schiacciandola contro la parete mentre la baciava con una passione rimasta imprigionata troppo a lungo. Lei replicò alla sua intensità con la propria, spingendo la bocca contro quella di lui, cingendogli il collo con le braccia e afferrandogli la vita con le cosce.

Carver portò le braccia intorno a lei e la sollevò stringendola a sé, senza smettere di baciarla mentre attraversavano la porta ed entravano nella camera da letto. La riappoggiò a terra accanto al letto, staccandosi solo per il tempo necessario a farle scivolare la maglietta sulla testa mentre lei, le braccia alzate, inarcava la schiena portando i seni verso di lui. Poi le passò la lingua su un capezzolo, e lei strappò via la salvietta che gli cingeva la vita, e si rotolarono insieme sul letto. Finalmente la loro fame poté essere saziata.

La seconda volta, alla furia subentrò la tenerezza, alla fretta una pigra e voluttuosa esplorazione reciproca; imparavano a conoscere il gusto, l'odore, le sensazioni dell'altro, cominciando a scoprire che cosa riusciva ad avere effetto sul compagno. Dopo, rimasero sdraiati l'uno accanto all'altra, la testa di lei appoggiata contro la spalla di lui.

«Avevo dimenticato che potesse essere così», sussurrò Alix.

Carver le accarezzò i capelli, massaggiandole dolcemente la tempia col pollice. «Anche a me era da un pezzo che non succedeva.»

«Chi è lei? La ragazza nella foto.»

«Si chiamava Kate. Dovevamo sposarci.»

«Se n'è andata?»

«È morta.»

«Mi dispiace. Non avrei dovuto dire niente.»

«No, è arrivato il momento che io ne parli. Ho trascorso gli ultimi cinque anni cercando di non farlo. E non mi ha portato molto lontano.»

Alix annuì. «Va bene, allora. Parlami di Kate. O meglio, parlami di tutto. Me l'avevi promesso ieri, ricordi?»

«Speravo che tu l'avessi scordato.»

«Sono una donna. Non scordo mai niente.»

Carver sorrise. «Quel corso di addestramento che hai fatto col KGB... erano comprese anche le tecniche d'interrogatorio?»

«No, quello è un talento naturale.»

«Sei fantastica, lo sai? Decisamente fantastica.» Le fece scivolare una mano lungo il corpo, assaporando ogni contorno. «E non lo dico soltanto perché hai un culo perfetto.»

Lei scacciò via la sua mano con uno schiaffo, fingendosi infastidita. Poi disse: «Kate...»

Carver tornò serio. «Ero in marina da, non so... dieci anni o giù di lì. Il tipico ragazzaccio, tutte storielle mordi e fuggi, niente di serio. Ma con Kate, non so perché, fu tutto molto più serio, e fin dal primo momento. La incontrai a una festa. Cominciammo a parlare, e non ci fermammo fino al mattino dopo. Eravamo lì rannicchiati in un'enorme poltrona antica, e ci raccontammo praticamente tutto l'uno all'altra. Alla fine di quella notte sapevo che quella era la donna che avrei sposato.» Alzò lo sguardo su Alix, dai cui occhi era sparita ogni luce. «Mi dispiace. Ho parlato troppo.»

«No, sono stata io a chiederlo.»

«Mi fermo.»

«No, non farlo. Raccontami tutto.»

«Non c'è molto altro da dire», riprese Carver, mentre lei si metteva con la testa appoggiata al suo petto, fissando il soffitto. «Cioè, ce ne sarebbe, naturalmente, ma, per farla breve, finì che ci fidanzammo. Io mi congedai, avevo in mente di cominciare una nuova vita. Suo padre gestiva un'attività di noleggio di yacht, e io avrei lavorato con lui per qualche anno, prima di prendere il suo posto quando fosse andato in pensione. Poi... poi... be', poi una volta andammo fuori a pranzo, e io rimasi indietro un minuto... un minuto soltanto, e lei attraversò la strada da sola, e quel bastardo su un'auto rubata passò col rosso... e io non ero là...» Carver strinse gli occhi un istante, cercando di tenere a freno i ricordi e le lacrime.

Riusciva ancora a vedere il locale dove avevano consumato quell'ultimo pasto: lui, Kate e Bobby Faulkner, il suo amico più caro fin dal giorno in cui tutti e due erano stati promossi ufficiali. Gli sembrava ancora di sentire Bobby che raccontava storie irripetibili, nascondendo l'affetto che provava per lui dietro la cortina di fumo delle prese in giro. Poi, mentre stavano uscendo, aveva visto quelle mezzeseghe gonfie di birra sedute al bar, e aveva sentito lo spintone contro la spalla quando uno di loro, in vena di attaccar briga, gli era andato addosso a bella posta accusandolo poi di avergli fatto rovesciare la birra. Lui aveva guardato Kate che era già sulla porta e le aveva detto: «Va' a prendere la macchina, qui non ci vorrà molto».

A quel punto, Carver riaprì gli occhi. «È morta sul colpo. Quella, almeno, è stata una benedizione. Non ha sofferto, non ha mai saputo che cosa l'avesse colpita.»

Alix gli spostò una ciocca di capelli dalla fronte. «Ma tu sì che hai sofferto...»

«No, io presi a ubriacarmi. Mi coltivavo la mia rabbia. Poi ho cominciato a far sì che fossero tutti gli altri a soffrire al posto mio. È così che sono entrato nel giro.» Le raccontò quanto avesse significato per lui il suo vecchio ufficiale in comando, Quentin Trench, di come l'avesse tirato fuori da quella cella di polizia e di come gli avesse fatto ricevere la chiamata che gli aveva cambiato la vita.

Alix strinse il pugno e gli diede un colpetto sulla spalla.

«Bene. E adesso sei qui e io sono qui, con te. Basta chiacchiere. Che si fa?»

Carver si tirò su appoggiandosi al gomito. «Si va all'inseguimento dei soldi.»

Sir Perceval Wake schiacciò il pulsante dell'antiquato interfono che metteva il suo ufficio in collegamento con la scrivania della sua segretaria, fuori nell'ingresso. «Lo faccia passare.»

L'appartamento di Eaton Square dove viveva e lavorava occupava due piani di un alto edificio dalla facciata bianca; faceva parte di una schiera di costruzioni identiche, lungo un ampio viale che dall'aristocratico parco di Sloane Square arrivava fino alle mura di Buckingham Palace. Gli uffici governativi di Whitehall distavano non più di cinque minuti di taxi. Era uno dei quartieri più costosi al mondo. L'ingordigia di Wake per denaro e potere era sempre stata pari alla sua sete di conoscenza.

Da decenni, il governo di sua maestà si rivolgeva a Sir Perceval Wake come consulente, pagando profumatamente per il privilegio, e così facevano anche gli amministratori delegati di molte società della City e delle multinazionali. Aveva iniziato la sua carriera come docente di storia politica a Oxford, ma non era rimasto molto a lungo a ingrossare le file dei brillanti ma sottopagati accademici dell'università. Nel 1954 aveva pubblicato un libro basato sulla sua tesi di dottorato, dal provocatorio titolo *Gli utili idioti: il ruolo degli intellettuali occidentali nella diffusione della dittatura comunista*. In anni in cui la maggior parte dei pensatori progressisti e liberali era convinta che l'Unione Sovietica fosse una forza impegnata per il bene dell'umanità, le idee di Wake esplosero come una bomba a mano dentro un barile di aringhe. Divenne un nemico mortale per la sinistra e un'icona per la destra.

Nel giro di poche settimane dalla pubblicazione del libro, fu invitato a partecipare a una conferenza privata tra politici, finanzieri e intellettuali provenienti dall'Europa e dagli Stati

Uniti, che si sarebbe riunita all'hotel Bilderberg di Arnhem, in Olanda; il fine degli organizzatori era proteggere la democrazia occidentale e il libero mercato contro il propagarsi dell'ondata comunista. Quel primo incontro si evolse diventando poi un evento a scadenza annuale, nonché una vera e propria istituzione. Da quasi mezzo secolo Wake era un membro attivo del Bilderberg Group, i cui incontri segreti, ai quali prendevano parte alcuni degli uomini più ricchi e potenti della terra, erano diventati il fulcro di innumerevoli teorie del complotto. Wake partecipava regolarmente al World Economic Forum di Davos. Si recava in California nella tenuta da quasi tremila acri di Bohemian Grove, nella Sonoma County, per unirsi al gruppo di ricchi e potenti americani – senza contare una considerevole scuderia di prostitute – che alla luce delle torce sfilavano davanti a un gufo di pietra finta architettando piani per il dominio globale, come sostenevano i teorici del complotto.

Per Wake, accrescere autorevolezza e potere era un dovere, oltre che un piacere personale. Era convinto che le persone come lui, quelle che davvero capivano come gira il mondo, fossero obbligate a salvare la gente dalle conseguenze della loro stessa stupidità. Lasciate a se stesse, le masse decidevano sempre penosamente per il peggio: eleggevano pazzi genocidi come Hitler, giuravano fedeltà a dispotici tiranni come Stalin e Mao. Sarebbe stata davvero la cosa migliore per tutti se il governo del pianeta fosse stato lasciato nelle mani degli esperti.

Wake si alzò dalla scrivania per salutare il suo visitatore. Aveva sempre speso un'enorme cura nel coltivare il proprio aspetto, a partire dall'aria volutamente trasandata della chioma argentea fino alle giacche in tweed tagliate su misura, alle camicie in morbido cotone e ai pantaloni di velluto a coste, chiari segni distintivi tanto del suo benessere economico quanto delle sue idee conservatrici.

Per contro, lo scialbo vestito di Jack Grantham dimostrava che, anche in qualità di funzionario superiore dell'MI6, in fin dei conti quell'uomo non era nient'altro che un dipendente pubblico. Tuttavia non sarebbe stato saggio sottovalutarlo, si disse Wake; Grantham non possedeva il fiacco pallore tipico del burocrate da scrivania, e i suoi freddi occhi grigi avevano sempre l'aria di soppesare con ponderato scetticismo quanto stavano guardando. Grantham, decise Wake, dava l'impressione di un uomo che ha fatto molta strada, ma che molta ne ha ancora da fare. Le sue energie non si erano ancora esaurite del tutto negli inarrestabili ingranaggi di Whitehall, e si percepiva in lui una durezza che era tanto fisica quanto mentale; non sarebbero riusciti a liquidarlo con un lavoretto da poco, o con una delle innumerevoli scuse che la burocrazia sa trovare per ridurti all'inattività.

Era da un po' che Wake teneva d'occhio la carriera di Grantham. Era curioso di vedere se le capacità dell'uomo erano all'altezza della sua crescente reputazione. Gli strinse la mano con cordialità. «Jack, amico mio, che bellezza rivederla.»

Grantham rispose con un brusco cenno del capo.

«E allora, come vanno le cose giù a Vauxall Cross?» domandò Wake, mentre tornava a mettersi seduto dietro la scrivania e con la mano indicava una sedia, per informare l'ospite che anche lui poteva accomodarsi.

«Potrebbero andare meglio», rispose Grantham. «Quell'incidente a Parigi ha creato un bel po' di confusione.»

«Non mi stupisce. Di certo ci sarà chi dirà che poteva essere evitato, ma non vedo perché lei debba sentirsi coinvolto. In fin dei conti, non è stato altro che un incidente. Un orribile, tragico incidente, naturalmente, ma nulla di cui debbano preoccuparsi i servizi segreti.»

«Dipende. Noi pensiamo che potrebbe essere stato un attentato. Così, ci stiamo domandando chi potrebbe aver voluto uccidere la principessa, o il suo compagno, e perché.»

«E questo cosa avrebbe a che fare con me?» Wake si era sporto impercettibilmente in avanti. Le parole di Grantham avevano risvegliato il suo interesse.

«Be', lei ha trascorso gli ultimi quarant'anni studiando ogni singola minaccia alla nostra sicurezza nazionale. Lei conosce il nostro governo, e anche metà dei nemici del nostro governo. Si trovava nella stanza dove sono state discusse e anche progettate operazioni 'non ufficiali'. E, allora, mi dica: perché qualcuno dovrebbe aver voluto uccidere la principessa del Galles?»

«Questa sì che è una domanda intrigante», fece Wake, riappoggiandosi allo schienale. «Immagino che lei non sia l'unico a formularla. Sui media è già stata ventilata l'ipotesi del delitto?»

L'ufficiale dell'MI6 scosse la testa. «Non ancora, ma è solo questione di tempo. In alcuni dei siti web più deliranti sulla teoria del complotto stanno sostenendo che la principessa era incinta. Il padre del fidanzato giura che il duca di Edimburgo ha ordito un complotto contro di lui. E, a quanto pare, la principessa stessa era convinta che il principe del Galles l'avrebbe uccisa in un incidente automobilistico; crediamo che abbia registrato tutto su nastro. Che Dio ci aiuti, se quella roba arrivasse mai a vedere la luce del giorno!»

Wake sospirò. «Povera ragazza, ha sempre avuto un così disperato bisogno di amore, e una tale mania di persecuzione. Non c'è da meravigliarsi, suppongo; il divorzio dei genitori fu particolarmente burrascoso. Ma, insomma, era davvero incinta?»

«Non lo sappiamo. Crediamo di no.»

«Be', in fondo non è importante. La principessa non era più un membro della famiglia reale; pertanto, anche se avesse partorito, i suoi futuri bambini non avrebbero avuto nessuna rilevanza costituzionale. E non ho creduto nemmeno per un solo istante che un qualsiasi membro della famiglia reale possa avere qualcosa a che fare con un assassinio. La sola idea è assurda.»

«Non sto insinuando che vi sia un qualche coinvolgimento diretto del palazzo. Ma potrebbero esserci stati degli altri, convinti di agire nell'interesse della monarchia o del Paese.» La voce di Grantham era tranquilla, le parole impeccabilmente cortesi, eppure vi si poteva percepire un accento di dura inflessibilità. «Supponiamo che di gente del genere ce ne fosse. Quale sarebbe stata la loro motivazione per commettere un crimine di questo tipo?»

Wake raccolse una penna dalla scrivania davanti a sé e picchiettò un paio di volte sulla superficie di legno di castagno, mentre radunava le idee. «Sono andato a fare una passeggiata ieri sera, su fino al palazzo reale. Una visione decisamente straordinaria. Davanti ai cancelli si era radunata una folla immensa e vi serpeggiavano una tale rabbia, un fervore così intenso, come mai mi era capitato di vedere in questo Paese. Si sentivano feriti, erano stati privati di qualcosa, e volevano qualcuno su cui scaricare la colpa. Sarebbe bastato un uomo in piedi su una scatola di saponette che li incitasse alla rivolta, e giuro che avrebbero divelto i cancelli.» Grantham sembrava sul punto d'interromperlo, ma Wake sollevò una mano. «Mi lasci continuare. Dopo ho preso per Constitution Hill, attraverso Hyde Park e giù fino ai Kensington Gardens. Sull'erba davanti a Kensington Palace, sotto l'appartamento della principessa, c'era una distesa, un vero e proprio mare di fiori. Alcuni erano magnifici bouquet, altri solo dei miseri mazzolini di fiori appassiti, ma tutti erano stati appoggiati là in segno di tributo. E ancora adesso, a ogni minuto che passa, altra gente arriva portando altri fiori, altri messaggi, altre candele. Parlano, piangono, persone che non si erano mai viste prima cadono le une nelle braccia delle altre.

«È una cosa mai successa prima. Quella riservatezza che da sempre ha caratterizzato la nostra nazione, il suo snobismo, l'indifferenza sono stati sostituiti da un'isteria quasi sfrenata. E tuttavia, al tempo stesso, si tratta di un qualcosa di profondamente primitivo, una sorta di ritorno al culto della dea Madre. È ovvio che la principessa simboleggiava qualcosa di straordinariamente potente. Pertanto non posso fare a meno di domandarmi: se questo è l'effetto che riesce a sortire da morta, che cosa sarebbe mai potuto accadere se fosse rimasta in vita?

«Ieri il primo ministro l'ha chiamata 'principessa del popolo'. Un'espressione banale, ma quanto mai azzeccata. Quella donna aveva in effetti una presa notevole sul popolo, e ogni intervista che rilasciava, ogni foto per cui posava non facevano altro che sottolineare quanto più affetto e simpatia riuscisse a suscitare rispetto al suo ex marito.

«Questo è naturale, si capisce. La gente tende sempre a solidarizzare con una moglie che ha subito un torto, specie se è bella e vulnerabile. In circostanze normali, la cosa non avrebbe avuto nessuna particolare rilevanza; ma queste erano ben lungi dall'essere circostanze normali. L'ex marito è anche il futuro re d'Inghilterra e sarebbe stato impossibile per lui governare con successo, forse anche semplicemente salire al trono, se in concorrenza con lui ci fosse stata un'altra corte che sosteneva la principessa. Sarebbe stata una cosa intollerabile.

« Le monarchie, per loro stessa natura, sono dei monopoli: non possono accettare la concorrenza. Per cui, in teoria, posso capire perché un gruppo o un individuo interessato a proteggere la monarchia possa aver voluto rimuovere una simile minaccia alla Corona. »

Grantham si strinse nelle spalle. « Ma l'ha detto lei stesso: la morte della principessa ha fatto sprofondare la monarchia nella crisi. Se davvero è stata uccisa da un qualche fanatico monarchico, allora il risultato ottenuto è quello opposto. »

« Non necessariamente », replicò Wake. « Sono passati meno di due giorni dall'incidente, pertanto è decisamente troppo presto per valutare quali saranno le ripercussioni a lungo termine. Passato un po' di tempo, le cose potrebbero assumere un aspetto assai differente.

« Allo stato attuale dei fatti, il principe del Galles non può in nessun modo sposare la sua amante, e ancor meno farne la sua regina. Al momento, la monarchia è talmente in ribasso da indurre a credere che non riuscirà a resistere nemmeno fino alle celebrazioni per i cinquant'anni del regno di sua maestà, tra cinque anni. Ma, per quanto la gente ora possa sembrare isterica, alla fine dimenticherà la principessa. Se la sua immagine svanirà dai loro cuori, se il principe verrà perdonato, se la famiglia sopravvivrà... be', un osservatore spassionato potrebbe davvero dire che l'omicidio, se di questo si è trattato, avrà raggiunto lo scopo. »

« Sembra quasi che lei lo approvi. »

« Certo che no. Lei mi ha chiesto un giudizio obiettivo, ed è quanto le ho dato. »

Grantham annuì. « D'accordo. Ma questo ci lascia con un'altra ipotesi. Se lo scontro non è stato un incidente, allora chi ne è il responsabile? »

Wake sorrise e scosse la testa. «Ah, be', qui mi coglie impreparato. Non dovrete far altro che passare in rassegna i soliti sospetti, no?»

«È proprio quello che faremo, ed è anche una delle ragioni per cui mi trovo qui.»

Wake fece una risatina divertita, con aria di sufficienza. «Davvero? Non ci sarò mica anch'io sulla vostra lista? Le mie azioni sono cadute così in ribasso?»

Grantham ignorò il tentativo di battuta. «Cerchiamo di non buttare via il nostro tempo. Conosciamo entrambi il suo stato di servizio. I miei predecessori non avevano molti scrupoli nella scelta dei metodi da usare; se volevano che un lavoro fosse svolto in sordina, si rivolgevano a lei. Nessuno sapeva esattamente in che modo lei riuscisse a ottenere le cose, o quali fossero i suoi contatti, né lo voleva sapere; ciò gli avrebbe dato la possibilità di negare, nel caso che qualcuno avesse cominciato a fare domande imbarazzanti. Ma lei sì che lo sapeva.»

L'uomo anziano stava cominciando a irritarsi. «È stato un sacco di tempo fa, prima che cadesse il Muro; ci trovavamo in guerra contro un nemico che non si sarebbe fermato davanti a nulla. Di questi tempi tutti quanti non fanno altro che blaterare dei nazisti. Be', loro hanno costituito una minaccia per questo Paese per sei anni. Il comunismo sovietico ha costituito una minaccia per quasi mezzo secolo, e io ho combattuto contro tale minaccia. Ho fatto il mio dovere; non c'è ragione per cui mi debba scusare, né tantomeno provare vergogna.»

«Non ho detto questo», replicò Grantham. «Ma, se là fuori c'è qualcuno che elimina la gente sulla base di ciò che si suppone sia meglio per la monarchia o per il Paese o per Dio solo sa che altro, penso sarebbe meglio sapere di chi si tratta. Per cui le sto chiedendo un favore: se mai le capitasse d'imbattersi in qualcuno dei suoi vecchi colleghi, passi un messaggio da parte mia. Vogliamo che questo casino venga sistemato. Niente scalpore, niente scandali; nessuno che corra ai giornali a dire: 'Sono stato io'. Dica loro di risolvere la faccenda, oppure noi la smetteremo di guardare dall'altra parte e la risolveremo a modo nostro. Sono stato chiaro?»

«Per loro, forse», disse Wake. «Ma sta sprecando il suo

tempo se crede che io possa esserle d'aiuto. In ogni caso, questa nostra chiacchierata è stata molto interessante; magari ci potremmo rivedere in circostanze meno complicate. E ora, se non le spiace, ho del lavoro da fare. Le auguro una buona giornata, Mr Grantham. La segretaria le mostrerà l'uscita.»

Wake aspettò che l'altro fosse uscito dalla stanza prima di alzarsi dalla scrivania e camminare fino a una delle alte finestre che si affacciavano su Eaton Square. Guardò un taxi nero che passava a tutta velocità lungo la strada. Seguì con gli occhi una madre che stava rincorrendo il suo bambino sul marciapiede, e sentì le loro risate innocenti che risuonavano come campane nell'aria estiva. Quindi tornò alla scrivania, trasse un profondo sospiro, e cominciò a premere i numeri sulla tastiera del telefono.

34

Il taxi di Pierre Papin accostò davanti alla facciata in pietra color miele della principale stazione ferroviaria di Losanna, un po' dopo le nove. Il direttore e il suo staff erano quelli che si dicono dei «veri svizzeri», vale a dire efficienti come tedeschi, cordiali come italiani e smaliziati come un qualsiasi francese.

Nel giro di un'ora, Papin aveva scoperto tutto ciò che doveva sapere. Seguì le tracce di Carver, prendendo un treno per Ginevra, e poi dalla stazione uscì su place Cornavin, la piazza piena di movimento le cui fermate dell'autobus e i posteggi dei taxi costituiscono il cuore del sistema di trasporti cittadino. Passò al setaccio tutti i tassisti in cerca di qualcuno che il giorno prima fosse stato in servizio intorno all'ora di pranzo, e mostrò i fotogrammi delle telecamere a circuito chiuso che ritraevano Carver e Petrova.

Uno degli autisti, un turco, si ricordava della ragazza. «Come potrei mai scordarmela, una così?» disse con un ammiccamento d'intesa. «Ho continuato a guardarla per tutta la strada fuori dalla stazione, pensando che era proprio il mio giorno fortunato: ero io il primo della fila. L'uomo con lei aveva tutta l'aria di potersi permettere un taxi, e se io avessi una donna come quella non vorrei certo dividerla con la feccia che prende l'autobus. Ma no, quello mi passa proprio davanti, il figlio di puttana, e si mette in coda come uno zoticone.»

«Hai visto che autobus ha preso?»

«Sì, il numero 5. Passa sul Pont de l'Ile, oltre la Città Vecchia fino all'ospedale e poi torna indietro. E allora, cos'hanno combinato quei due, eh?»

Papin sorrise. «Sono dei killer. Considerati fortunato che non siano saliti sul tuo taxi.» Lasciò il tassista che borbottava preghiere di ringraziamento ad Allah e, spacciandosi ancora una volta per Michel Picard del ministero federale degli Interni, chiamò la stanza di controllo dei Trasporti pubblici ginevrini, l'agenzia che gestisce la rete di autobus della città.

E, naturalmente, loro furono più che contenti di fornirgli il nome e il numero di matricola di qualsiasi autista avesse prestato servizio sul numero 5 intorno alle undici del giorno precedente. Erano tre e, una volta punzecchiata la memoria con le foto di Papin, uno di loro si ricordò della coppia salita alla stazione.

L'autista ricordò anche di aver guardato nello specchietto la ragazza che scendeva a una fermata di rue de la Croix Rouge, attraversava la strada dietro l'autobus e si avviava su per la collina verso la Città Vecchia. «Certi tizi hanno tutte le fortune, giusto?» disse con una risatina mesta.

«Non temere. La fortuna di questo tizio qui sta per cambiare», lo rassicurò Papin. Venti minuti più tardi, stava percorrendo le strade della Città Vecchia.

Sembrava un posto improbabile come nascondiglio per un assassino. Stando alla sua esperienza, la maggior parte dei killer non erano altro che rozzi banditi, i quali sperperavano i soldi in eccessi e volgarità privi di qualsiasi gusto. Ma la bellezza della Città Vecchia era sobria, quasi austera. Gli alti edifici sembravano guardare dall'alto in basso la gente che camminava per le strade, simili ad anziani che disapprovano ciò che vedono. Gli alberghi in zona erano pochi, e non ci volle molto a stabilire che negli ultimi due giorni né Carver né Aleksandra Petrova si erano registrati in nessuno di essi, né col loro nome né con uno falso.

La donna era originaria di Mosca, quindi a vivere lì doveva essere Carver; il che significava che nei paraggi doveva esservi della gente che conosceva l'inglese e il suo indirizzo esatto. Papin tirò fuori le fotografie e ricominciò la ricerca.

35

«Be', questa sì che è una sorpresa.» Carver si appoggiò all'indietro, inclinando la sua sedia da ufficio, le mani dietro la testa. Poi tornò a guardare il monitor del computer, che mostrava il recente trasferimento in entrata e in uscita dal suo conto alla Banque Wertmuller-Maier, e sospirò. «È ovvio che quegli stronzi non avrebbero pagato. Davano per scontato che fossi morto.»

Tuttavia aveva ricevuto via fax dal suo gestore la notifica di un versamento di un milione e mezzo di dollari. Era il bandolo della matassa; se avesse trovato il modo di dargli un bello strattone, avrebbe potuto disfare le maglie dell'intero complotto. Rimase sovrappensiero un momento, poi si alzò e andò in cucina, dove Alix si stava preparando una tardiva colazione. La TV era accesa, e stava ancora trasmettendo notizie riguardanti l'incidente.

«Qualche sviluppo di cui dovremmo essere informati?»

Alix premette il telecomando, abbassando il volume, poi si voltò. «Tutti danno la colpa ai paparazzi che inseguivano la vettura. C'è chi dice che andasse quasi a duecento all'ora, quando si è schiantata.»

«Che fesseria! Andava al massimo a centoventi.»

«Dicono pure che le analisi del sangue dimostrano che l'autista era ubriaco, che aveva bevuto più di tre volte oltre il limite consentito. E c'è un sopravvissuto, la guardia del corpo della principessa.»

Carver aggrottò le sopracciglia. «L'autista non guidava di certo come un ubriaco. E nessuna guardia del corpo degna di tal nome consentirebbe mai la guida a un autista che avesse bevuto tre volte più del limite consentito. Se fosse stato così, l'uomo non si sarebbe retto sulle gambe, avrebbe camminato barcollando, e si sarebbe sentita la puzza di alcol.» Sbatté la mano sul piano di lavoro della cucina. «Maledizione, sembra di essere all'ora del dilettante. Hanno messo in piedi un lavoro in fretta e furia e poi hanno insabbiato tutto alla meno peggio. Adesso tutti i giornalisti investigativi del mondo si metteranno a strisciare in ogni angolo, in cerca di prove che si è trattato di un omicidio.»

«Be', è stato davvero un omicidio.» Alix aveva parlato con un tono di voce pacato, ma riuscì a interrompere all'istante la sfuriata di Carver. «L'abbiamo commesso noi. Ogni volta che sento parlare dei fotografi che l'avrebbero braccata a morte, tutto quello cui riesco a pensare è che sono stata io. Io ho fatto scattare il flash della macchina fotografica, costringendoli ad andare più forte.»

«Può darsi, ma, se non l'avessi fatto tu, l'avrebbe fatto qualcun altro. I fotografi veri non erano molto dietro di te. E, non appena arrivati sul luogo dell'incidente, hanno forse cercato di dare una mano? No. Si sono messi a scattare foto.» Su Carver era discesa come una cortina di freddezza; la passione amorosa di poco prima era stata sostituita dal calcolo impersonale.

La voce di Alix crebbe in intensità, mentre la donna cercava di far breccia in quella corazza. «Come puoi startene lì a parlare di tutto questo come se la cosa non ci riguardasse? Non ti sfiora per niente il pensiero di quello che abbiamo fatto?»

«No, se riesco a evitarlo.»

Rimasero in silenzio per un momento. I soli rumori nella stanza erano il gorgoglio della caffettiera e il basso cicaleccio di una pubblicità alla TV.

Poi, il corpo di Carver si rilassò un poco. L'uomo tese una mano e l'appoggiò sulla spalla di Alix. «Senti, lo so quanto possa sembrare insensibile. Non sono un bastardo integrale. Ma, se c'è una cosa che ho imparato con gli anni, è di non sprecare tempo con la gente che ormai è morta. È l'unico modo per evitare d'impazzire. Se mi dispiace che sia morta? Certo che mi dispiace. Mi fa star male che fossi io quello alla fine di quel tunnel? Solo un pochino. Ma sentirmi colpevole dove porta me o chiunque altro? Al diavolo, il senso di colpa. Siamo stati attirati con l'inganno dentro qualcosa di terribile, e io intendo trovare quelli che l'hanno fatto.» Carver spiegò quello che aveva in mente. Per Alix, il piano comportava lavorare sotto copertura, interpretando un certo ruolo. «Hai parecchia esperienza nell'uso di identità false, vero? Sei in grado d'imbrogliare un uomo facendogli credere di essere quello che non sei.»

«Non era forse quello di cui ti preoccupavi tu? Che io ti stessi imbrogliando?»

«Mi è passato per la mente, sì. Ma adesso non ci pensare. Ho qualcos'altro che potrebbe interessarti.» Compose un numero locale. Quando parlò, lo fece con l'aspro suono gutturale dell'accento afrikaans parlato in Sudafrica. «Posso parlare con Mr Leclerc, per cortesia? Grazie. Mr Leclerc, come va? Mi chiamo Dirk Vandervart. Sono quello che lei chiamerebbe un consulente privato, e lei mi è stato raccomandato da conoscenze ai più alti livelli. Ho qui con me poco più di duecento milioni di dollari che cercano una casa. Speravo che lei potesse aiutarmi a trovare una... ah, eccellente! Be', adesso sono in riunione con dei clienti; ne avrò per tutto il giorno. Perché non c'incontriamo presso il mio albergo, il Beau Rivage, alle sei di questa sera? Prendiamo un drink e discutiamo delle mie esigenze bancarie. Le darò lì tutte le referenze che vuole. La mia holding personale si chiama Topograficas, SA, registrata a Panama. Sì, certo, dia pure un'occhiata, ma l'avverto subito che non vi troverà granché... Certo, è proprio questo il bello di Panama! Allora, siamo d'accordo? Alle sei in punto, al Beau Rivage, chieda di Vandervart. Grazie. E buona giornata anche a lei.» E con uno svolazzo della mano, Carver mise giù il telefono.

«Sembrerebbe che anche tu abbia fatto un po' di recitazione», disse Alix.

«Più di quanto mi sarebbe piaciuto», concordò lui. «Tutta questa storia, in fin dei conti, non è altro che un lungo gioco di sciarade.»

«E quella compagnia, con quel nome assurdo... esiste veramente?»

«Pensa ai fatti tuoi», le rispose Carver. Lo disse sorridendo, ma al tempo stesso si ripromise di chiudere definitivamente quella copertura non appena tutta quella storia fosse finita e nascondere tutti i soldi dietro un altro paravento panamense.

Alla fine, fu tutta una questione di mera fortuna. Papin stava camminando lungo la Grand Rue, la strada delle gallerie d'arte e dei negozi di antiquariato nel cuore della Città Vecchia, quando con la coda dell'occhio scorse un lampo di azzurro; girò la testa in un riflesso automatico, ed eccoli là: Samuel Carver e Aleksandra Petrova passeggiavano lungo la strada mano nella mano, come una coppia qualsiasi, lui in jeans e giacca di cotone scolorita, lei con ancora addosso lo stesso vestito con cui era partita da Parigi il giorno prima.

Papin mosse ripetutamente il pugno avanti e indietro, in un gesto di vittoria; il suo azzardo si era rivelato vincente. Il primo istinto fu di buttarsi dentro un portone per nascondersi. Poi gli venne in mente che, mentre lui aveva riconosciuto loro, quei due non avevano la minima idea della sua identità. Guardò dentro la vetrina di una galleria, esaminando scrupolosamente delle stampe di Goya mentre i suoi obiettivi continuavano a camminare dall'altra parte della strada; lasciò che si allontanassero di un'altra cinquantina di metri, poi lentamente, con aria indifferente, cominciò a seguirli.

Non poté fare a meno di sorridere: la donna voleva andare a far shopping. *Mais naturellement!* Era arrivata da Parigi senza bagaglio, non aveva niente da mettersi, che altro avrebbe potuto fare? Però, Papin dovette ammirare il suo stile. Tre quarti dei negozi davanti ai quali lei passava erano ignorati del tutto; poi, quando il suo sguardo veniva catturato da qualcosa, la donna entrava, comprava, quindi proseguiva. E stava anche lavorando con metodo, partendo dalla lingerie; il francese alzò un sopracciglio in segno di apprezzamento, mentre la osservava scegliere tra una serie di minuscoli articoli di pizzo.

Anche stando dall'altra parte della strada e attraverso il cristallo di una vetrina, Papin poteva valutare che Carver aveva davanti a sé una seratina interessante. Evidentemente la lussuria aveva ridotto in poltiglia il cervello dell'inglese: andarsene in giro per strada in pieno giorno insieme con un compagno sospetto era pura follia. O Carver stava giocando a un gioco talmente raffinato che Papin non era in grado di comprenderlo, oppure era giunto alla conclusione di non avere nessuna speranza di sopravvivere, e dunque tanto valeva godersi il poco tempo che gli era rimasto.

E poi, senza preavviso, Papin li perse. Erano entrati in un affollato grande magazzino sulla riva del fiume, le cui uscite davano su quattro strade diverse. Il francese imprecò a bassa voce; forse non erano poi così sprovveduti come aveva creduto in un primo momento. Cercò di seguirli dentro il negozio gremito, ma subito abbandonò l'impresa, optando per un pattugliamento a piedi dell'isolato nella speranza di beccarli all'uscita; sapeva, però, che era un tentativo inutile.

Poco male: poteva anche averli persi, per il momento, ma sapeva dove viveva Carver in un raggio di tre o quattro isolati. Tutto quello che doveva fare era tornare alla Città Vecchia e mostrare la sua fidata carta d'identità a tutti i barman, i gestori di caffè e i portinai. Qualcuno si sarebbe rifiutato per principio di collaborare con un rappresentante delle autorità, altri invece sarebbero stati ugualmente inclini a far sfoggio delle loro credenziali di cittadini leali e rispettosi della legge, desiderosi di dare il proprio contributo al mantenimento dell'ordine pubblico. Come ben sa ogni poliziotto in incognito, non è mai difficile trovare persone disposte a fornire informazioni sui propri vicini. Papin era certo che ben presto avrebbe individuato l'appartamento di Carver; ma, prima, era arrivato il momento di aprire le contrattazioni. Dall'altra parte della strada c'era un bar con un telefono pubblico della Swisscom.

Merde! Il telefono accettava soltanto carte telefoniche, non monete.

Il barman notò il suo disappunto e gli indicò un chiosco di giornali dall'altra parte della strada.

Borbottando un'imprecazione tra i denti, Papin comprò una carta da cinquanta franchi e tornò al bar. Ma, quando si trovò di nuovo davanti al telefono, si accorse che il buon umore di poco prima era stato rimpiazzato da una tensione che gli stringeva le viscere. Cercando di mettere insieme un'aria sicura e fiduciosa, chiamò l'uomo che lui conosceva col nome di Charlie. «Buone notizie, *mon ami*. Ho ritrovato i tuoi oggetti smarriti.»

«Davvero?» replicò il direttore operativo. «È grandioso. Dove?»

Papin ridacchiò. «Nulla mi darebbe maggior piacere che dirtelo in questo stesso momento. Ma un'informazione del genere è alquanto preziosa e io ho dovuto lavorare sodo per ottenerla, sostenendo consistenti spese personali. Dovrò chiedere una ricompensa.»

«Quanto?»

«Cinquecentomila dollari, pagabili in titoli al portatore girati a mio nome, e consegnati a me personalmente. E io ti porterò dai tuoi oggetti smarriti. Tu da solo, Charlie. Non tentare nessuna trappola.»

«Non ci penso neanche, amico.»

«Allora, abbiamo un accordo?»

«Non lo so. Mezzo milione di dollari mi sembra un bel mucchio di soldi.»

«Nella tua situazione? Non mi pare proprio, Charlie. Hai due ore di tempo. Ti richiamo tra due ore. Se per allora non sarai in grado di darmi la tua garanzia di pagamento, mi rivolgerò altrove. Ci sentiamo.» Papin interruppe la chiamata, quindi rifletté per un istante. Aveva bisogno di un'assicurazione, ma perché aspettare altre due ore? Compose un numero di Londra: aveva in mente più di un'organizzazione che sarebbe stata felice dell'informazione che aveva da offrire.

L'uomo col cappotto bianco si tolse gli occhiali e si passò la mano sul viso barbuto. Guardò Carver attraverso gli occhi socchiusi, cercando di mettere a fuoco. «Okay, allora quello che dovremmo fare è infondere una sensazione di relax e di confidenza, giusto?»

Carver annuì.

«Poi vogliamo ottenere eccitamento sessuale.»

«Esattamente.»

«Infine, dobbiamo abbassare le difese mentali, creando magari un senso di disorientamento.»

«Proprio così, Dieter. Questo è il piano.»

Carver e Alix avevano terminato la prima parte della loro spedizione di shopping. Lei aveva comprato i vestiti di cui aveva bisogno e una serie di parrucche. Lui era stato dal barbiere: uno scalpo irsuto, simile a quello sfoggiato dal «Numero Due» nel telefilm *Il prigioniero*, gli conferiva un aspetto militaresco che un uomo come Dirk Vandervart avrebbe probabilmente apprezzato. Carver si era poi comprato un abito firmato, il cui scintillante tessuto similseta si sposava perfettamente con un Rolex d'oro di dimensioni spropositate, e insieme concorrevano a creare il look smaccatamente privo di gusto di un uomo che ha un bel po' di quattrini sporchi da riciclare. Gli acquisti erano stati sistemati in un paio di valigette griffate Gucci; lì dove Carver aveva in mente di andare, ci volevano parecchi soldi.

I due avevano portato i loro travestimenti in un attico che si trovava sopra un negozio di cioccolata. Ci volle un bel po' di capacità di persuasione e un'ancora più consistente quantità di denaro perché il proprietario dell'attico accettasse di scendere a patti con la sua maniacale scrupolosità da perfezionista e raffazzonasse in fretta e furia due passaporti del Sudafrica. Avevano indossato le nuove tenute, si erano messi in posa per le fotografie, avevano fatto sparire i loro vestiti originali e Carver aveva sbrigato un paio di telefonate: la prima all'ufficio prenotazioni di uno dei più eleganti alberghi di Ginevra, l'altra a Thor Larsson. Gli rimaneva un'ultima incombenza, ma aveva bisogno di un consiglio di carattere professionale, e il dottor Dieter Schiller era la persona giusta per darglielo.

«Un dettaglio importante: dev'essere qualcosa di solubile», si raccomandò Carver. «Sarà messo dentro una bevanda.»

Schiller sorrise, mentre tornava a infilarsi gli occhiali. «Sai, Pablo, ho idea che questa sarà proprio una gran bella festa. Non è che posso venire anch'io?»

«Perdonami, Dieter, ma si tratta di una faccenda strettamente personale. E c'è un altro particolare: la dose dev'essere confezionata in modo tale che la mia collega...» Fece un gesto in direzione di Alix.

«Miss...?» Schiller sollevò le sopracciglia, in attesa di un nome.

«Miss non-sono-affari-tuoi», disse Carver. «È meglio così per tutti. La mia collega deve poter essere in grado di somministrare la dose con facilità, senza essere vista. Okay?»

Schiller scrollò le spalle. Non sembrava infastidito dall'assenza di presentazioni, era abituato al concetto di anonimato; in effetti, dava per scontato che nessuno dei suoi clienti fornisse mai il proprio vero nome. «Nessun problema. Basterà un semplice involto di carta. Ma cosa metterci dentro? Per cominciare, in modo da indurre il senso di relax, suggerirei della metilendiossimetamfetamina. MDMA, detto in breve.»

«Ecstasy», fece Alix.

«Già, la droga preferita dai moderni cacciatori di piacere. Ti fa sentire bene, rilassato, traboccante di amore per la gente che ti circonda. Ovviamente, nel lungo periodo provoca anche delle psicosi, ma non è un problema che ci riguardi. Gli effetti collaterali immediati possono includere una sensazione di calore, sudorazione e anche un lieve senso di malessere. Ma questo possiamo riuscire ad attenuarlo.» Schiller era seduto a una scrivania, come un professionista qualsiasi che stia dando un consulto.

Il suo ufficio era una stanza sul retro di una casa privata. Sulla porta non compariva nessuna targhetta d'ottone, sebbene il suo approccio alla farmacologia – insolito, per non dire anticonformista – attirasse un vasto numero di clienti facoltosi, spinti dal bisogno di prescrizioni personali che medici più convenzionali non avrebbero mai scritto. Dietro di lui c'era una serie di vetrinette di legno e, più in alto, scaffali con bottigliette di vetro, contenitori di plastica e piccoli schedari bianchi.

Schiller fece ruotare la sedia e si sporse verso uno dei flaconi di plastica pieni di pillole, che appoggiò sulla scrivania. «E, anche per la solubilità in acqua, nessun problema. Sfortunatamente, lo stesso non si può dire del Viagra, che molti dei miei clienti più anziani amano mescolare all'ecstasy quando intrattengono le loro giovani signore. Dovremo essere un po' più fantasiosi con questo elemento della formula. Io suggerirei la bromocriptina.» Sulla scrivania si materializzò un altro flacone di pillole. «A differenza del Viagra, agisce sul cervello, invece che sul pene, alzando il livello di dopamina. È un neurotrasmettitore; ciò accresce efficacemente il desiderio sessuale. Stranamente, tale effetto tende a sparire dopo trenta o quaranta dosi. Ma anche questo non è un nostro problema. Ora, questa sostanza non è solubile in acqua, ma è solubile nell'alcol. E lo stesso dicasi per questo...» Si voltò un'ultima volta verso gli scaffali e infilò la mano in una scatola bianca, tirandone fuori un blister color argento con otto piccole pillole a forma di diamante. «Flunitrazepam; meglio noto come rohypnol. Come forse saprete, questo sedativo, che costituisce un trattamento di prim'ordine nei casi di ansia e d'insonnia, si è guadagnato la fama alquanto sgradevole di 'droga dello stupro'. Abbassa stress e inibizioni, favorendo nello stesso tempo un senso di euforia; agisce anche sulla memoria a breve termine. Dobbiamo stare attenti a non somministrarne una dose troppo alta, o il paziente sarà del tutto fuori uso; ma, combinato con gli altri due farmaci, dovrebbe andare bene. Un'esperienza piuttosto interessante, mi verrebbe da dire. Ora, ditemi qualcosa sull'individuo che manderà giù questo cocktail.»

«L'ho incontrato solo una volta, ed è stato quattro anni fa», disse Carver. «È sui quarantacinque anni, direi, media statura, piuttosto ben piantato. Se non si è messo a dieta, il suo peso sfiorerà il quintale.»

Schiller prese un pestello e un mortaio. «Okay, allora una dose standard di ciascun farmaco andrà bene.» Fece cadere tre pillole nella ciotola di pietra e cominciò a polverizzarle. «Proprio come un farmacista dei tempi andati, eh?» disse, alzando lo sguardo sui suoi clienti. Quindi aprì uno dei cassettini dalle maniglie d'ottone nell'armadio alle sue spalle e vi frugò fino a trovare una piccola capsula di plastica di colore chiaro, che schiacciò tra pollice e indice, aprendola in due. Con molta attenzione, con un imbuto di plastica versò le pillole polverizzate; quindi richiuse la capsula. «Fatto!» annunciò. «Fanno millecinquecento franchi svizzeri.»

«È un bel po'.»

Schiller fece un sorriso serafico. «Non è per le pillole, che stai pagando.»

Una volta per strada, Alix domandò: «E adesso?»

«Adesso andiamo a prendere quei passaporti. Poi ci prepariamo per l'appuntamento.»

I quattro direttori dei diversi settori del Consorzio s'incontrarono intorno a un tavolo di cristallo. Neanche un minuto venne speso sull'ordine del giorno. Massima sicurezza: niente telefono sul tavolo, niente quadri alle pareti, nessun posto dove fosse possibile nascondere microspie. Il bocchettone dell'aria condizionata era murato direttamente nel soffitto e non lo si poteva svitare; i punti luce erano blocchi sigillati, incassati nella parete e dotati di lampade a lunga durata; le finestre a prova di suono e di proiettile erano nascoste dietro pesanti tende da oscuramento. Gli uomini avevano lasciato fuori dalla stanza telefoni, portafogli, chiavi e monete ed erano passati attraverso un metal detector.

Il presidente andò subito al punto. «Signori, sono passate trentasei ore dall'operazione di Parigi. Sotto un certo aspetto, è stata un successo: l'obiettivo principale della missione è stato raggiunto, e questo è l'importante. Ci sono tuttavia alcune questioni in sospeso che aspettano ancora di essere risolte.» Una mano si alzò. «Settore Finanze, c'è qualcosa che vorrebbe dirci?»

«Sì, in effetti qualcosa c'è.» L'uomo aveva un aspetto impeccabile nel suo abito tagliato su misura, ma la voce tradiva la tensione, come se dovesse cedere al panico da un momento all'altro. «Tutta questa storia si sta trasformando in un dannato incubo. Il Paese sta impazzendo dal cordoglio, i repubblicani vivono il loro momento d'oro mentre la monarchia sta attraversando la crisi peggiore dai giorni dell'abdicazione di Edoardo VIII. E, intanto, noi ci troviamo con un assassino in circolazione. In questo momento potrebbe essere in qualsiasi angolo del mondo. E, se parla, siamo finiti.»

Il presidente lasciò che il direttore del Settore Finanze terminasse il suo intervento. Poi, come se quelle parole non fossero mai state pronunciate, proseguì. «Come stavo dicendo, ci sono alcune questioni in sospeso. Le informazioni che ho ricevuto lasciano intendere che la pressione sui servizi di sicurezza perché scoprano quello che è successo ha toccato il punto massimo. Trodd, lo scagnozzo del primo ministro, ha dichiarato che non vuole farsi battere sul tempo dai giornali nel trovare la verità. Com'è comprensibile, questa amministrazione sta vivendo sotto l'ossessione dei titoli di apertura...»

Una voce dall'accento australiano intervenne nella conversazione. «Non si può di certo biasimare i giornali. Sarebbe difficile trovare titoli più grossi di questo.»

«In effetti no, Settore Comunicazioni. Nei prossimi giorni la gestione delle notizie giocherà un ruolo di estrema importanza, e io farò affidamento su di voi per essere certo che non vengano fuori titoli indesiderati. Non è nell'interesse di nessuno che i fatti correnti diventino di pubblico dominio. Sono certo che sia possibile stringere col governo una qualche sorta di accordo sulla discrezione. Se gli forniamo il nome di Carver, accompagnato dalla credibile certezza che ci siamo già debitamente occupati di lui, questo dovrebbe bastare a tenere i lupi lontano dalla nostra porta. Ma forse il direttore operativo vorrà aggiornarci sui suoi progressi.»

«Ho trascorso tutta la giornata cercando di mettere insieme una squadra. Non è stato facile trovare gente del calibro di cui avremo bisogno. Come sapete, ci rivolgiamo esclusivamente ad agenti freelance, assoldati al prezzo più alto, e alcuni dei nostri migliori collaboratori li abbiamo persi nel corso del weekend. Tuttavia confido che saremo pronti a muoverci entro le prossime ventiquattr'ore. Ma prima, naturalmente, dobbiamo trovarlo.»

«Oh, quanto a questo, sarà un gioco da ragazzi», intervenne il direttore del Settore Finanze, con un ghigno di scherno. «Sono certo che ci manderà una cartolina per informarci di dove si trova.»

Il presidente lanciò uno sguardo accigliato al tesoriere del Consorzio; forse era arrivato il momento di sostituirlo, ma avrebbe preso in considerazione il problema una volta risolta la questione di Carver. Tornò a rivolgersi al direttore operativo. «C'è stato qualche progresso nelle ricerche?»

«Sì, presidente, credo proprio di sì. È partito ieri mattina da Parigi, in treno, dalla Gare de Lyon. Molto probabilmente era in compagnia di uno dei russi, cui naturalmente era stato dato ordine di ucciderlo; si tratta di una donna, Aleksandra Petrova. Se davvero lei si trova in compagnia di Carver, non ci è chiaro se intenda portare a termine l'incarico, o se invece, come sembra, abbia semplicemente disertato. In un caso o nell'altro, Carver si trova ancora in Europa. Ha comprato dei biglietti per Milano, ma non è andato lì. Ritengo che si trovi da qualche parte nell'Est della Francia, o magari in Svizzera. Non ha grande importanza, non credo che cercherà di scappare. Da lui mi aspetterei invece una reazione alquanto più energica.»

«E questo vorrebbe dire...»

«... che cercherà di beccarci prima che noi becchiamo lui.»

«Non mi sembra che la prospettiva la preoccupi molto.»

«Be', Carver non sa dove ci troviamo, e gli sarà piuttosto difficile scoprirlo senza che noi ci accorgiamo della sua presenza. Inoltre, ho una pista per raggiungere il posto esatto dove si trova: ho un contatto a Parigi, un certo Pierre Papin, che lavora per i servizi segreti francesi. Ha seguito i movimenti di Carver avvalendosi del sistema di sorveglianza della stazione. Dice di sapere dov'è.»

«E perché non gliel'ha detto, allora?»

«Vuole dei soldi in cambio dell'informazione.»

«Quanti?»

«Mezzo milione di dollari. Penso che dovremmo accettare.»

«Ma è ridicolo!» sbottò il direttore del Settore Finanze.

«Che cosa glielo fa affermare?» ribatté il presidente. «C'è chi lo riterrebbe un prezzo piuttosto modesto per rimanere vivi.»

Il direttore del Settore Finanze trasse un profondo respiro lisciandosi i capelli, visibilmente imbarazzato per la perdita di controllo. Quando tornò a parlare, la sua voce era più tranquilla, più sicura di sé: la voce di un uomo abituato a dare ordini, più che a riceverne. «Mi stavo semplicemente domandando se possiamo permetterci di spendere così tanto senza essere certi che il beneficio giustifichi il costo. L'operazione di Parigi ha avuto un risvolto economico pesantemente negativo. Certo, un bel po' lo abbiamo risparmiato trattenendo i compensi di parte del personale coinvolto; ma, anche così, abbiamo avuto spese logistiche enormi, per non parlare delle considerevoli somme spese per guadagnarci un'influenza all'interno di una quantità di istituzioni francesi. Abbiamo perso un gran numero di uomini, le cui famiglie andranno ricompensate per ottenere il loro silenzio. E due delle nostre proprietà hanno subito danni enormi, cui si dovrà riparare con grande spesa. Credo pertanto che ogni ulteriore esborso debba essere valutato con estrema attenzione.»

Il presidente annuì. «Argomenti molto persuasivi. Come ha detto il direttore operativo, Carver sarà costretto a uscire allo scoperto. Dobbiamo quindi assicurarci che saremo pronti, quando verrà fuori dal suo nascondiglio, e in grado di sistemarlo.»

«Allora, cosa facciamo con Papin? Se non lo paghiamo, cercherà di vendere Carver a qualcun altro.» Il direttore operativo lanciò un'occhiata carica di astio al tesoriere che aveva cercato di boicottarlo, quindi tornò a rivolgersi al capo. «E c'è anche un'altra cosa: Carver ha il nostro computer. È vero, ci sono password, codici e firewall. Non c'è nessuna possibilità che sia riuscito a introdursi nei file, per il momento. Ma è un uomo pieno di risorse; alla fine troverà il modo di entrare. E noi non possiamo permettere che accada.»

«No», concordò il presidente. «Non vogliamo certo una cosa simile.» Rimase qualche momento sovrappensiero, tamburellando con le dita sul piano del tavolo, poi continuò. «Quando dovremmo sentire ancora il nostro contatto?»

«Ci chiamerà lui alle 12.30, ora di qui.»

«Bene, allora fate passare la chiamata direttamente a me. Convincerò il nostro amico francese che ha più da guadagnare accontentando noi, piuttosto che facendosi subito un gruzzolo.»

«E se non si lascia convincere?»

«Dovrà pagare per la sua cocciutaggine.»

Bill Selsey, veterano, nell'MI6 da ventidue anni, un uomo la cui principale ambizione era un lavoro sicuro con una consistente pensione alla fine, si avvicinò titubante all'ufficio vetrato di Jack Grantham, in fondo a uno degli open space che conferivano un'ingannevole apparenza di normalità aziendale al quartier generale. «Sei occupato, Jack?»

Grantham stava scorrendo le schede di tutti i sicari professionisti disponibili sul mercato mondiale. Alzò gli occhi dal monitor e fissò la zucca pelata del collega, sulla cui lucida superficie si andavano a riflettere i tubi al neon dell'ufficio. «Nulla di urgente. Cosa posso fare per te?»

Selsey posteggiò l'ampio posteriore sul bordo della scrivania. «C'è uno sviluppo interessante nell'indagine parigina. Abbiamo appena ricevuto una chiamata da uno dei nostri collaboratori sul continente: tale Papin, uno dei personaggi più interessanti nel mondo dei servizi segreti francesi; sembra che fluttui qua e là privo di qualsiasi incarico formale, ma ha l'abitudine di spuntar fuori nei posti più inaspettati.»

«E allora?»

«Allora lui dice di sapere dove si trovano le persone responsabili dell'incidente nel tunnel dell'Alma.»

Grantham si raddrizzò sulla sedia, passando all'istante da una cortese indifferenza alla concentrazione più assoluta. «Davvero? E dove dice che si trovano?»

«Be', qui sta l'inghippo. Vuole che lo paghiamo per l'informazione. Dice che non intende considerare nulla al di sotto del mezzo milione di dollari.»

«Be', maledizione, questo è un po' troppo anche per gli standard francesi. Che fine ha fatto la collaborazione interdipartimentale?»

«Non lo fa per lavoro, Jack. Questa è una trattativa in via strettamente non ufficiale.»

«Ci possiamo fidare di lui?»

«Certo che no, è un francese. Il che significa che è un egocentrico privo di scrupoli e che non gli importa di nulla, a meno che non gli conferisca un immediato vantaggio personale.»

«Ma è in gamba, almeno?»

«Non è male. Se dice che sa dove si trova questa gente, io gli credo.»

«Bene, ma, se pensa che abbiamo mezzo milione di dollari da buttare, ovviamente non è stato informato sui tagli al nostro budget. C'è modo di risalire a lui?»

Selsey s'illuminò. «Ah, ecco la buona notizia. Non solo sta lavorando in via ufficiosa, ma sta anche usando un banale telefono pubblico per inviarci i suoi messaggi, invece di una delle nostre linee sicure. Si presume che non voglia nessuna registrazione delle sue comunicazioni con noi, né con gli altri offerenti che appaiono sui registri.»

«Una mossa da dilettante... Be', per noi sarà molto più facile rintracciarlo.»

«Forse si è fatto prendere la mano dall'ingordigia, e probabilmente sottovaluta la nostra capacità di rintracciarlo.»

«Siamo in grado di scovarlo?»

«Risalire al luogo di provenienza della chiamata è un lavoro difficile, ma non impossibile. Ce la possiamo fare. Ma la vera sfida sarà quando chiamerà di nuovo. Dovremo riuscire a condurre una sorta di negoziazione. Se facciamo in modo che parli a lungo, potremo individuare la posizione esatta.»

«Non sarà così scemo, non trovi?»

«È in pista per mezzo milione di dollari. Con una posta del genere, forse è disposto a correre qualche rischio.»

Grantham aggrottò le sopracciglia. «Papin non si preoccupa minimamente di noi, e capisco bene il perché. Ritiene che, se anche non gli sganciamo la grana, sarà altamente improbabile che facciamo qualcosa di male a un collega che lavora per uno dei nostri alleati.»

«Anche se si tratta di un francese?»

«Anche in quel caso. Ma ce ne saranno degli altri, là fuori, che si faranno molti meno scrupoli. Papin deve prendere i soldi, portare i suoi clienti dove si trovano i killer, e poi fare in modo di uscirne tutto intero. La sai una cosa, Bill? Mi hai detto che questo tizio non è male...»

«Sì?»

«Be', stavolta, se vuole farcela, dovrà essere un bel po' meglio di così.»

Alix guardava Carver farsi strada in una mastodontica porzione di tagliolini con spezzatino di cervo. Si trovavano al Chat-Botté, il ristorante del Beau Rivage.

«Vuol dire il Gatto con gli Stivali.» Carver l'aveva detto con un luccichio impertinente negli occhi, da scolaro birichino. C'era qualcosa di fanciullesco nel gusto con cui si buttava sul cibo, come se non avesse una sola preoccupazione al mondo, niente cui pensare a parte il piatto di fronte a sé e il bicchiere di vino rosso lì di fianco. Il suo appetito sembrava non essere minimamente influenzato dal pensiero di quanto avrebbero dovuto fare nel giro di poche ore.

Più tardi, mentre salivano alla sua suite, Alix stava ancora cercando di decifrarlo, di scoprire la vera identità che teneva nascosta con tanta cura, tanto a se stesso quanto agli altri. Tutti gli uomini che le era capitato d'incontrare, nessuno escluso, facevano qualunque cosa per apparire a un'unica dimensione: Carver, no. Così sicuro di sé nel proprio mondo, così titubante in quello di lei; così freddo in certi momenti, così emotivo in altri. Eppure, qualche volta le sembrava che le emozioni di Carver fossero ovvie per tutti tranne che per lui.

Alix si domandò se lui fosse consapevole dell'intensità con cui i suoi occhi riuscivano a esprimere ciò che provava. Rabbia glaciale e tenerezza struggente, scoppiettante allegria e totale vulnerabilità: tutto ciò vi aveva visto lei, nel poco tempo che avevano trascorso insieme. La donna ripensò ai libri, ai dischi e ai quadri nel suo appartamento, e alle riflessioni che Carver riusciva a esternare una volta messo a proprio agio. Poi lo rivide mentre entrava in quel palazzo a Parigi, abbatteva due uomini finendoli poi con un colpo alla testa, e si allontanava dai cadaveri senza nemmeno spendervi una seconda occhiata.

Si ricordò di quando, alla fermata d'autobus, si era ritrovata stesa per terra con la faccia premuta contro il marciapiede e il ginocchio di lui conficcato nella schiena. Come poteva mettere d'accordo quel killer implacabile con l'uomo sdraiato accanto a lei quella mattina, e che ancora quel pomeriggio la stava tenendo stretta fra le braccia?

Alix si allontanò da lui di un soffio. «Sarà giusto fare questo? Pensavo che fossimo qui...» Si fermò alla ricerca delle parole giuste. «Per lavoro.»

«Ed è così», ribatté Carver. «Abbiamo una sola possibilità di scoprire ciò di cui abbiamo bisogno. Nel giro di poche ore, Magnus Leclerc farà il suo ingresso nel bar qui sotto. Tu ti occuperai di sedurlo, e io di spaventarlo a morte. Poi comincerò a fargli delle domande. Leclerc è il nostro unico aggancio. Se riusciamo a farlo parlare, potremo risalire alle persone che ci hanno tradito. Altrimenti, be', è solo questione di tempo prima che ci trovino, non importa quanto veloce corriamo.»

«E allora non dovremmo pensare a fare qualcosa di diverso? Qualcosa di utile... di importante.»

«Questa è un'operazione come qualsiasi altra. La maggior parte del tempo la si spende semplicemente aspettando. Non sappiamo se l'operazione avrà successo. Non sappiamo se domani saremo ancora vivi. Che cosa potrebbe essere più importante del cogliere ogni attimo che ci viene concesso?»

Alix meditò su quelle parole, soppesando i vantaggi dell'argomentazione presentata da Carver. Poi, con un sorriso, gli disse: «E va bene, eccoci qui. Cogliamo l'attimo».

41

Pierre Papin era stanco morto. Aveva lavorato come un cane per quarantott'ore, senza fare praticamente neanche una pausa. Gli sembrava di avere gli occhi avvolti da carta vetrata, e che gli avessero preso il cervello a randellate. A ogni minuto che passava, pensare diventava per lui uno sforzo sempre più difficile, mentre aumentavano la tensione e l'insicurezza. Eppure, a dispetto di tutto ciò, stava facendo dei progressi.

Qualcuno era stato decisamente poco collaborativo, ma c'è un genere di informazioni che si può trarre anche da un mutismo insolente. Papin era entrato in un piccolo caffè, aveva chiesto del proprietario e gli aveva mostrato velocemente il tesserino di riconoscimento e le foto di Carver e della ragazza.

L'uomo aveva scrollato le spalle. «Mai visti prima», aveva detto, ma la risposta era arrivata troppo in fretta. Non si era neanche preoccupato di guardare le foto un po' più da vicino. Segno che aveva capito subito di chi si trattava.

C'era anche un ragazzino nel caffè, di sei o sette anni. Papin si era accovacciato e aveva tirato fuori la foto di Carver. Poi, aveva fatto sfoggio della voce più vezzosa che fosse in grado di mettere insieme. «L'hai mai visto quest'uomo, qui dentro il caffè?»

Ma, prima che il ragazzino potesse rispondere, il proprietario aveva piantato un dito in faccia a Papin e gli aveva sibilato: «Il ragazzo lascialo fuori!»

Ormai Papin sapeva di essere davvero vicino. Aveva bussato a molte porte, aveva avvicinato donne intente a portare a spasso il cane o che tornavano a casa con la spesa, aveva formulato domande con impeccabile cortesia e un tocco di charme. Ben presto, aveva scoperto l'indirizzo di Carver. Ma non sapeva se, mentre lui era in giro impegnato a far domande, la sua preda fosse rientrata nel suo appartamento.

Prima di poter fare la mossa successiva, il francese aveva bisogno di rispondere a quella domanda. Salì fino al quinto piano di un vecchio palazzo e bussò alla porta. Il rumore di una serratura che si apriva fu seguito dall'apparizione di una signora in età di pensione, che lo scrutava con uno sguardo carico di disapprovazione; la sua espressione abituale, evidentemente.

Papin le mostrò il suo tesserino quindi, aggiungendo alla voce un'accattivante nota da cospiratore, spiegò che era desolato di doverla disturbare, ma era stata segnalata la presenza di un immigrato clandestino che viveva in un appartamento su quello stesso piano, nell'edificio adiacente. Prima di procedere con le adeguate misure per liberare il vicinato di una presenza tanto indesiderabile, voleva appurare se al momento l'individuo in questione si trovasse nell'alloggio. Estrasse quindi un attrezzo che aveva tutto l'aspetto di uno stetoscopio medico con attaccato un microfono.

Ciò sembrò convincere la vecchia signora, o quantomeno ne stuzzicò la curiosità. Lasciò entrare Papin, gli offrì caffè e biscotti – che lui rifiutò, profondendosi in ringraziamenti per la gentile ospitalità –, quindi rimase a guardarlo affascinata mentre appoggiava il microfono in diversi punti del muro divisorio, rimanendo ogni volta in attenta auscultazione.

Alla fine, Papin si allontanò dal muro, ripiegò il suo strumento e scosse la testa. «L'individuo in questione non si trova nella residenza, Madame», disse, con un tono opportunamente frustrato. «Ma non tema. Manterrò una vigile sorveglianza per tutto il giorno. Non ci scapperà.» Pochi minuti dopo, si trovava sul pianerottolo all'ultimo piano del palazzo adiacente, di fronte a una semplice porta blu scuro.

Fu tentato di fare irruzione e arraffare il portatile; Carver non l'aveva con sé quand'era uscito quella mattina. Ma di certo doveva esserci un qualche sistema di sicurezza: l'inglese non era tipo da rimanere privo di protezione e, in ogni caso, avrebbe scoperto che qualcuno era stato lì non appena varcata la soglia. E lui si sarebbe ritrovato fuori gioco come una gazzella spaurita; molto meglio mantenersi su un basso profilo, si disse Papin. Era certo che i due sarebbero tornati all'appartamento in giornata. Se n'erano andati a passeggio per la città come due innamorati in vacanza, non come fuggiaschi.

Era ora di chiamare Charlie. Ma, quando ebbe composto il numero, Papin sentì una voce che non riuscì a riconoscere. «Con chi sto parlando?» domandò.

«Non ha importanza.»

«Allora questa conversazione finisce qui.»

«Aspetti un momento, Monsieur Papin. Sono il capo di Charlie. Sta parlando con me perché lui non ha l'autorità per gestire le sue condizioni finanziarie, mentre io sì. E temo di non poter accettare la sua richiesta di cinquecentomila dollari.»

Papin si era aspettato una qualche forma di negoziazione. «*Alors*, Monsieur, sono spiacente. Se non mi pagherete la somma richiesta, troverò un altro cliente che lo farà.»

«Trecento. È la mia offerta finale. Non un penny di più.»

«No, non abbasserò il mio prezzo. Ma posso proporvi un accordo. Voi mi pagate duecentocinquanta in anticipo. Io vi porto sul posto. Là mi darete un altro venticinque per cento se trovate le persone, e un venticinque per cento per il computer. Pagherete l'intera somma solo se avrete tutto ciò che desiderate. Vi sembra ragionevole?»

Vi fu un momento di silenzio dall'altra parte della linea, mentre l'offerta veniva soppesata.

Papin si domandò quale sarebbe stata la loro controproposta.

Ma l'altro sembrò soddisfatto. «Mi sembra ragionevole, Monsieur. E dunque, quali sono gli accordi?»

«Manderete un uomo, da solo, all'ingresso principale della cattedrale di San Pietro, a Ginevra. Io rimarrò lì esattamente cinque minuti, a partire dalle 17.00, ora locale. Indosserò un abito blu scuro e terrò in mano un giornale arrotolato. Il vostro inviato dirà: 'Charlie le manda i suoi saluti'. Io risponderò: 'Spero che Charlie stia bene'. Lui allora dirà: 'Sì, molto meglio, ora'. Quindi mi consegnerà la prima metà del pagamento: si ricordi, titoli al portatore intestati a mio nome. Riceverete allora ulteriori istruzioni. Il vostro uomo potrà disporre di un appoggio per qualunque azione necessaria, ma lo chiamerà a intervenire solo dopo che io gliene avrò dato il permesso.»

«Ho capito. Cinque in punto, questo pomeriggio, alla cattedrale di San Pietro. Manderò qualcuno. La ringrazio, Monsieur Papin.»

«Grazie a lei.» Papin riattaccò, alzò gli occhi al soffitto e fece un profondo sospiro di sollievo. Meditò la mossa successiva massaggiandosi il retro del collo.

Ormai aveva i soldi in saccoccia; non aveva bisogno di un altro offerente. Ma se vi fosse stata l'opportunità di fare più di un accordo? Poteva ancora riuscire a raddoppiarli, i suoi soldi; quello sì che sarebbe stato un colpaccio. E, se avesse fatto le mosse giuste, avrebbe potuto liberarsi dei killer e dei loro capi una volta per tutte.

42

Nei più profondi meandri della futuristica ziggurat posta sulla sponda meridionale del Tamigi che dal 1995 fungeva da quartier generale dell'MI6 – e i cui residenti più cinici, per nulla impressionati dal costo dell'edificio e dalla volgarità con cui spiccava su tutto il resto, avevano soprannominato «Ceausescu Towers» – Bill Selsey se ne stava seduto accanto a un telefono, in attesa di una chiamata. Intorno a lui, altri agenti dei servizi segreti provvisti di cuffie, ai comandi di registratori digitali, stavano monitorando i collegamenti tra le loro linee e il sistema di localizzazione al GCHQ. Jack Grantham era seduto allo stesso tavolo di Selsey, pronto ad ascoltare qualsiasi cosa Pierre Papin avesse intenzione di dire.

Squillò il telefono. Selsey aspettò il via libera del tecnico, quindi sollevò il ricevitore.

«Sono terribilmente spiacente, Bill, ma ho già un acquirente per la mia informazione», disse Papin. «Ho un appuntamento con lui alle 17.00.»

«Be', sono spiacente anch'io, Pierre. Avremmo potuto trovare un accordo.»

«Forse possiamo ancora farlo.»

«Com'è possibile?»

«Voi potreste comprare il mio acquirente», rispose Papin.

«Che vuoi dire?»

«Ora sono in grado di fornirvi il pacchetto completo: quelli che hanno ammazzato la vostra principessa e quelli che li hanno pagati per farlo.»

Selsey non riuscì a trattenersi; scoppiò a ridere. «Quindi stai tirando il bidone alla gente con cui hai appena stretto un accordo, e li vendi a noi?»

«Esattamente.»

«Porca miseria, Pierre, ne hai di sangue freddo. E, presumibilmente, vorresti essere pagato anche da noi...»

«Ovviamente. Il prezzo è lo stesso: cinquecentomila dollari.»

«Be', c'è solo un problema. Non abbiamo per le mani una somma del genere. Con tutti quei dannati tagli al budget, ogni penny da giustificare in triplice copia... Succederà lo stesso anche dalle vostre parti, no?»

«Certo. Anche noi non possiamo più permetterci di largheggiare. Ma questo è diverso: si tratta di un piccolo esborso a fronte di un ritorno enorme.»

Dall'altro lato della stanza, un tecnico delle comunicazioni fece segno a Selsey di continuare a parlare. Muovendo silenziosamente le labbra, gli comunicò che erano quasi riusciti a individuarlo.

Selsey annuì. E continuò a parlare. «Sono d'accordo. Non sarebbe male se potessimo mettere nel sacco l'intera squadra. Ma, a voler essere onesti, c'è una cosa che mi preoccupa. Tu hai in mente di fregare un gruppo di noti killer, cosa alquanto pericolosa. In effetti, direi che noi siamo le sole persone di cui tu ti possa fidare. Siamo professionisti, come te; non rientra nel nostro stile di lavoro colpire gli agenti dei nostri alleati. E allora perché non ti metti insieme con noi? Teniamo gli occhi bene aperti, ti copriamo le spalle. Voglio dire, anche se i tuoi clienti non scoprono che stai per rompere l'accordo stretto con loro, potrebbero comunque decidere di non volerti pagare per niente, dopotutto. Potrebbero cercare di riavere indietro i loro soldi... passando sul tuo cadavere.»

«Proprio per questo ho voluto dei titoli al portatore, che possono essere incassati soltanto da me. No, Bill, la tua è un'offerta molto gentile, ma sono sicuro di riuscire a badare a me stesso da solo. Anzi direi che senza di voi sono addirittura più al sicuro. Se non vendo i miei clienti a voi, loro non hanno nessun bisogno di farmi del male. E se invece li vendo, e loro lo scoprono, allora penso che voi non potreste fare nulla per salvarmi. È per questo che voglio del denaro extra, per coprire i rischi in più... oppure non se ne fa nulla. Che mi rispondi?»

Selsey lanciò un'occhiata al tecnico dall'altra parte della stanza e vide il suo pollice rivolto all'in su. «Allora mi spiace, Pierre, ma tra noi non c'è nessun accordo.»

«Spiace anche a me, Bill. Sarà per un'altra volta...» E la linea s'interruppe.

«Ottimo lavoro», fece Jack Grantham, sporgendosi attraverso il tavolo per dare al collega una pacca di apprezzamento. «E allora, dove si trova quel viscido stronzetto?»

«Ginevra», rispose il tecnico delle comunicazioni. «Un telefono pubblico in rue Verdaine, proprio accanto alla cattedrale.»

«Maledizione!» sbottò Grantham. «Non riusciamo ad arrivarci in tempo da qui. Dovremo appoggiarci a qualcuno sul posto.» Sollevò una cornetta e compose un numero interno. «Monica? Jack Grantham. C'è un'urgenza a Ginevra; chi abbiamo laggiù in missione? Che significa che uno di loro è in vacanza? È settembre, la gente dovrebbe esser tornata al lavoro... Okay, va bene, contatta il nostro uomo... scusa, la donna, errore mio... Contatta chiunque non sia impegnato a prendere il sole su una spiaggia e digli di chiamarmi non appena possibile. E vedi un po' che cosa riusciamo a tirar su dall'ambasciata a Berna... non è lontano da Ginevra, giusto? Ottimo. Be', di' loro di chiamarmi non appena sono in strada. Organizzati con la ragazza di Ginevra... sì, Monica, lo so che è una donna adulta, è soltanto un modo di dire... be', qualunque cosa sia questa femmina, voglio parlare con lei. Adesso.» Grantham mise giù il telefono con cura esagerata, e scosse silenziosamente la testa. Quindi tornò a rivolgersi a Bill Selsey. «Bene, questo è un lavoro di mera sorveglianza e nulla più. Non voglio gente che si mette a correre per le strade di Ginevra sparando a destra e a manca. Voglio soltanto ogni minimo briciolo d'informazione che sia possibile ottenere sui killer che Papin afferma di aver trovato. E voglio essere informato su ogni conversazione telefonica, ogni e-mail, ogni messaggio arrivato e uscito da Ginevra nel corso di questo pomeriggio. Fammi un favore, Bill. Mettiti in contatto con Cheltenham e con Menwith Hill. Di' loro che abbiamo bisogno di una copertura totale.»

Grigorij Kursk scacciò con un calcio la prostituta fuori dal letto e le buttò dietro dei soldi, mentre lei arraffava i propri vestiti e sgattaiolava via dalla stanza. L'uomo prese dal comodino la bottiglia di vodka vuota e la tenne sollevata contro luce, per vedere se sul fondo fosse rimasto qualche residuo. Aveva bisogno di una spinta per dare l'avvio alla giornata; stava per tornare al lavoro.

Chiamò la camera di Dimitrov, in fondo al corridoio dell'albergo a tre stelle nel centro di Milano. «Sveglia, pigrone succhiacazzi! Ha chiamato Jurij. Abbiamo un lavoro, a Ginevra, fra tre ore... Sì, lo so che non c'è abbastanza tempo. È per questo che devi tirar su il culo dal letto e fiondarti giù nell'atrio. Dillo anche agli altri. Al banco dell'accettazione, tra cinque minuti. A chi non c'è, gli ficco personalmente un Uzi su per il culo e glielo faccio esplodere. E adesso fuori dai coglioni. Ho bisogno di una doccia.»

Cinque minuti e mezzo più tardi, Kursk era al volante di una BMW 750 bloccato nel traffico dell'ora di pranzo in via Larga. C'erano più di trecento chilometri da lì a Ginevra, e le auto intorno a lui si muovevano più lente di un uomo senza gambe in un fosso pieno di catrame. Schiacciò il pugno contro il clacson e ve lo tenne appiccicato, urlando scurrilità da caserma, ma nessuno lì intorno ne parve particolarmente colpito. Kursk si lasciò cadere all'indietro nel sedile del conducente. «Italiani del cazzo! E sì che corrono veloci, quando hanno un esercito alle calcagna.»

Alla fine, il semaforo diventò verde e il traffico prese a muoversi. Kursk prese un pacchetto di Balkan Star dalla tasca della camicia e si accese una sigaretta.

Seduto accanto a lui, Dimitrov azzardò una domanda. «E allora, che cosa andiamo a fare in Svizzera?»

Kursk soffiò il fumo verso il parabrezza. «Dobbiamo incontrarci con un bastardo francese che ci porterà da quella troia di Petrova e dal suo amichetto inglese.»

«E poi?»

«Poi ammazziamo il francese e riportiamo gli altri due da Jurij. E poi, Dio volendo, facciamo fuori anche loro.» Kursk abbassò il finestrino e si mise a urlare per la strada. «Levami davanti al cazzo quell'insulso ammasso di merda, mangiaspaghetti figlio di puttana che non sei altro!»

«Lascia perdere, Grigorij Michailovič», disse Dimitrov. «Non capisce il russo.»

Kursk fece rientrare la testa nell'auto, ridendo. «Oh, no, Dimitrov. Quel bastardo senza palle ha capito benissimo che cosa stavo dicendo.»

Carver era rimasto colpito dallo stile di Alix nel fare shopping. Nelle rare occasioni in cui si era lasciato trascinare da una donna ad accompagnarla in quella missione, aveva finito per annoiarsi a morte, stremato e al massimo dell'esasperazione a causa dell'interminabile susseguirsi di negozi affollatissimi e surriscaldati; e del rovistare incessante fra rastrelliere zeppe di abiti che a lui sembravano tutti uguali; e dell'implacabile sfilza di domande alle quali un uomo non sapeva mai dare la risposta giusta: «Quale preferisci?» e «Mi ingrassa?» e «Sta bene con quegli stivali che abbiamo visto prima?» Domande per le quali non riusciva a concepire che un'unica, invariabile, silenziosa risposta: «Che cazzo ne so?»

Ma Alix era diversa. Comprava i vestiti allo stesso modo in cui lui comprava le munizioni: con uno scopo ben chiaro in mente. Sapeva l'effetto che voleva ottenere, e si riforniva di conseguenza. La stessa professionalità con cui in quel momento si stava preparando per la missione. Aveva fatto una doccia, si era avvolta con un telo di spugna, si era asciugata i capelli ed era tornata nella camera dove Carver, ancora sdraiato sul letto, avvolto in uno spesso accappatoio fornito dall'hotel, stava aspettando il suo turno per il bagno.

Alix prese la biancheria e si lasciò scivolare di dosso il telo di spugna. Carver si sentiva inebriato dal senso d'intimità che gli dava stare lì a guardarla mentre s'infilava mutandine e reggiseno. Assaporava le immagini e i suoni che per una donna sono così normali, perfino banali, e che invece appaiono così carichi di fascino agli occhi di un uomo: il tessuto che scivola sulla pelle, lo schiocco di un elastico, le piccole torsioni e gli aggiustamenti del corpo, la concentrazione totale con cui lei esaminava il proprio aspetto nello specchio a figura intera attaccato all'anta dell'armadio.

Eppure nei suoi gesti non c'era nulla di ostentato. Sembrava che lo sguardo di Carver su di lei la lasciasse del tutto indifferente, quasi che, come per una ballerina o una modella, l'abitudine a trovarsi nuda in presenza di altra gente fosse tale che qualsiasi pretesa di modestia o timidezza riguardo al suo corpo si era ormai dissolta da molto tempo. Né si percepiva vanità nel modo in cui continuava a scrutarsi, su e giù. L'espressione sul suo volto era seria, il suo era un autoesame meticoloso: si stava preparando per il lavoro.

Indietreggiando di un passo dallo specchio, Alix lanciò infine un'occhiata alla volta di Carver. «Che ne dici?»

«Dico che è meglio se ti rivesti in fretta, prima che io perda del tutto l'autocontrollo.»

«No. Il divertimento è finito. Adesso è ora di mettersi al lavoro.» Andò alla toilette che era già disseminata di confezioni di make-up, vasetti di crema per il viso, un flacone di lacca, spazzole, pettini, e un paio di sacchetti da shopping. Uno conteneva una cuffia fatta con una specie di nylon che aveva l'aspetto di uno spesso collant. Se la infilò, spingendovi dentro i capelli finché ogni ciocca non fu scomparsa. Mentre lavorava, colse lo sguardo di Carver nella specchiera. «E così, tu sei stato sempre ricco?» gli domandò.

Lui la guardò sollevando le sopracciglia: la domanda lo aveva colto alla sprovvista. «Ricco, io? Cristo, no! Tutt'altro!»

«Ma eri un ufficiale. Pensavo che in Inghilterra solo gli appartenenti alle classi più elevate diventassero ufficiali.»

«È questo che vi dicevano nella vostra scuola del KGB?»

«Prendimi pure in giro, ma è vero. I ricchi governano i poveri. È così ovunque.»

«Forse, ma io non sono diventato ufficiale perché ero ricco, ma perché ero stato adottato.»

Sorpresa, Alix si girò a guardarlo. «Che cosa vuoi dire?»

«Mia mamma mi ha dato via. Era solo una bambina quando rimase incinta; veniva da quel genere di famiglia in cui l'aborto non è una scelta contemplata, ma non volevano neanche trovarsi con un'adolescente che spinge un passeggino. Così la spedirono in una clinica, dicendo a tutti che la ragazza era andata a trovare certi parenti all'estero, e poi si sbarazzarono del bambino non appena possibile. »

Alix stava frugando in mezzo ai suoi articoli di make-up mentre ascoltava la storia di Carver. Guardò nuovamente nello specchio, stavolta con un'espressione accigliata. « E allora chi è che ti ha cresciuto? »

« Una coppia di mezza età. Non avevano mai avuto dei figli loro; erano abbastanza affettuosi, e pieni di buone intenzioni, ma non erano all'altezza. Quando si resero conto che desideravano una vita tranquilla molto più di quanto avessero desiderato un bambino, si ritrovavano ormai con una piccola peste che scorrazzava ovunque, facendo casino dalla mattina alla sera. E così mi mandarono in collegio. Pensarono che per me – ma anche per loro – fosse la cosa migliore. »

« Ti volevano bene? » Alix si stava cospargendo il viso di cipria.

« Non lo so. Non lo dicevano mai, ma penso che di me gli importasse. Cioè, a modo loro. »

« E tu? Gli volevi bene? »

Carver sospirò. Si tirò su dal letto e si avvicinò a una sedia accanto al bagno. « Be', non mi dispiacevano », disse, mentre si metteva a sedere. « E provavo gratitudine per loro. Sapevo che stavano facendo dei sacrifici per me, e lo apprezzavo. Ma non credo di essere mai stato in grado di amarli, non dal profondo del cuore. Voglio dire, perché avrei dovuto? Se non lo impari da tua madre, non sai niente dell'amore fino a molto, molto più tardi e allora, all'improvviso, è come... be', ti piomba addosso ed è davvero uno shock, e pensi: *Allora è di questo che parlano tutti quanti!* »

« E poi hai perso anche lei. »

Carver annuì.

Alix si stava passando il mascara sulle ciglia, disegnando uno svolazzo con lo spazzolino. « E così, quanti anni avevi quando ti mandarono in quella scuola? »

« Otto. »

« *Bože moi!* E poi gli inglesi si ritengono tanto civili! »

« E non hai ancora sentito tutto! » Carver sorrise. « La scuola si trovava in un'antica dimora di campagna, persa in mezzo al nulla. Ogni mattina ci svegliavano alle sette. Una volta vestiti, il capitano del dormitorio ci faceva scendere nel prato che si trovava sul retro della scuola. E lì facevamo un'esercitazione, una vera e propria esercitazione militare. Marcia veloce! Dest, sinist, attenti, riii... poso! A pensarci ora mi viene da ridere, era una cosa talmente assurda.»

«E nonostante tutto sei diventato un soldato?»

«Be', scuole come quella hanno sfornato carne da cannone di eccellente qualità per secoli. Erano state concepite con lo specifico obiettivo di produrre giovani dotati di un'intelligenza nella media, in perfetta forma fisica e del tutto rintronati dal punto di vista emotivo, pronti ad andarsene in giro per i posti più pericolosi e sgradevoli del mondo, a fare il proprio dovere e, quando necessario, a rinunciare alla vita.»

«E tu saresti una di queste persone?»

«Quando sono in servizio.»

«E quando non lo sei?»

«Non so. È quello che sto cercando di capire.»

Per qualche istante rimasero in silenzio.

Alix si concentrò sul rossetto che teneva tra le dita. Col viso truccato di fresco, in uno stile diverso da qualsiasi cosa Carver le aveva mai visto addosso fino ad allora, la testa pelata e il corpo mezzo nudo, aveva un aspetto stranamente impersonale, come un manichino da vetrina in attesa del suo costume. Poi Alix prese l'altra borsa e ne tirò fuori una parrucca; se la infilò, le diede una spazzolata e la spruzzò di lacca.

Di colpo Carver stava guardando una donna completamente diversa. Si aspettava che attraversasse la stanza, puntando dritta all'armadio dov'erano appesi i suoi vestiti.

Invece rimase lì con un'aria esitante, lo sguardo perso e come annebbiato: sembrava quasi che la sua concentrazione fosse stata spezzata da una qualche incertezza interiore. «C'è una cosa che non ti ho detto la notte scorsa, sul mio passato.»

Carver tornò a sedersi sulla sedia. «Continua...»

«Ho fatto finta che fosse tutto quanto orribile, quello che mi è capitato. Ma non è vero. Godevo di speciali privilegi grazie ai servigi che rendevo allo Stato. Dove vivevo, a Perm, le donne erano orrende, dei sacchi privi di forma; mangiavano cibo stantio che non sapeva di nulla e lavoravano fino a spezzarsi le ossa. Mia madre a quarant'anni era già una vecchia, al pari di un'ottantenne occidentale. Ma, una volta arrivata a Mosca, io vestivo Armani, Versace e Chanel. Prima non avevo mai avuto più di due paia di scarpe, ed erano sempre scarpe di plastica; allora invece avevo un armadio intero pieno di scarpe fatte a Parigi e a Milano.

«Qualche volta portavo degli uomini nel mio appartamento. Nel letto avevo belle lenzuola italiane. Nel mobile bar c'era whisky scozzese. Tu non hai idea. Nessuno in Russia viveva in quel modo... nessuno, al di fuori dei più alti vertici del Partito. E a me quelle cose piacevano. Non volevo rinunciarvi, non importava che cosa fossi costretta a fare. Ho venduto la mia anima.»

Carver si sporse in avanti. «Ti è piaciuto il mio appartamento?»

«Come, scusa?»

«Ti è piaciuto il mio appartamento? Voglio dire, è carino, no? E non hai visto la mia auto... ma anche quella non è niente male. Lo stesso dicasi per la barca che ho sul lago. E penso che tu sappia come ho fatto a pagarmi tutta questa roba.»

«Vorresti dire che sei tanto marcio quanto lo sono io?»

«Suppongo di sì. Ma chi può dire quello che è buono e quello che è cattivo? È facile mettersi in cattedra, seduti nella propria piccola vita comoda e sicura a predicare valori morali. Sono anni che vedo miei amici saltare per aria ridotti in brandelli, o con le budella di fuori, e tutto per dei politici che non hanno fatto altro che mentirgli sul grugno. È una cosa che ti cambia le prospettive.» Carver fece una smorfia. «Scusa, mi sono lasciato un po' prendere la mano.»

«No, è tutto okay, ti capisco. E mi piace quando ti fai prendere dalla passione. Mi piace vedere chi sei veramente.»

«Credi che sia questo il mio vero io?»

Alix stava per rispondergli, quando qualcuno bussò alla porta.

Carver si alzò e prese la pistola che era posata sul comodino. Aprì la porta di qualche centimetro, e si rilassò. «Thor! Sono felice di vederti. Entra.»

L'alta e dinoccolata figura di Larsson, tutta braccia, gambe e capelli, entrò lentamente nella stanza. Lo svedese portava due grosse borse per gli attrezzi. Quando vide Alix si bloccò. «Oh, mi dispiace. Non avevo idea...» E sul volto gli si diffuse un timido sorriso, mentre negli occhi azzurri si accendeva un brillio di intimo divertimento. «Ho interrotto qualcosa?»

«No. Ci stavamo soltanto preparando», rispose Carver. «Thor Larsson, ti presento Aleksandra Petrova.»

«Chiamami pure Alix», disse la ragazza, alzandosi sulla punta dei piedi per dare a Larsson un bacetto sulla guancia.

«Ah, be'... e tu chiamami Thor», replicò lui, mentre sotto le lentiggini il viso gli andava in fiamme.

Alix fece un sorriso che voleva prendersi dolcemente gioco di Larsson per il suo imbarazzo, pur accogliendolo come amico. «Okay, Thor, ti prego di scusarmi, ma penso che adesso dovrei vestirmi.»

I due uomini rimasero lì impalati a guardarla per un secondo, mentre lei sfarfalleggiava con leggerezza dall'uno all'altro dei suoi abiti.

Carver dovette fare uno sforzo di volontà per concentrarsi sull'attrezzatura che Larsson aveva trasportato nelle sue borse. «Okay», disse. «Supponiamo che questa stanza sia il centro di comando. Io mi troverò qui, nella prima fase, per lo meno, e mi occuperò di monitorare le comunicazioni. Quello di cui avremo bisogno è una microspia addosso ad Alix, una videocamera manuale comandata a distanza che tu dovrai controllare, più un sistema completo audio e video da montare nell'altra stanza, quella dove Alix porterà il tizio che vogliamo incastrare.»

Larsson annuì. «Ho tutto quanto.» Frugò in una delle borse e tirò fuori un paio di pacchetti di sigarette. «Queste qui dovrebbero andare, come copertura.»

Carver non sembrava troppo convinto. «Sei sicuro? Guarda che non posso permettermi nessun errore. È l'unica occasione che abbiamo.»

«Rilassati», fece Larsson, dando una pacca sulla spalla all'amico. «Abbi fede. So quello che sto facendo. E, a proposito...» Si chinò finché la sua faccia non si trovò al livello di quella di Carver, e mormorò: «Ti devo dire due parole su quell'altro lavoro che mi hai chiesto: la decrittazione. Chiamami più tardi, in serata. Dobbiamo parlare... da soli».

Papin si trovava ai piedi della scalinata davanti all'antica cattedrale. Erano le 17.04. Non era arrivato nessuno. O forse sì. Forse si erano appostati e lo stavano tenendo d'occhio, aspettando di vedere dove sarebbe andato, e mettere così le mani sugli obiettivi senza sganciare i soldi.

Lanciò uno sguardo attraverso la piazza. Non vide l'uomo dalla testa rasata che era uscito dalla porta principale della cattedrale con una valigetta di metallo e che stava scendendo verso di lui. Non fu consapevole della sua presenza fino a quando non percepì il peso della mano che gli premeva sulla spalla.

«Charlie le manda i suoi saluti», disse una voce con un forte accento russo.

Papin fece un sussulto di sorpresa e si voltò. Si aspettava un inglese, o magari uno svizzero, in ogni caso qualcuno con cui fosse possibile condurre una trattativa in modo tranquillo. E invece aveva davanti a sé un russo, un bestione enorme che lo fissava con un'espressione di cieca spietatezza.

Trascorsero alcuni secondi di silenzio, poi il russo disse: «Okay, uomo sbagliato», e indietreggiò.

«No, no! Uomo giusto!» esclamò Papin. «Spero che Charlie stia bene.»

Grigorij Kursk lo guardò, scosse la testa, sputò per terra, quindi grugnì: «Sì, molto meglio».

Papin lanciò un'occhiata alla valigetta. «I soldi?»

Kursk fece un unico cenno di assenso.

«Dammi la prima rata.»

«Non capisco.»

«I soldi, duecentocinquantamila dollari. Dammeli.»

«Non qui. In auto.» Kursk si allontanò.

Papin aspettò un paio di secondi, quindi lo seguì verso una BMW nera parcheggiata sul lato della piazza che dava verso la collina. «Avevo detto niente appoggi. Solo tu e io. Nessun altro», protestò Papin alla vista dei tre uomini stipati sul sedile posteriore.

Kursk aprì la porta del passeggero. «Dentro!» ordinò.

Il francese seppe in quel momento che le cose si erano messe male. Dentro quella valigetta non c'era denaro, neanche un dollaro. A quel punto, l'unica questione ancora in ballo era la sua sopravvivenza. Se avesse cercato di fuggire, di certo il russo lo avrebbe inseguito e ucciso. Ma lui aveva ancora l'informazione di cui avevano bisogno; finché fosse riuscito a tenerla fuori dalle loro grinfie, avrebbe mantenuto un vantaggio.

Kursk gli lanciò uno sguardo truce. «Okay. Dove andiamo?»

Papin non disse nulla.

Tenendo la mano sinistra stretta sul volante, Kursk allungò la destra, gli afferrò il collo e cominciò a stringere. Sul suo sedile, il francese provò a divincolarsi, nel tentativo di sfuggire alla presa, ma la cosa non aveva nessun effetto. Non poteva liberarsi, e il suo sforzo lo faceva anzi soffocare più velocemente. Sentiva un bisogno disperato di aria; il sangue gli pulsava nelle orecchie, gli occhi gli scoppiavano, la vista gli si faceva sempre più offuscata. Il pugno era ancora stretto intorno al suo collo. Sembrava che la laringe si stesse spaccando per la pressione. Quando infine la sua resistenza cedette, Papin riuscì soltanto a gracchiare: «Okay... okay... te lo dico».

E finalmente la mano mollò la presa.

Inspirando dolorosamente, il francese si riempì i polmoni di aria, che bruciava come un gas velenoso mentre passava nella sua gola devastata. «Va' in fondo alla strada, svolta a destra...» Con un debole gesto indicò la direzione che andava descrivendo.

Kursk mise in moto l'automobile e cominciò a guidare. Svoltarono a destra, attraversando una piccola piazza, e s'intrufolarono in un intrico di stradine lastricate a ciottoli.

Infine, Papin indicò il lato della strada. C'era uno spazio per parcheggiare. «Accosta dietro quell'auto rossa.»

La BMW si fermò rasente il marciapiede. Lo sguardo del russo era quello di un uomo incapace di provare rimorso.

«Dall'altra parte della strada», disse Papin. «Vedi quel vicolo? È su per di là. L'appartamento all'ultimo piano.»

«Sono nell'appartamento?»

«No.»

«Tornano?»

«Penso di sì. Stasera, forse.»

«È questo l'unico ingresso?»

«Credo di sì.» Il francese si lasciò cadere all'indietro nel sedile. Evidentemente gli si stava abbattendo addosso la stanchezza che aveva gravato su di lui per tutto il giorno; si sentiva privo di qualsiasi energia o volontà.

Quando Kursk si allungò di nuovo verso di lui, stavolta con entrambe le mani, Pierre Papin quasi non mosse un muscolo mentre la sua vita scivolava via.

Il russo scese dall'auto. Rimase lì sull'acciottolato, appoggiandosi alla BMW mentre si accendeva una sigaretta e perlustrava la strada con lo sguardo. Era deserta. Guardò in su, verso gli edifici intorno. Non c'era nessuno affacciato alle finestre, nessun segno che qualcuno lo stesse osservando; alcuni bambini giocavano davanti a un caffè in fondo alla strada.

Kursk diede un colpetto con le dita al finestrino posteriore e aspettò che si abbassasse. «Rimettiamoci al lavoro.»

Nel posto del passeggero di un'auto parcheggiata in fondo a una stradina laterale, un uomo stava guardando attraverso il voluminoso teleobiettivo di una macchina fotografica digitale ad alta definizione. Aveva il dito premuto sullo scatto. Come si capiva dal ronzio dell'otturatore, l'apparecchio era fissato su una modalità predisposta per gli eventi sportivi, che consentiva di fare diversi scatti al secondo.

Lì accanto, una donna stava parlando a un telefono cellulare. «Due di loro hanno attraversato la strada. Stanno salendo verso un condominio. Penso che abbiano appena forzato il portone d'ingresso. Riesco a vedere il francese sul sedile davanti dell'auto, ma non si muove. Sono quasi sicura che l'abbiano ucciso.»

Grantham scosse la testa ed emise un sospiro. «Quello stupido, avido bastardo... Be', io lo avevo avvertito.»

«Che cosa vuole che facciamo, signore?»

«Niente. Limitatevi a osservare. Abbiamo offerto a Papin il nostro aiuto, e lui non l'ha voluto accettare. La nostra priorità rimane quella che è sempre stata. Continuiamo a osservare.»

«Sissignore. Ho capito.»

«Bene. Qualunque sviluppo ci sia, tenetemi informato.»

«Naturalmente.» Jennifer Stock chiuse la comunicazione. «Ho appena parlato col capo», disse al fotografo. «Il capo dice di lasciar perdere il francese. E d'inviare gli scatti su a Londra. E poi di continuare come hai fatto finora. Aspetta e osserva.» Si dimenò infastidita per il gran caldo; aveva la gonna e la camicetta tutte sgualcite. Si lasciò sfuggire un'imprecazione: se avesse saputo che l'aspettava una giornata di appostamento, si sarebbe messa una maglietta e un paio di pantaloni.

Magnus Leclerc controllò sul Panamanian Mercantile Registry, in cui dovevano essere registrate tutte le compagnie offshore. Certo, la Topograficas, SA c'era, così com'erano indicati i nominativi di tre direttori, nessuno dei quali era Dirk Vandervart. Nessuna sorpresa: perché avere una compagnia a Panama, se non per godere di una certa invisibilità? Non c'era neppure nessun bilancio pubblico; il non dover tenere nessun tipo di libro contabile era un altro vantaggio offerto dal diritto commerciale panamense.

E così non aveva scoperto niente più di quanto già non sapesse, ma in fin dei conti non si aspettava nulla di diverso. Non era una cosa inconsueta, tra i suoi clienti, il desiderio di tenere coperte le proprie tracce; e il rischio di buttar via un'ora di tempo seduti a un bar sembrava un ben piccolo prezzo da pagare, di fronte alla possibilità di accaparrarsi un conto a nove cifre.

Leclerc arrivò al Beau Rivage poco dopo le sei, chiese di Vandervart al banco della reception e venne informato dall'addetto che il suo ospite si scusava moltissimo, ma era rimasto bloccato in riunione e sarebbe arrivato con qualche minuto di ritardo.

Il bar costituiva un esempio perfetto di locale esclusivo in stile europeo: elaborati stucchi alle pareti, tendoni verdi di seta alle finestre, sedie in stile antico intorno ai tavoli ricoperti di tovaglie bianche. Leclerc andò al bancone e ordinò un vodka martini. Prese il suo drink e si diresse a un tavolo d'angolo. Non c'erano altri clienti, a parte un'anziana coppia di americani: l'uomo stava già ordinando il secondo bourbon, la moglie stava storcendo le labbra; tutto faceva presumere che quello fosse l'inizio di una lunga notte di inferno coniugale.

Leclerc ne sapeva qualcosa. Sorseggiò il suo drink, meditando sull'ormai rituale esibizione di patimento e rancore che lo aspettava una volta tornato a casa. Marthe avrebbe dato di sé il solito ritratto di donna stremata da una lunga giornata spesa a non fare assolutamente nulla, a parte giocare a tennis, spendere i soldi guadagnati dal marito e garantire l'apporto minimo di cure richiesto da due figli teenager ormai del tutto autonomi. Lui l'aveva avvertita che quella sera forse avrebbe fatto tardi, e le aveva detto di non preoccuparsi per la cena, ma ciò non sarebbe servito. Lei di sicuro avrebbe trovato il modo d'indossare la tuta da ginnastica più sformata che fosse riuscita a scovare, avrebbe sospirato con aria tragica e poi, roteando gli occhi, gli avrebbe detto che ormai il cibo era rovinato. Quindi...

Mon Dieu!

Nel bar era appena entrata una donna. Un tipo alto, con un bel viso incorniciato in un caschetto bruno. Indossava una camicetta dal taglio morbido sopra un'attillata gonna blu scuro; aveva lunghe gambe abbronzate. I tacchi alti s'intonavano perfettamente con la gonna, così come l'elegante borsetta a tracolla. Aveva un'aria del tutto rispettabile, eppure terribilmente seducente. Leclerc scorse l'anziano americano occhieggiarla con golosità, mentre lei perlustrava il bar con lo sguardo, evidentemente in cerca di qualcuno. La moglie dell'americano emise un sibilo e col dorso macchiettato della mano carica di anelli colpì il marito sulla manica della giacca, dirottando di nuovo l'attenzione del coniuge su di sé.

Fu allora che la donna bruna colse lo sguardo di Leclerc. Immediatamente il volto le s'illuminò di un sorriso. Attraversò la sala andando verso di lui e si fermò al suo tavolo. «Monsieur Leclerc?» disse, porgendo una mano dalla pelle liscia e perfetta. «Sono Natasha St Clair, l'assistente di Mr Vandervart. Temo che non sia ancora riuscito a liberarsi.»

«*Enchanté, Mademoiselle*. Sono Magnus Leclerc. Ma la prego, Natasha, mi chiami Magnus. La posso invitare a unirsi a me, mentre aspettiamo Monsieur Vandervart?»

«Se crede che sia il caso...»

«Certo. Insisto.»

«Grazie, è molto gentile. Spero solo di non essere stata troppo invadente.» La donna arrossì lievemente mentre si sedeva davanti a lui, tirandosi giù la gonna sulle cosce. Scosse leggermente il capo, e con un'espressione preoccupata aggiunse: «Sa, Mr Vandervart è una persona meravigliosa, ma credo davvero che dovrebbe prendere le cose un po' più alla leggera. Io non sono nella posizione di dire nulla, naturalmente, ma gli uomini come lui lavorano troppo. È ovvio, vogliono il meglio per la loro famiglia, ma qualche volta dovrebbero pensare un po' di più a loro stessi. Non è d'accordo?»

«Assolutamente», rispose Leclerc, con un entusiastico cenno d'assenso.

Lei gli sorrise, come grata di aver ricevuto la sua approvazione. Appoggiò i gomiti al tavolo e si sporse leggermente in avanti, lasciando aleggiare sul tavolo il proprio profumo e offrendo a Leclerc una fuggevole visione della scollatura, coi seni schiacciati tra le braccia. «Quel martini ha un'aria così invitante», mormorò. «È davvero deplorevole bere un drink quando sarei ancora in orario di lavoro, ma le spiacerebbe ordinarmene uno?»

«Ma naturalmente, con enorme piacere», fece il banchiere. E, mentre si alzava dal tavolo per dirigersi verso il bar, si rese conto che le sue pulsazioni stavano correndo all'impazzata. Ordinò il drink e si aggiustò la cravatta guardandosi nello specchio appeso dietro il bancone. Quando arrivò il martini, il barman sollevò un sopracciglio in un'espressione di complicità divertita. Leclerc gli restituì il sorriso, diede al barman un'amichevole pacca sul braccio e gli lasciò una mancia di dieci franchi.

Ad Alix non piaceva doverlo ammettere, ma si stava divertendo. Aveva sentito su di sé gli occhi che la seguivano mentre attraversava il foyer, gli sguardi vogliosi del fattorino, l'invidia della receptionist scialba e il giudizio ponderato e competitivo di quella carina. E, quand'era entrata nel bar, aveva dovuto soffocare un sorriso davanti all'esilarante battibecco tra quel vecchio signore e sua moglie. Poi, si era goduta lo spettacolo del banchiere mentre si sforzava di non fissarla a bocca aperta, come un verginello sedicenne con gli occhi di fuori; e allora aveva capito che sarebbe stato un lavoro facile.

Da quel momento in poi, aveva lavorato secondo il manuale: il sorriso, il contatto visivo, i gesti in grado di risvegliare l'interesse di un uomo segnalando allo stesso tempo la propria disponibilità, le frasi di approccio che terminavano con una domanda, invitando l'altro a esprimere il proprio consenso. Lo si può chiedere a qualsiasi artista dell'abbordaggio d'alta classe: se riuscite a far sì che l'altra persona cominci a dire «Sì», non si fermerà più fino a quando non sarà arrivata in camera da letto.

Era stata tentata di vedere se fosse in grado di esercitare la sua magia senza nessun supporto chimico, ma sedurre Leclerc era soltanto un mezzo per raggiungere uno scopo. Dovevano riuscire anche a farlo parlare. Così, quando lui si alzò per andare al bar, lei allungò la mano verso la borsa e ne tirò fuori sigarette e accendino. Quello almeno era quanto avrebbe visto chiunque stesse guardando. Nessuno avrebbe notato la minuscola capsula nascosta nel palmo della sua mano, né avrebbe visto la donna mentre spezzava la capsula e, sporgendosi attraverso il tavolo a giocherellare oziosamente con l'oliva infilzata nello stecchino di plastica nera, ne versava il contenuto dentro il bicchiere di Leclerc.

La polvere si depositò sulla superficie del martini, ma scomparve con un paio di mescolate dello stecchino. Quando l'uomo tornò al tavolo, trovò Alix che stava alzando su di lui uno sguardo colpevole. «Mi ha beccata! Ero sul punto di rubare la sua oliva. Mi dispiace, ma non riesco proprio a resistere!»

Lui si sforzò di tirar fuori il più soave dei sorrisi. «Be', eccone qui una tutta per lei.»

Alix prese l'oliva dal bicchiere che Leclerc aveva posato davanti a lei e se la fece scivolare nella bocca, tra le lucide labbra rosse. «Che delizia!» mormorò poi, passandosi la lingua sul labbro superiore con fare scherzoso. *Ora smettila di fare la scema*, si disse. Se la cosa fosse diventata troppo palese, troppo facile, Leclerc avrebbe potuto insospettirsi. Lo guardò sgranando leggermente gli occhi, come una scolaretta entusiasta e riguardosa seduta ai piedi del suo professore preferito. «Mi hanno sempre affascinata le banche svizzere. Hanno un'aria così potente e misteriosa. Mi deve dire tutto quanto sul suo lavoro. M'interessa davvero tanto.»

Il barman si chiamava Marcel. Aveva trascorso più di trent'anni servendo drink, osservando i giochi che si vengono a creare quando uomini, donne e alcol entrano in collisione. Si riteneva un profondo conoscitore dell'arte della seduzione. Così, nel momento stesso in cui la ragazza entrò nel suo territorio e fece risplendere il suo sorriso alla volta dell'uomo seduto nell'angolo, l'interesse di Marcel fu risvegliato. Poteva affermare con ragionevole certezza che si trattava di un qualche tipo di truffa. L'uomo era un bersaglio, e quella tipa si stava prendendo gioco di lui. Dopo il secondo martini, lei era prudentemente passata all'acqua minerale, mentre lui era rimasto fedele al suo liquore. Marcel ridacchiò, impaziente di vedere quale sarebbe stata l'evoluzione della serata.

Il bar stava cominciando a riempirsi. Era entrato un gruppo di uomini d'affari, ciascuno dei quali aveva esaminato con lo sguardo la brunetta per poi scambiarsi ghigni d'intesa mentre ordinavano i loro drink. Poi era spuntato un personaggio bizzarro, che a grandi passi era andato ad appollaiarsi su uno degli sgabelli vicino al lucido bancone; era alto quasi due metri, indossava jeans stazzonati e pieni di toppe e una T-shirt stampata con vistose sfumature gialle e porpora; aveva una capigliatura simile a quella di un uomo di colore, solo che era di un chiarissimo color biondo-rossiccio, mentre gli occhi erano di un azzurro nordico.

Marcel sospirò mestamente, deplorando la perdita degli standard adeguati. Al giorno d'oggi era impossibile stabilire la differenza tra mendicanti e milionari. Un uomo con un paio di jeans malconci avrebbe potuto essere una rockstar, un attore o un magnate americano dei computer. Magari quello lì era il figlio hippy di una qualche famiglia benestante; il suo orologio era un Breitling Navitimer, un cronografo costoso, ma anche un oggetto serio e funzionale.

In ogni caso, quel rasta dalla pelle bianca era un tizio di buone maniere. Gli uomini d'affari avevano fatto le loro ordinazioni rudemente, senza neanche un «per favore» o un «grazie». Lui invece si era preso il disturbo di fermarsi a chiacchierare un po', con una voce calma e bonaria; aveva mostrato rispetto per il lavoro di Marcel e per la sua dignità.

«Desidera dei fiammiferi, Monsieur?» fece Marcel, indicando con un cenno del capo le Camel sul bancone, accanto al boccale di birra. Aveva deciso di perdonargli l'abbigliamento.

L'uomo sorrise. «No, grazie. Sto cercando di smettere. Tenerle lì è una specie di test. Se riesco a farmi un paio di birre senza fumare una sigaretta, so di poter arrivare da qualche parte.» Lanciò un'occhiata in direzione dell'angolo della sala, poi tornò a voltarsi verso Marcel e disse: «Visto quella coppia laggiù? Lei gli ha appena accarezzato il viso, e poi lui le ha preso la mano e l'ha baciata. Non è meraviglioso, l'amore?»

Marcel ammiccò. «*L'amour, toujours l'amour...*»

Nell'auricolare nascosto fra le sue treccine, Thor Larrsson riusciva a sentire la voce di Carver. «Già, ho visto. Fa quasi paura vedere quanto le riesce bene.»

Dentro il pacchetto di Camel c'era una videocamera in miniatura puntata attraverso un'apertura microscopica, con un trasmettitore collegato a un monitor audio-video che si trovava nella stanza di Carver. Nella borsetta di Alix erano nascosti un microfono e un'audiotrasmittente. Ogni cosa che lei e il banchiere facevano, ogni parola che si scambiavano finiva registrata su nastro.

«Mi domando come sarà a letto», mormorò Larsson, apparentemente a beneficio del barman.

Carver scoppiò a ridere. «Be', non aspettarti che io te lo venga a raccontare.»

«Se solo potessi sentire quello che si stanno dicendo.»

«Non preoccuparti. Il collegamento audio con Alix mi arriva forte e chiaro come il rintocco di una campana.»

«Mi può portare un'altra birra, per cortesia?» chiese Larsson. «E anche delle noccioline, se le ha. Penso che rimarrò qui per un po'.»

Grigorij Kursk era un uomo paziente. Era una lezione che aveva imparato in Afghanistan: troppi dei suoi compagni si erano buttati a capofitto nel combattimento, con la speranza di avere la meglio sui guerriglieri mujahiddin grazie alla pura forza delle armi, ed erano rimasti fregati cadendo vittime di imboscate. Kursk poteva aspettare per ore, per giorni, tutto il tempo necessario perché l'avversario facesse la prima mossa scoprendo così la sua posizione. E solo allora arrivava il momento di colpire.

Quindi, non importava se Carver ci avrebbe messo tutta la notte o una settimana intera a tornare al suo appartamento. Quando fosse arrivato, lui sarebbe stato lì ad aspettarlo.

I due uomini che aveva mandato su lo avevano informato che la porta aveva un'intelaiatura d'acciaio ed era chiusa con serrature di sicurezza in cima e in fondo, e anche sui lati. I cardini erano rinforzati. Il solo modo per entrare sarebbe stato con una bomba, oppure con un bazooka. Kursk in persona aveva esaminato le finestre col binocolo: i vetri erano spessissimi, quasi sicuramente a prova di proiettile. Nulla che non si aspettasse, in ogni caso. Carver non era uno sciocco, ed era abituato a prendere precauzioni.

Nel frattempo, lui avrebbe dovuto provvedere ad alcune misure di sicurezza per sé. Una chiamata a Mosca gli fornì il numero del contatto di cui aveva bisogno, un cellulare registrato in Svizzera. «Lavoro per Jurij», disse. «Devo sbarazzarmi di una macchina, una BMW 750. C'è qualcosa, a bordo. Deve sparire anche quello, mi seguite? Okay. Vi mando un uomo con la macchina. E voglio anche un furgone, del tipo 'azienda telefonica' o qualcosa di simile. Un mio uomo verrà a prenderlo. Venti minuti. Vi conviene farci trovare tutto. Non vorrei dover dire a Jurij che ci avete lasciato a piedi.» Spedì via Dimitrov con l'auto; Papin era ancora sul sedile del passeggero, tenuto dritto dalla cintura di sicurezza allacciata strettissima.

Ormai Kursk era rimasto solo sulla strada. Era un posto tranquillo, del tutto rispettabile: il genere di posto dove la sua presenza spiccava come quella di un orso in una sala da tè. Doveva sottrarsi agli sguardi che già cominciavano a occhieggiare da dietro i vasi di fiori e le tendine di pizzo. Il suo occhio fu catturato da un'insegna poco più in giù lungo la strada: MALONE'S IRISH PUB. Perfetto. Prese una birra e si sedette a un tavolo accanto alla finestra, da dove aveva la visuale libera su tutta la strada. Nessuno avrebbe potuto entrare o uscire dal palazzo di Carver senza che lui lo vedesse.

Il russo prese a sorseggiare la birra perlustrando il pub con lo sguardo. Ne conosceva di posti come quello, a Mosca. Dovevano essercene milioni proprio così, in giro per il mondo. Ma andava bene. In confronto ad alcuni dei posti dov'era rimasto seduto ad aspettare, quello era una reggia.

Jennifer Stock aveva lasciato l'auto ed era uscita a sgranchirsi le gambe; aveva guardato le vetrine, si era fermata a farsi un primo caffè serale e aveva individuato Kursk e tre dei suoi uomini. L'essere una donna comportava vantaggi enormi, pensò; se non altro, per il fatto che l'istintivo rifiuto maschile di prendere sul serio una femmina è refrattario a qualsiasi forma di parità tra i sessi. Una donna poteva girellare avanti e indietro finché voleva, e tutti avrebbero pensato che si trattava soltanto di una stupida femminuccia priva di senso dell'orientamento, oppure indecisa su dove andare. Una donna poteva ficcare il naso in ogni angolo, e tutti l'avrebbero imputato a pura e semplice curiosità femminile.

E anche parlare alla gente era di gran lunga più facile. Anche il più gentile degli uomini, quando si avvicina a un estraneo, può risvegliare qualche sospetto o perfino una certa paura. Ai bambini viene insegnato di evitare gli uomini che non conoscono; ma tutti, di qualunque età o sesso, sono disposti a parlare con una donna. Infatti era stato il figlio del proprietario del caffè lì sulla strada, un ragazzino con grandi occhioni e una zazzera arruffata, ad averle raccontato tutto del francese che quella mattina era andato a fare delle domande al suo papà, e anche dei buffi signori con quei cappottoni larghi che erano scesi dalla grossa automobile nera.

«Oh, sì, li ho visti», aveva detto lei arruffandogli i capelli. «Erano buffi, vero?»

Mentre si trovava seduta nel caffè e stava bevendo un doppio espresso, ricevette la chiamata da Londra. Era Bill Selsey. «Ciao, Jen. Ho appena avuto delle nuove su quella BMW con la targa italiana di cui avevi chiesto. Pare che sia registrata a nome di una compagnia che si chiama Pellicce Marinovskij. Presumibilmente importano pellicce dalla Russia.»

«Davvero? Gli uomini su quell'auto non avevano molto l'aria di pellicciai.»

«Be', se è per questo, neppure Pellicce-come-si-chiama ha granché l'aria di un'azienda legale di import-export. Non risulta nessun bilancio preciso, da nessuna parte, nessun immobile, nessuna prova di vendite effettive.»

«È una specie di copertura per la mafia russa?»

«Sì, è possibile. Perciò sta' attenta. Non è gente piacevole con cui avere a che fare.»

«I miei ordini sono di guardare a distanza senza intervenire. Ed è quanto intendo fare.»

«Brava. Hai colto lo spirito giusto.»

Magnus Leclerc avvertiva una sensazione di calore diffuso, si era tolto giacca e cravatta, ma stava ancora sudando come un maiale; sperava che Natasha non se ne fosse accorta.

Ah, Natasha! È strabiliante. Lei sì che mi riesce a capire. È incredibile. La conosceva a malapena da un'ora, ma già sentiva una straordinaria affinità con lei, un'empatia profonda, come se quella donna riuscisse a scrutarlo nel profondo del cuore, e lui nel suo.

Le aveva parlato di Marthe, di quanto lo ferisse quel suo continuo battibeccare, le critiche senza senso e il rifiuto dei bisogni sessuali del marito. Aveva temuto che Natasha lo avrebbe deriso, e lei invece si era mostrata solidale, aveva preso le mani di Magnus tra le sue e poi, con infinita dolcezza, aveva fatto scorrere le sue dita lungo le guance di lui. C'era mancato poco che il banchiere non si mettesse a urlare, davanti a quel gesto tanto pieno di consolazione; era passato così tanto tempo dall'ultima volta che aveva provato quel genere di conforto.

Ed era passata un'infinità di tempo anche dall'ultima volta che si era sentito così eccitato. Forse era per quello che avvertiva tutto quel caldo... stava letteralmente bruciando di lussuria. Voleva portarsela a letto, lo voleva tremendamente. Continuava a fissarla, strappandole con la fantasia i vestiti di dosso e immaginando il suo corpo nudo. Per qualche istante, non si accorse nemmeno che lei gli stava parlando.

«Scusa», le disse. «Stavi dicendo qualcosa, *chérie*?»

«Stavo dicendo soltanto che forse dovremmo cercare di trovare Mr Vandervart. Non so cosa possa essergli accaduto. Dovrebbe essere nella sua suite, ormai. Lei pensa che dovremmo salire?»

Leclerc fece un patetico sorriso di gratitudine. «Salire? Oh, sì, penso che sia proprio quello che dovremmo fare.» Quando si alzò, ebbe la sgradevole consapevolezza che il pavimento non era così stabile come lui avrebbe voluto. Non riusciva proprio a capire. Aveva preso solo quattro martini, forse cinque; non avrebbe dovuto risentirne così. Poi percepì il fianco della donna contro il proprio, e la morbida massa del seno che gli sfiorava il braccio; sul suo volto si aprì un ampio sorriso di felicità. Che importava quanto fosse ubriaco; si sentiva proprio da dio.

Fuso e sbavante com'era, il banchiere venne guidato da Alix lungo il corridoio e poi su fino alla suite.

La donna bussò, appoggiò l'orecchio alla porta e poi si voltò verso Leclerc. «A quanto pare non c'è. Sono certa che non tarderà ancora molto. Potremmo aspettarlo nella mia suite, se le va. È proprio la porta accanto.» Senza lasciargli il tempo di rispondere, andò alla porta accanto, inserì la chiave e aprì. «Temo che non sia troppo accogliente», gli disse mentre, oltrepassati i pesanti arredi antichi del salotto, lo accompagnava fino alla camera, dove troneggiava un letto di dimensioni imperiali ricoperto da una trapunta azzurra. Proprio di fronte al letto c'era un mobiletto con la televisione. «Qui si sta un po' meglio», fece Alix, appoggiando la borsetta su uno dei comodini. «Si metta pure comodo, si sieda sul letto. Le preparo un drink dal minibar. Un altro martini?»

«No», rispose lui. «Non pensare ai drink, adesso. Vieni qui.» Diede un paio di colpetti al letto, accanto a sé.

Alix si sedette. Lasciò che lui le passasse la mano sulla coscia, fermandolo soltanto quando cercò d'intrufolarsi sotto la gonna. «Aspetti», gli fece, mentre con l'altra mano lo accarezzava scherzosamente tra i capelli. «Che cosa penserebbe Marthe se ci potesse vedere in questo momento?»

«Oh, che vada a farsi fottere, Marthe!» esclamò Leclerc. Poi esplose in una risatina sciocca. «No, anzi, ripensandoci, è molto meglio fottere te!» E si tuffò su Alix, afferrandola per le spalle e cercando di costringerla a sdraiarsi sul letto.

Lei si mise a ridere, mentre divincolandosi sguisciava via da sotto di lui. «Non così in fretta. Se mi vuoi avere, devi fare esattamente come ti dico», disse, decidendo di passare a dargli del tu.

«Qualsiasi cosa!» replicò Leclerc con uno sguardo che grondava lascivia.

«Alzati dal letto.»

Lui obbedì all'istante.

«Togliti la camicia.»

L'uomo fece come gli era stato ordinato.

«Adesso, togliti i pantaloni e poi rimani perfettamente immobile.»

Leclerc era rimasto con un paio di cascanti slip a sospensorio, il cui elastico si perdeva nella ciccia flaccida; e con ancora addosso i grigi calzini di lana. Guardò a bocca aperta mentre la donna si slacciava i bottoni della camicetta, lasciandola cadere a terra in un frullo di seta color crema. Alix si abbassò quindi la zip della gonna, che scivolò a terra; poi con un passo uscì dal cerchio spiegazzato di tessuto. Indossava lingerie bianca di pizzo che sembrava fatta apposta per sottolineare le linee atletiche e flessuose del suo corpo; non si era ancora tolta le scarpe col tacco alto.

«Distenditi sul letto, proprio sotto la testiera», disse Alix.

Leclerc zampettò veloce all'indietro, e si appoggiò ai cuscini.

«Presto, molto presto potrai fare di me tutto quello che vorrai. Ma, prima, sarò io a fare di te quello che voglio. Rimani fermo lì, non muovere un muscolo, non dire una parola!» Alix aggirò il letto a passi decisi e si diresse verso un comò. Si chinò per aprire un cassetto ed estrasse tre lunghe sciarpe di seta nera.

«Cosa...?» fece Leclerc.

«Sstt...» Alix andò ai piedi del letto, posò le sciarpe sul copriletto e s'inginocchiò a gambe divaricate sul petto dell'uomo. Poi si allungò verso il suo polso destro, con mano esperta vi annodò intorno uno dei capi della prima sciarpa e l'altro capo lo legò alla cima dell'asta della testiera.

Leclerc si trovava con un braccio che penzolava a mezz'aria in una condizione di totale impotenza, ma ciò non sembrava preoccuparlo tanto quanto gli affannosi tentativi di avvicinare la faccia ai seni della donna.

Lei lo ignorò e, senza dire una parola, gli afferrò l'altro polso e ripeté la stessa procedura con la seconda sciarpa. Quando entrambe le braccia furono fissate, si allungò all'indietro e fece scorrere una mano tra la peluria sul torace di Leclerc, giocherellando coi suoi capezzoli mentre gli sussurrava: «Mi trovi bella?»

«Oddio, sì!» rispose lui in un gemito.

«Okay, allora guarda bene, con molta attenzione, e ricordati di ciò che vedi. Perché ora lo vedi e ora...» Prese l'ultima sciarpa e l'avvolse intorno alla testa del banchiere, coprendogli gli occhi. «... ora non più. Ora sei privo di difese, completamente alla mia mercé. Perciò, quello che ora mi chiedo è: che cosa ti farò?» Gli appoggiò l'indice sulle labbra, stuzzicandogliele mentre l'uomo cercava disperatamente di succhiarle il dito. Poi si sdraiò sopra di lui e cominciò a strisciare in giù, e più in giù, e più in giù ancora, finché con la testa non arrivò proprio sopra le sue mutande. «E qui che cosa abbiamo?» disse. Si tirò di nuovo su e cominciò ad abbassare le mutande dalla vita.

«Sì, ti prego, sì», mugolava l'uomo, cercando di sollevare il culo dal letto per renderle il lavoro più facile.

Alix si chinò verso Leclerc, abbassandosi sempre di più, sempre di più, finché la sua testa non si trovò soltanto a pochi millimetri da lui e...

«Grazie, Miss St Clair, questo è tutto.» La voce risuonò in un secco e gutturale accento afrikaans.

Alix scese dal letto e lanciò un'occhiataccia furiosa alla volta di Carver. «Te la sei presa comoda!» gli sibilò.

«Va be', mi dispiace», replicò lui, tenendo le mani aperte coi palmi rivolti all'infuori, nel gesto universale di riconciliazione.

«Chi è? Che cosa sta succedendo?» squittì Leclerc dimenandosi sul letto.

Carver gli mollò un violento ceffone. «Stia zitto, Mr Leclerc», gli disse brusco. «Se vita e reputazione contano qualcosa per lei, stia zitto e ascolti. Ecco, lasci che l'aiuti...» Prese un fazzoletto dalla tasca e lo ficcò nella bocca dell'altro, tappandola completamente. Poi prese la cintura dai pantaloni che erano rimasti sul pavimento e l'allacciò stretta intorno alle caviglie di Leclerc, rendendolo così del tutto impotente. «Il mio nome è Kaspar Vandervart. Sto per rivolgerle una serie di semplici domande alle quali lei fornirà delle risposte sincere. Ci sono due ragioni per cui lei farà questo. La prima è che abbiamo seguito tutta la sua serata in compagnia di Miss St Clair. In effetti, abbiamo registrato su nastro tutti i momenti più interessanti. Non credo che sua moglie sarebbe contenta di ascoltare tutte le belle cose che ha detto su di lei, vero? Soprattutto mentre guarda lei intento a sedurre una giovane donna, si toglie i vestiti di dosso e si lascia legare al suo letto. Non avrebbe una buona ricaduta sul suo matrimonio o sul suo lavoro alla banca, le pare? Bene. Se rifiuta di parlare, tenta d'ingannarci o rivela qualcosa di quanto accaduto stasera in questa stanza, quei nastri diventeranno molto popolari.

«L'altra ragione per cui lei parlerà è molto semplice. Se lei non lo farà, io le provocherò un dolore assolutamente indicibile. La prego di non nutrire nessun dubbio a questo riguardo, Mr Leclerc. Per esempio...» Carver afferrò la mano sinistra del banchiere e cominciò a piegare all'indietro il mignolo. «Fa male, vero? Se continuo, un altro pochino soltanto, l'osso si spaccherà come un rametto. Poi il dito diventerà gonfio come una salsiccia sulla griglia. Mi creda, fa così male che rimpiangerà che io non glielo abbia tagliato direttamente.» Il corpo di Leclerc stava sussultando, come attraversato da scariche elettriche. Ma Carver sembrava non accorgersene, mentre continuava tranquillamente a parlare. «E, una volta finito con un dito, passerò anche a tutte le altre. E poi sarà la volta delle dita dei piedi. E quanto al resto del suo corpo... meglio non pensarci neanche, mi creda. Dunque, vuole parlare?»

Leclerc annuì convulsamente.

«Una decisione molto assennata. Ecco, facciamola stare un po' più comodo. Forse mi può aiutare, Miss St Clair?»

Insieme, tirarono su Leclerc mettendolo dritto, in modo che la schiena poggiasse contro la testiera.

Alix si sporse in avanti e gli mormorò all'orecchio: «Spiacente, Magnus. Di' solo a Mr Vandervart esattamente quello che vuole e potrai tornartene a casa da Marthe. Tu l'ami veramente, non è forse così, Magnus?»

Altro disperato cenno d'assenso.

«Bene, allora.» Alix gli liberò la bocca dal bavaglio.

Senza abbandonare il personaggio di Vandervart, Carver continuò a parlare. «Voglio delle informazioni su uno dei conti controllati da lei. Il numero 4443717168.»

«Ma io ne controllo centinaia, di conti. Come posso ricordarmeli tutti?» La testa bendata di Leclerc si spostava da una parte all'altra in un gesto di cieca implorazione.

«Di questo si ricorderà. Sabato mattina, lei ha accusato una ricevuta per un milione e mezzo di dollari su questo conto e ha inviato un fax all'intestatario del conto. Ma, prima di domenica pomeriggio, lei ha fatto in modo che quel denaro scomparisse. Come c'è riuscito? E chi gliene ha dato ordine? Perché non credo che lei abbia rubato tutti quei soldi per sé...»

«No, no!»

«E allora che cos'è successo?»

«Non ve lo posso dire! Non posso! Loro mi ucciderebbero!» La voce di Leclerc aveva assunto una tonalità acuta, come di chi supplichi una comprensione che sa non gli verrà concessa.

«Chi sono 'loro', Magnus?»

«Non ve lo posso dire!»

«Perché loro la ucciderebbero, giusto?»

«Sì!»

«E cosa le fa pensare che non la ucciderò prima io? Apra la bocca.» Carver afferrò la Sig Sauer che portava infilata nella cintura, dietro la schiena, quindi infilò a forza la canna col silenziatore tra i denti di Leclerc. «Riesce a indovinare che cos'è? Bravo, è proprio una 9 mm. Mi creda, non esiterò a premere il grilletto. È il mio lavoro. Ma so fare anche qualcos'altro: so mantenere un segreto. E nessuno saprà mai nulla di quanto è accaduto questa sera: lei mi dica solo che cos'è successo a questo conto.»

«Non è successo niente.»

Carver schiaffeggiò Leclerc una seconda volta. «Pensavo che avessimo raggiunto un accordo.»

«No, davvero, non è successo niente. In quel conto non è mai entrato denaro. E non ne è neppure uscito. Quella ricevuta di deposito era un falso.»

«E allora chi è stato a darne l'ordine di emissione?»

«Non ve lo posso dire... Non posso!»

Carver sospirò. Ficcò di nuovo il bavaglio in bocca a Leclerc, e tornò ad afferrargli la mano. Quindi, dando un secco e improvviso strattone all'indice, cominciò a canterellare: «*Il primo maialino al mercato andò*». E poi ancora, risalendo lungo la mano: «*Il secondo maialino a casa se ne restò. Il terzo maialino un arrosto si mangiò. E il quarto maialino...*»

Da dietro il fazzoletto giunse un urlo soffocato.

Carver tenne stretto il mignolo di Leclerc per qualche secondo ancora, spingendolo all'indietro in modo che il dolore si facesse sempre più intenso, poi tolse il fazzoletto una seconda volta. «Voleva forse dire qualcosa? O vuole invece che le provi quanto sono serio?»

«No, per favore, vi supplico...»

«Allora parli. Gli ordini, da dove venivano?»

«Dalla Malgrave and Company. È una banca della City, a Londra.»

«Chi li ha mandati? Mi serve un nome.»

«Non lo so, ma penso che siano partiti proprio dal vertice, da qualcuno con un gran potere. Non sarebbe potuto succedere nulla, se non ci fosse stata l'autorizzazione del presidente della mia compagnia.»

«E allora chi dirige la Malgrave and Company? Chi è il boss?»

Leclerc azzardò un sorriso sofferente. «È un'azienda di famiglia. L'attuale presidente è Lord Crispin Malgrave.»

«Grazie, Mr Leclerc. Ci è stato di grande aiuto. Sarà fuori di qui in un attimo. Domani mattina riceverà un'e-mail. Ci saranno delle foto in allegato, stralci delle nostre registrazioni. Spero che possano servire da promemoria per invogliarla a mantenere il silenzio; ci terrei a evitare qualsiasi ulteriore fastidio. E adesso, Miss St Clair, forse potrà essere tanto gentile da rivestirsi e darmi una mano a riordinare la stanza.» Carver si voltò quindi verso il mobiletto della TV, dov'era stata nascosta una delle telecamere, e inviò un messaggio alla volta di Thor Larsson, che si trovava nell'altra suite a guardare il monitor. «Anche tu, puoi metter via tutto e uscire di lì.»

Alix rimase a lungo sotto la doccia, cercando di strofinarsi via di dosso il ricordo delle mani di Leclerc che la palpeggiavano e l'odore che sentiva mentre si trovava sopra di lui, con le labbra a pochi millimetri dal suo corpo. In bagno c'erano due flaconcini pieni di collutorio alla menta: li usò entrambi; non si erano neppure baciati, eppure si sentiva sporca. Quando tornò nella stanza, Carver stava silenziosamente riponendo l'attrezzatura video; Leclerc era seduto accasciato sui cuscini del letto, completamente stremato.

Alix raccolse le proprie cose, poi aiutò Carver a slegare e rivestire Leclerc, sempre però lasciandogli la benda sugli occhi. Il banchiere venne guidato lungo il corridoio, giù per la scala d'emergenza e infine fuori, attraverso una porta che si apriva sul retro dell'edificio. Thor Larsson era lì che aspettava di accoglierli dentro la sua Volvo sgangherata.

«Fatto tutto?» gli domandò Carver, ancora con la voce del personaggio Vandervart.

«Certo», rispose Larsson. «E non preoccuparti. La qualità di suono e immagine è superba.»

Dieci minuti dopo, Leclerc veniva spinto fuori dall'auto in una stradina secondaria deserta. Quando fu riuscito a liberarsi dei lacci e della benda, la Volvo aveva già svoltato dietro l'angolo, sottraendosi alla sua vista.

Larsson scaricò Carver e Alix sul Pont des Bergues. Lasciò che i due se ne andassero a piedi verso la Città Vecchia, mentre lui se ne tornava al suo appartamento. Rimessosi al lavoro coi suoi computer, in pochi minuti riuscì a introdursi nel server dell'hotel e a cancellare ogni segno del loro soggiorno. Stando al sistema informatico del Beau Rivage, era come se Mr Vandervart, Miss St Clair e Mr Sjoberg non avessero mai prenotato una stanza lì, né varcato la soglia dell'edificio.

Mentre riattraversavano il fiume tenendosi a braccetto, Alix domandò a Carver: «Avresti veramente fatto del male a Leclerc?»

«Sì, se fosse stato l'unico modo per farlo parlare.»

«È una cosa che spaventa, vederti in quel modo. Sembra venirti così naturale.»

«Non è così, stavo solo cercando di portare a termine il lavoro. E se pensi che a me venga naturale, be', allora dovresti vederti, come sei tu. È stato proprio un tormento starsene seduto davanti a uno schermo a guardarti mentre lo seducevi. Mi è venuto da chiedermi che cosa potrebbe pensare uno, guardando noi due.»

Si trovavano sulla sponda opposta del fiume, e per un po' camminarono senza parlare.

Fu Carver a rompere il silenzio. «Ma perché sei venuta a Parigi?» Non c'era aggressività nella sua voce, neppure un'ombra delle minacce che aveva rivolto a Leclerc. Stava solo facendo una domanda diretta, come per soddisfare una sua curiosità.

«È come ti ho detto», rispose Alix, con la medesima semplicità diretta. «Kursk voleva una donna per aiutarlo in un lavoro ed era disposto a pagare diecimila dollari.»

«Però non c'è nessun dottore, vero? Nessun fidanzato rispettabile?»

Alix aprì la bocca per rispondere, ma poi sembrò ripensarci. Sospirò e distolse lo sguardo.

Il tono di voce di Carver divenne appena un po' più duro. «E non ti ci vedo neanche a lavorare alla reception di un albergo. La gente come te e me non riesce a tenerseli, i lavori normali. Siamo stati per troppo tempo via da quel mondo per poterci adattare all'orario d'ufficio, dalle-nove-alle-cinque. E allora, cos'è che facevi *veramente*?»

Alix tirò via il braccio dal suo e smise di camminare. «Non

è ovvio? La stessa cosa che ho sempre fatto. I miei clienti erano dei russi, molto ricchi, molto potenti. Qualche volta diventavo come una specie di fidanzata, e rimanevo con lo stesso uomo per mesi. »

Carver sapeva che non c'era nulla da guadagnarci a voler per forza scavare più a fondo. Ma non poteva farne a meno. «Come quel tizio al club, con le due bionde?» Stavolta, nella domanda, si avvertiva una nota tagliente.

Alix lo guardò con quell'espressione di acido disprezzo che non le aveva più visto da quella prima notte a Parigi. «Sì, come Platon. Prima di quelle ragazze, ero io che stavo seduta accanto a lui nei club, che ridevo alle sue barzellette, che permettevo alle sue mani di palparmi le tette, che gli facevo i pompini, che mi facevo scopare. Okay? Sei soddisfatto, ora? O vuoi che continui a umiliarmi ancora un po'?»

«No, mi sono fatto un'idea.»

«Davvero? Lo capisci che cosa significa essere una donna a Mosca di questi tempi? Non esiste nessuna legge, nessuna sicurezza. La scelta non è tra una vita bella e una brutta, ma tra sopravvivere o morire. E io ho fatto quello che dovevo per – com'è che hai detto tu? – 'portare a termine il lavoro'. Poi è venuto da me Kursk, parlando di Parigi e dicendo che aveva bisogno di una donna. Ho pensato che magari era l'occasione buona per scappare e ricominciare da capo, una nuova vita.»

«Perché non me l'avevi detto prima?»

Sul viso di Alix si leggeva un dolore autentico: la rabbia aveva lasciato il posto alla rassegnazione. «Come potevo dirti tutta la verità? Se mi sono inventata un amante rispettabile e un rispettabile lavoro è stato perché ho pensato che così forse mi avresti rispettata un po' di più. Okay, ho mentito. Non sono rispettabile. Sei contento, adesso?»

Carver le prese le braccia tra le mani. «Non me ne frega niente se sei o no 'rispettabile', Alix. Di tutta la gente al mondo, io sono quello che ha meno diritto di giudicarti. Voglio solo sapere la verità.»

«Ha qualche importanza? Potrebbe mai essere diverso da così, tra noi due?»

Si erano detti tutto, ormai, non rimaneva da aggiungere

nulla mentre salivano su per la collina, immersi nei propri pensieri. Girarono l'angolo ed entrarono nella strada dove viveva Carver.

Dallo specchietto retrovisore del furgone della Swisscom dove aveva trascorso le ultime due ore, Grigorij Kursk li vide arrivare. Aleksandra Petrova indossava una parrucca mora e abiti che non le aveva mai visto addosso prima di allora, ma non faceva nessuna differenza: l'aveva vista con così tante parrucche, con così tanti travestimenti, che poteva darle semplicemente un'occhiata da dietro e riconoscerla dalla conformazione del corpo o dal modo in cui camminava.

Quando vide l'uomo accanto a lei, invece, sorrise. Si era lasciato fregare da quell'inglese, finendo in mezzo a una trappola esplosiva ad altissimo potenziale; anche se di fronte ai suoi uomini non lasciava intravedere neanche un'ombra di sofferenza o di vulnerabilità, a ogni singolo respiro sentiva una fitta violenta che s'incuneava tra le costole rotte e ammaccate. Era stato colpito tanto nel corpo quanto nello spirito, ed era giunto il momento della vendetta.

Chiamò Dimitrov, che era nel pub irlandese, e gli altri due uomini che aveva lasciato vicino all'appartamento di Carver. «Sono qui. State pronti a entrare in azione. E ricordate: li vogliamo vivi, tutti e due.»

La porta del caffè si aprì gettando una scheggia di luce bluastra del neon sui ciottoli color carbone. «Pablo! Vieni dentro!» sussurrò una voce.

Carver fu strappato dai suoi pensieri come un uomo che si risvegli da un sonno profondo. «Non stasera, Freddy. Scusa, amico, non siamo in vena.»

«Vieni dentro. È importante!»

L'insistenza nella voce di Freddy fece fermare Carver. Entrarono nel piccolo caffè dal basso soffitto a volta. C'era solo un'altra persona, un vecchio ricurvo su un piatto di minestrone.

Carver fece un cenno nella sua direzione. «*Bonsoir, Karl, ça va?*»

Il vecchio grugnì una risposta vaga e tornò alla sua minestra.

«È qui tutte le sere, l'ultimo cliente prima della chiusura, sempre un piatto di minestrone», disse Carver, anche se Alix non gli stava prestando attenzione. Tornò a voltarsi verso Freddy. «Okay, qual è il problema?»

Con un guizzo dell'asciugapiatti che portava infilato nel grembiule bianco, Freddy accennò al bancone. «Nessun problema, non ancora. Ma, più tardi, non so. Ci sono delle persone che ti cercano, Pablo. Prima un francese: è venuto qui questa mattina dicendo di lavorare per il ministero federale degli Interni. Ovviamente era una bugia; doveva essere un qualche genere di poliziotto, ne sono sicuro. Poi una donna inglese, molto gentile, carina, ma anche lei qui per fare domande.»

«Descrivimela.»

«La tipica inglese, hai presente. Non troppo distinta o elegante, ma abbastanza attraente.»

«Capelli? Vestiti?»

«Eh, vediamo...» Freddy aggrottò le sopracciglia. «Capelli castano chiaro, tipo color topo. E aveva addosso una gonna a motivi floreali, credo.»

Carver annuì. «È seduta a circa cinquanta metri da qui, in una Opel Vectra blu parcheggiata lungo la strada. C'è un uomo con lei. Quando gli siamo passati davanti lei ha afferrato la mano di lui e l'ha guardato negli occhi, come se fossero innamorati. Insomma, che cosa voleva sapere?»

«Ha parlato con Jean-Louis mentre io ero girato da un'altra parte. E lui le ha raccontato anche degli altri uomini.»

«Quali altri uomini?»

«Non lo so; io non li ho visti. Ma Jean-Louis ha visto degli uomini scendere da un'auto nera, questo pomeriggio. Poi l'auto se n'è andata, ma non tutti quegli uomini erano nella vettura. Potrebbero essere ancora qui nei paraggi.»

«In quanti erano?»

«Non lo so. Aspetta un momento...» Freddy uscì da dietro il bancone, aprì una porta e chiamò: «Jean-Louis!»

Da una stanza al piano superiore giunse una voce infantile. «Sì, papà!»

«Vieni qui.»

Si udì uno scalpiccio di piedi giù per le scale, quindi un piccolo fagottino di energia entrò come un razzo nel locale, vide Carver e strillò: «Pablo!»

Il padre gli lanciò un'occhiataccia, cercando di assumere un'aria severa. «Di' a Monsieur Pablo che cos'hai visto questo pomeriggio. Sai, quegli uomini buffi...»

«Quelli di cui mi ha chiesto la donna inglese?»

«Sì, loro.»

«Erano in tre, forse quattro. Avevano un'aria buffa. Portavano grandi cappotti, anche se fuori era bello e faceva caldo.»

Carver si accucciò per guardare Jean-Louis dritto negli occhi. «Hai potuto vedere se sotto quei cappotti portavano qualcosa?»

«No, li tenevano bene abbottonati. Di sicuro stavano bollendo.»

«Sì, lo penso anch'io. E hai visto da che parte andavano?»

Il bambino annuì. «Alcuni sono andati verso casa tua. Altri

no, ma non so che fine abbiano fatto. Sono dovuto rientrare perché *maman* ha detto che era ora di cena.»

«Va bene, non ti preoccupare. Sei stato molto bravo. Penso che un giorno potresti anche diventare un detective famoso, non sei d'accordo, Freddy?»

Freddy assunse un'espressione turbata. «Mio figlio! Un *flic*? Non è divertente, Pablo.» Si fece il segno della croce fingendosi scherzosamente atterrito, poi si rivolse nuovamente al bambino. «Okay, adesso torna a letto. Su, di corsa. Tra poco vengo a leggerti una storia.»

Carver guardò Jean-Louis sgambettare fuori dal locale, poi si rivolse ancora a Freddy. «C'è un furgone della Swisscom poco più in giù, parcheggiato sull'altro lato della strada. Da quanto è lì?»

Freddy si lasciò sfuggire un sospiro di esasperazione. «*Merde!* E come faccio a saperlo? Pablo, anche tu non sei certo meglio di un poliziotto.»

«Mi dispiace, ma potrebbe essere importante. Cerca solo di ricordare la prima parte della giornata: quando sei uscito a servire i tavoli all'aperto, questa mattina, quel furgone si trovava già lì? E si vedevano in giro dei tecnici intenti a fare il loro lavoro?»

Freddy rifletté per qualche istante. «No, non c'era nessun furgone, niente tecnici. Devono essere arrivati più tardi.»

«E, allora, o c'è stata una qualche emergenza telefonica dell'ultimo minuto, oppure quel furgone non ha niente a che fare con la Swisscom. Dobbiamo ipotizzare che si tratti del secondo caso. Dunque abbiamo il francese, la donna inglese col suo compare là nell'auto e una banda di uomini dai grandi cappotti in una macchina nera; poi è saltato fuori questo furgone. E non sembra che nessuno di questi abbia nulla a che fare con gli altri. Cristo...»

Alix lo guardò. «E ora che si fa?»

«Tu rimani qui. Io cerco di scoprire che diavolo sta succedendo.»

«Ah, è così, mi lasci qui nelle retrovie. La piccola donna indifesa...»

«No. È solo che non voglio trovarmi a scontrarmi con qualcun altro mentre sono ancora impegnato a scontrarmi con te. Quindi ho intenzione di scoprire chi c'è là fuori e giungere a un accordo con loro, se è possibile; poi potremo tornare a fare quello che stavamo facendo, di qualunque cosa si tratti... se è quello che vuoi.»

«Devo proprio andare a... ehm... pulire la cucina», disse Freddy mentre si allontanava.

Carver e Alix si guardarono in cagnesco per qualche istante: nessuno dei due aveva intenzione di cedere.

Infine lei scrollò le spalle, in un breve gesto di concessione. «E va bene, allora. Vai.»

Carver non disse nulla; la fissò ancora per qualche istante, poi si allontanò uscendo dal retro del locale.

Carver camminò tutt'intorno all'isolato, percorrendo tre strade fino a ritrovarsi in cima a quella iniziale, dalla parte opposta da cui era partito. Poteva controllare la visuale sul furgone, sul caffè e sulla Opel blu. Il Malone's Pub si trovava proprio di fronte: se qualcuno era andato a fare domande nel caffè, probabilmente era entrato anche lì; tanto valeva che pure lui facesse lo stesso.

Spinse la porta e si addentrò nel tanfo di sigarette e di Guinness. C'era la solita folla, impiegati delle Nazioni Unite e delle banche lì in zona impegnati a provare a se stessi che sotto gli anonimi abiti da lavoro c'erano ancora degli esseri umani fatti di carne e di sangue. Dietro il bancone c'era un uomo corpulento che indossava una maglia da rugby verde dell'Irlanda. Carver gli rivolse un breve cenno di saluto, poi lanciò un'occhiata indifferente in giro per il locale, come un avventore qualsiasi che vuol vedere come gira la serata.

Non gli ci volle un grande sforzo per individuare l'uomo col cappotto. Se ne stava appollaiato su uno sgabello vicino alla finestra, e guardava dritto nella sua direzione parlottando dentro un telefono; quello fu un primo indizio. L'uomo chiuse di scatto l'apparecchio, non appena colse lo sguardo di Carver; e quella fu la prova decisiva.

Carver andò verso il bar, scuotendo la testa davanti all'idiozia di un uomo che non aveva neanche il cervello di fingere disinteresse. «Una birra, per favore, Stu.»

«Nessun problema, amico», disse il barman, con un marcato accento australiano.

Carver si sporse sul bancone. «Quel tizio vicino alla finestra, con l'aria da scemo e col cappotto nero, è qui da molto?»

Stu attraversò il locale con lo sguardo. «Forse un paio d'ore, non so. E non ha bevuto molto, quel brutto bastardo. Prima ce n'era un altro, con lui, ma se n'è andato.»

«Salute.» Carver pagò la birra. Stava per portarsela via, quando fu colpito da un pensiero improvviso. «Sai una cosa, Stu, forse è meglio se chiami un dottore. Ho una premonizione. Potrebbe esserci un qualche incidente.»

«Per la miseria, Pablo, non voglio risse, qui dentro. Se hai in mente di fare casino, prendi e va' fuori.»

Carver gli diede una pacca sulla spalla. «Non preoccuparti. Non ci vorrà neanche un secondo.» Quindi cominciò a girellare per il pub con aria indifferente, portandosi verso i tavoli che si trovavano vicino alla finestra, scambiando sorrisi con le belle ragazze che incrociava lungo il percorso.

Il russo si trovava ormai a pochi metri e lo guardava, incerto su quale comportamento tenere dinanzi al suo bersaglio che gli si stava avvicinando come se niente fosse.

Tra Carver e il russo, intorno a una bottiglia di vino erano riunite tre giovane pollastrelle da ufficio, intente a scambiarsi pettegolezzi. Una di loro aveva lasciato la borsetta sul pavimento.

Al passaggio di Carver, dal gruppetto si levò un guizzo di occhiate veloci. Lui si voltò e rispose con un ampio sorriso, e con aria impertinente lanciò una strizzatina d'occhio alla più carina del trio. Subito dopo, inciampò nella borsetta; cadde in avanti, e il bicchiere che aveva in mano volò via irrorando con un arco di Guinness le ragazze, che strillando erano balzate di lato mentre lo scuro liquido schiumoso schizzava sui loro vestiti.

Le mani di Carver stavano affannosamente cercando qualcosa cui aggrapparsi. Andarono ad atterrare sull'uomo col cappotto nero, che traballò all'indietro quando l'inglese gli piombò addosso.

Corpi che volavano, sedie ribaltate sul pavimento, e gli strilli delle donne che riecheggiavano per tutto il locale. Nessuno notò il modo in cui i pugni di Carver si contrassero stringendo la stoffa del cappotto del russo, né lo scatto improvviso con cui la sua fronte andò a cozzare contro il naso dell'avversario.

Nel giro di un paio di secondi, il caos si era calmato. Carver si tirò in piedi con un'espressione attonita sul volto e, abbassando lo sguardo sul relitto sanguinolento che giaceva per terra privo di sensi, si profuse in un'accorata sequela di scuse. «Oddio! Sono terribilmente spiacente! Tutto a posto?» Poi sollevò gli occhi sul terzetto di donne, che lo stavano guardando a bocca aperta. «Qualcuno chiami un'ambulanza, presto!» Lasciò passare un attimo, poi spalancò gli occhi e, rantolando, chiese: «Dov'è il bagno degli uomini? Credo di stare per sentirmi male». E, piegatosi su se stesso, si portò le mani alla bocca e gonfiò le guance, barcollando verso il retro del locale mentre nugoli di avventori si tiravano nervosamente indietro per farlo passare.

Fu solo dopo aver passato le porte a battente, percorso tutto il corridoio e raggiunto il bagno degli uomini che Carver riprese la posizione eretta, si pulì dalla fronte una traccia di sangue e si concesse un sorriso. Uno era sistemato. Ma quanti altri ce n'erano, ancora?

Poi si aprì la porta dietro di lui.

Carver guardò nello specchio. Ed ebbe la risposta.

Grigorij Kursk doveva prendere una decisione in fretta. Dimitrov aveva avvistato Carver nel pub, ma era da solo. Nessuna traccia di Aleksandra Petrova, da nessuna parte; doveva ancora trovarsi nel caffè. Kursk mandò altri due dei suoi uomini a dare manforte a Dimitrov. E lui, cosa doveva fare?

Valutò i pro e i contro. Carver era in gamba, ma lui aveva fiducia nei suoi uomini. Magari non erano dei cervelloni, ma erano ex membri dei reparti d'assalto Spetsnaz.

Così decise di occuparsi della donna; sapeva dove trovarla. Era pronto a scommettere soldi che Carver se l'era giocata nello stesso modo in cui avrebbe fatto lui, mettendola via al sicuro da qualche parte e occupandosi da solo del lavoro da uomini. Scese dal furgone e si stiracchiò la schiena, liberandosi dall'indolenzimento provocato da due ore trascorse inchiodato su un sedile. Poi si avviò lungo la strada, diretto al caffè.

L'agente dell'MI6 numero D/813318, grado 5, funzionario Tom Johnsen stava approfittando del tempo trascorso in sorveglianza per conoscere un po' meglio la sua collega. Alla prima occhiata, non gli era sembrata nulla di speciale; il viso poteva al massimo definirsi grazioso. Jennifer Stock aveva un modo di fare amichevole ma professionale, concepito per sottolineare il fatto che, per lo meno durante l'orario di lavoro, lei era prima di tutto un'agente, e solo in seconda battuta una donna. E lui questo lo rispettava, così come gli piaceva il fatto che il desiderio di venir presa sul serio non avesse ammazzato il suo senso dell'umorismo. Poco prima, lei gli aveva raccontato di come aveva preso in giro Jack Grantham per il fatto di averla chiamata «ragazza»; prendere in giro un funzionario senior era pur sempre una cosa per cui occorreva una certa dose di coraggio. E così, più tempo trascorreva nell'auto con lei, più cresceva l'interesse di Johnsen per la donna, piuttosto che per l'agente.

Lo intrigava il poco peso che lei dava alle proprie attrattive. A quanto poteva vedere, non si truccava, e il taglio di capelli era pensato più per la comodità che per l'effetto estetico; e sembrava anche non curarsi affatto della linea. Forse era per quello che gli ci era voluto un po' di più per accorgersi che lei aveva delle gambe strepitose e un seno fantastico; Johnsen doveva fare uno sforzo enorme per guardarla negli occhi.

Era stata un'idea della donna quella di fingersi due piccioncini, nel caso qualcuno avesse cominciato a guardare con sospetto a due persone sedute in un'auto ferma. Erano intenti a scambiarsi storie terrificanti sui rispettivi tentativi di trovare una casa decente in Svizzera con le misere indennità concesse dall'MI6, quando Johnsen vide un uomo uscire dal furgone della Swisscom e dirigersi verso il caffè.

«Aspetta un attimo, abbiamo compagnia», disse, afferrando la macchina fotografica e scattando qualche inquadratura.

«Lo conosco», disse Jennifer Stock. «Girava qui intorno questo pomeriggio, ma era al volante di una BMW nera. Oh, ecco qui qualcosa che potrebbe rivelarsi interessante...»

Lo guardarono mentre entrava nel caffè.

«Gli altri due sono ancora là dentro, giusto?» domandò

Johnsen. «Che si fa? Lo seguiamo là dentro e cerchiamo di dargli un'occhiata un po' più da vicino?»

«No, potrebbe essere rischioso: è un locale piccolo. Se vado là dentro, è probabile che il tizio che lo gestisce mi riconosca. E, se scoppia qualche problema, non sarebbe così semplice per noi tenercene fuori.»

«Già, ma dobbiamo scoprire che cosa stanno combinando quei pagliacci. Io faccio un giro di perlustrazione. Poi torno qui, ti dico che cosa stanno facendo e decidiamo la nostra prossima mossa. Okay?»

Prima che la donna avesse anche solo il tempo di annuire, Johnsen scese dall'auto e s'incamminò verso il caffè.

I due russi entrarono nell'angusto bagno degli uomini uno alla volta. Il primo aveva irsuti capelli tinti di rosso; aveva aperto la porta spingendola con la schiena e stava entrando nell'atto di girarsi. I due erano muniti di piccoli mitra MAC-10, con silenziatori Sionics che avrebbero virtualmente soppresso qualsiasi suono, di gran lunga più precisi del normale MAC a canna corta. Quella fu la prima cosa che Carver notò, proprio nello stesso momento in cui stava infilando la mano nella giacca per prendere la pistola. Ma, una volta che ebbe spianato la Sig Sauer e l'ebbe fatta scorrere da un uomo all'altro, comprese che quei due non gli avrebbero sparato.

Se quella fosse stata un'imboscata per ucciderlo, lo avrebbero fatto semplicemente saltare per aria, e lui sarebbe stato ridotto in mille pezzi ben prima di avere anche solo una possibilità di scappare. E invece quei due se ne stavano fermi lì, con un'aria professionalmente severa, ma anche un po' seccata, come di chi avrebbe voluto godersi l'opportunità di ammazzarlo, ma ha ricevuto l'ordine di non farlo.

La cosa tornava. Qualcuno aveva bisogno di Carver vivo. Finché Alix e il computer stavano ancora circolando liberamente là fuori, togliere di mezzo lui non era sufficiente; c'era bisogno del pacchetto completo.

Carver incamerò quell'altra informazione: almeno entro i secondi successivi, non sarebbe morto. Potevano anche puntargli addosso i mitra, ma nessuno di loro avrebbe cominciato a sparare. Ma, se si fosse lasciato prendere, di certo l'interrogatorio che lo aspettava sarebbe stato di quelli pesanti. E poi c'era Alix: per quanto ancora sarebbe stata al sicuro nel locale di Freddy?

A quanto pareva, i due sgherri non parlavano inglese. Non

facevano altro che starsene lì, guardandolo in cagnesco. Quello rosso continuava a strizzare gli occhi: aveva le pupille dilatate tipiche di chi è strafatto di droga, ed era di un pallore grigiastro; la carne del viso sembrava consumata fino agli zigomi, con la fronte e il pomo d'Adamo che spiccavano con un rilievo innaturale. Carver riusciva quasi a sentire il ronzio delle sue terminazioni nervose sovraeccitate, e poteva percepire lo sforzo che l'uomo stava facendo per mantenere almeno una parvenza di autocontrollo.

Per qualche secondo non accadde nulla: nessuno sapeva quale sarebbe stata la mossa successiva. Carver non aveva nessuna intenzione di compiere gesti che potessero irritarli, non quando un pazzo su di giri con un mitra fra le mani si trovava a meno di due metri da lui. L'altro uomo armato cominciò a spostarsi lungo lo spazio che si apriva tra gli orinatoi da un lato e i lavandini dall'altro; con molta cautela si portò vicino a Carver, fermandosi appena fuori della sua portata, e prese posizione oltre lui, in modo tale che non fosse in grado di coprire entrambi gli uomini con una sola arma. Indicò la pistola di Carver e fece un gesto secco col dito come per dire: «Lasciala andare».

Carver lo scrutò, in silenzio, prendendo nota della faccia carnosa, liscia e inespressiva come una patata, con occhi piccoli e labbra tumide e corrucciate, da bullo.

Il russo ripeté il gesto, stavolta con più energia, e con un più alto grado d'irritazione.

«Oh, era la mia pistola, che volevi? Be', eccola qui», fece allora Carver, sgranando gli occhi in un'espressione innocente. Gli lanciò con forza la Sig Sauer contro i piedi, ed essa batté ripetutamente contro il pavimento di mattonelle, prima di andarlo a colpire sulle caviglie.

Gli occhi suini del russo si abbassarono per una frazione di secondo, e tanto bastò a Carver per ruotare su se stesso facendo perno sul piede sinistro e mandando il destro a sbattere contro la mascella dell'altro. L'uomo assorbì il colpo barcollando all'indietro e Carver, seguendo il suo movimento, gli afferrò il braccio destro e lo usò come leva per farlo ruotare, come un ballerino che fa fare una piroetta alla sua partner, facendolo volare lungo il pavimento verso il suo compare dalla zazzera rossa.

Quando i due sgherri si scontrarono, Carver afferrò il silenziatore del MAC che l'uomo dalla faccia a patata impugnava e glielo strappò via. Aveva fatto un giro completo su se stesso e si trovava faccia a faccia con gli altri due. Zazzera rossa ebbe un attimo di esitazione, dubbioso se sparare oppure no, e quella pausa microscopica era tutto ciò di cui Carver aveva bisogno. L'inglese fece un solo passo in avanti, brandendo la canna della pistola come una mazza da baseball, e la roteò di rovescio con tutta la sua forza, mandando l'impugnatura a sbattere contro la testa dello strafatto, e col gomito sinistro sferrò un colpo all'indietro nella direzione opposta, colpendo in pieno volto.

Con quella mossa, Carver si ritrovò nella posizione giusta per un altro colpo di rovescio con la pistola. Mise tutta la forza che aveva nella rotazione e colpì, con uno schianto di ossa rotte che fece schizzare attraverso la stanza uno spruzzo di moccio sanguinolento. Lo strafatto crollò a terra privo di sensi, proprio accanto al suo socio.

Carver si concesse un istante per riprendere fiato. Controllò la propria immagine riflessa nello specchio, si lisciò i capelli e diede una ravviata ai vestiti. Poi raccolse da terra la pistola e uscì dal bagno.

Stu lo stava aspettando. «Ehi, amico, tutto a posto? Avevi l'aria di uno che stava per vomitare anche l'anima.»

Carver abbozzò un sorrisino mesto e fece il gesto di ripulirsi la bocca con la mano. «Sì, sto bene. Ma è il caso di dire ai clienti che è meglio se non entrano nel bagno, per un po'. C'è un macello sul pavimento.»

«Qualcosa a che vedere coi due tizi che sono entrati subito dopo di te?»

Carver si strinse fra le spalle. «Due tizi? No, credo di non averli visti.»

L'australiano ghignò. «Che cavolo, amico, sono contento di non aver mai avuto una discussione con te. Senti, il dottore sta arrivando, e anche la pula. Un paio di clienti hanno insistito per chiamarla. Sono maledettamente rispettosi della legge, questi svizzeri.»

«Mi tolgo di mezzo, allora.»

«Già, credo sia una buona idea. Ed è anche meglio se le tue Guinness, per un po', te le vai a bere da qualche altra parte.»

Kursk aveva agito senza esitazioni. Aleksandra Petrova lo aveva visto mentre entrava nel bar, e aveva cercato di alzarsi dal tavolo dove, china su una tazza di caffè, era intenta a commiserarsi. Non era la prima volta che il russo la vedeva in quello stato, tutta presa a lamentarsi della propria situazione, proprio come qualsiasi altra puttana ingrata. Prima ancora che fosse riuscita ad alzarsi, le aveva messo un braccio intorno alla gola e adesso la stava stringendo forte, tanto da soffocarla. Lei cercava di dimenare le braccia e i gomiti, ma i suoi colpi non facevano che rimbalzargli addosso.

Kursk vide due uomini nel locale: un buffo vecchietto seduto a un altro tavolo che si stava sorbendo una zuppa e, dietro il bancone, un uomo di mezza età dalla calvizie incipiente con indosso un grembiule bianco. Il russo gli puntò addosso il fucile, facendogli segno di uscire da dietro il bar. Quando ebbe raggiunto il centro della stanza, Kursk gli fece ancora segno, indicando il pavimento. L'uomo si mise in ginocchio e Kursk si fece avanti, tirandosi dietro Alix con la stessa facilità di un bambino che giochi con un orsacchiotto di peluche; colpì col piede la schiena dell'uomo, costringendolo a mettersi faccia in giù sul pavimento.

Il vecchietto non si era mosso. Probabilmente era rimbambito dall'età, pensò Kursk. Non aveva senso cercare di comunicare con lui, così si limitò a sferrare un calcio alla sua sedia, tirandogliela via da sotto; il vecchio crollò andando a sbattere per terra. Giusto perché il messaggio arrivasse più chiaro, gli mollò un calcio in testa, e sparò una pallottola sul pavimento tra i due uomini; rimasero sdraiati là, il vecchio emettendo lamenti incoerenti.

Kursk, puntando la pistola alla testa di Alix, le sibilava all'orecchio: «Tu vieni con me, puttana traditrice. Jurij ti vuole viva, ma azzardati a fare qualche cazzata e ti trapasso la mascella con una pallottola, così quel bel faccino finisce in mille pezzi. Viva lo sarai, ma preferirai non esserlo. E adesso muoviti!»

Cominciarono a spostarsi verso l'uscita, e fu allora che Tom Johnsen varcò la soglia. Rimase fermo là per un momento, cercando di dare un senso a ciò che stava vedendo: due uomini stesi a terra, un altro che teneva stretta una donna minacciandola con una pistola. Un vigliacco avrebbe fatto la cosa intelligente, affrettandosi a togliersi di lì. Ma Johnsen non era un vigliacco, era un agente speciale, ed era anche un uomo coraggioso davanti a un criminale che stava cercando di rapire una donna. Così, fece l'atto di prendere l'arma.

Ma, prima che riuscisse anche solo a mettere la mano sulla pistola, Kursk gli ficcò due pallottole dritte nel torace. L'impatto spinse l'inglese all'indietro, facendolo finire riverso in mezzo alla strada. Poi il russo si voltò verso i due uomini stesi sul pavimento, che erano appena diventati testimoni oculari di un omicidio, e sparò a bruciapelo sulle nuche; le pallottole portarono loro via mezza testa, andando poi a conficcarsi nel pavimento.

Alix girò la testa e sputò in faccia a Kursk. «Bastardo!» disse con voce roca, annaspando per trovare l'aria necessaria a pronunciare le parole. «Non avevi nessun bisogno di farlo.»

L'uomo la picchiò in testa con la pistola, lasciandola frastornata e in uno stato di semincoscienza mentre veniva trascinata fuori dal caffè. Non avrebbe avuto bisogno di fare neppure quello, ma l'aveva fatto sentire bene ugualmente.

Mentre guardava Tom Johnsen che camminava verso il caffè, Jennifer Stock stava pensando ai modi bizzarri che la vita usa per far incontrare uomini e donne. Quando si era svegliata, quella mattina, non aveva nessuna aspettativa d'incontrare qualcuno di nuovo, non più di quante ne avesse di passare mezza giornata chiusa in un'auto a fare un appostamento.

Ma ecco invece com'era andata la giornata, ed ecco come aveva incontrato quell'uomo.

Le piaceva. Le era piaciuto il modo in cui le aveva sorriso quando le aveva aperto la portiera dell'auto per farla entrare. Le piaceva il modo in cui il sole gli faceva brillare i peli dorati sui forti avambracci muscolosi quando, mentre guidava, teneva stretto il volante, le maniche arrotolate. Le era piaciuto il modo in cui si era sforzato, senza riuscirci, di non fissarle il seno, e l'occhiata da scolaretto colpevole che aveva fatto quando lei lo aveva beccato.

«Scusami», aveva detto, con aria contrita. E poi, rianimandosi, aveva aggiunto: «D'altro canto, sei talmente strepitosa, che non farlo sarebbe una scortesia».

Lei ci aveva provato, ad apparire contrariata, ma non aveva potuto fare a meno di sentirsi ridicolmente lusingata. Sospirò, ben sapendo dove tutto ciò l'avrebbe condotta. Si domandò se le soddisfazioni sarebbero valse tutte le inevitabili complicazioni di una relazione con un collega in servizio. Poi si disse di smetterla di comportarsi come una ragazzina e di concentrarsi sul lavoro. E fu proprio in quel momento che notò lo sguardo di sorpresa sul viso di Tom e i due passi che fece barcollando all'indietro, come se il suo corpo fosse stato raggiunto da un colpo invisibile, prima di crollare a terra rimanendo immobile in mezzo alla strada.

Quanto aveva appena visto era così distante dai pensieri in cui era stata immersa fino a quel momento, che le ci vollero un paio di secondi per afferrarne pienamente il senso; poi, nel suo cervello la piena comprensione andò a coincidere con l'orrore. Spalancò la portiera dell'auto, estrasse la pistola e si lanciò di corsa giù per la strada, gridando il nome dell'amante che non aveva mai avuto; ed era talmente concentrata su quel corpo senza vita, che sulle prime non registrò la presenza dell'altro uomo, né della donna che lui teneva abbrancata.

E poi si trovarono l'uno di fronte all'altra, Jennifer e il killer. E lei seppe all'istante che, pur essendo entrambi armati, nella realtà dei fatti ciò non avrebbe fatto nessuna differenza. Nel corso del breve addestramento che aveva ricevuto sull'uso delle armi leggere, le avevano detto che durante la seconda guerra mondiale l'ottantacinque per cento dei soldati non aveva mai ceduto alla furia di fare fuoco con la propria arma, nemmeno quando la loro stessa vita era seriamente minacciata. Gli esseri umani normali, non affetti da psicopatologie, sono enormemente inclini a non ammazzare i propri simili; pertanto, in qualsiasi addestramento militare, l'elemento psicologico più importante consiste nel superare tale inclinazione e trasformare delle persone ragionevoli in assassini.

Ma, nel caso di Jennifer Stock, l'addestramento non aveva avuto successo. La donna sapeva di dover sparare all'uomo che aveva di fronte, altrimenti sarebbe stata lei a essere colpita, eppure non riusciva a farlo.

E anche il killer lo sapeva. La donna glielo poteva leggere negli occhi, nell'accenno di sorriso che gli vibrava all'angolo della bocca. Il loro incontro non durò più di una manciata di secondi, eppure sembrò prolungarsi per ore, mentre quel sorriso si allargava, e le dita dell'uomo si stringevano intorno al grilletto e dalla bocca della pistola divampava un lampo.

Jennifer Stock si sentì afferrare da una forza più potente della gravità e fu scagliata in aria, proprio com'era successo al suo collega. E poi non sentì più nulla.

Kursk si fermò un momento per essere sicuro che la donna fosse davvero morta, poi continuò per la sua strada. Raggiunto il furgone, aprì il portellone posteriore con uno strappo violento, quindi sollevò Alix e ve la buttò dentro. Mentre girava intorno al furgone per raggiungere la portiera del conducente, colse con la coda dell'occhio un movimento fulmineo. Guardò dall'altra parte della strada, in fondo, e vide un uomo che stava uscendo dal pub irlandese. Era Carver.

In quello stesso momento, Carver scorse Kursk e si mise a corrergli incontro lungo la strada, tenendo la testa bassa, coprendosi il corpo dietro la fila di auto parcheggiate mentre il russo cominciava a sparare nella sua direzione.

Kursk rimase per qualche istante al riparo della portiera del furgone, aspettando di vedere se qualcuno dei suoi uomini seguiva l'inglese fuori del pub; ma dopo qualche istante capì che erano ancora una volta uno contro uno, come nelle fogne di Parigi.

Sparò altri due colpi in direzione di Carver, solo per costringerlo a continuare a tenere la testa bassa, quindi strisciò nella cabina e accese il motore, spingendo a tavoletta sull'acceleratore mentre ingranava la marcia. Vide l'inglese correre in mezzo alla strada e fermarsi nella posizione di fuoco, a gambe divaricate e con le braccia distese.

Kursk non badò ai proiettili che gli fracassavano il parabrezza andando a conficcarsi nella carrozzeria al suo fianco; puntò il furgone dritto su Carver, costringendolo a tuffarsi di lato mentre lui strisciava contro le fiancate di una fila di auto parcheggiate.

Il furgone schizzò a gran velocità attraverso la strada, ma poi il russo riprese il controllo del volante, si tirò su seduto sul sedile e sfrecciò via nella notte.

Ormai non poteva più essere raggiunto. Se Carver voleva che la donna tornasse da lui, pensò Kursk, sarebbe stato costretto a implorarlo.

Nel momento stesso in cui aveva visto la massiccia figura accanto al furgone della Swisscom, Carver seppe che si trattava di Grigorij Kursk, e seppe anche di aver commesso un terribile errore: non avrebbe mai dovuto lasciare Alix da sola; il suo rifugio aveva finito per trasformarsi in una trappola.

Non poteva fare nulla per aiutarla, non in quel momento. Non poteva sparare contro il furgone mentre sfrecciava via; trapassando i pannelli laterali, i proiettili avrebbero potuto facilmente colpire Alix. E non poteva neppure far esplodere gli pneumatici; la donna era priva di qualsiasi protezione e, alla velocità cui il furgone stava andando, il suo corpo sarebbe stato sballottato come la pallina di un flipper. E Carver sapeva bene che una decelerazione improvvisa poteva risultare fatale a un passeggero.

Tornò indietro di corsa lungo il marciapiede, facendosi strada attraverso i capannelli di gente che andavano già formandosi sulla strada. I volti erano accesi di un'ansia che non tardò a tramutarsi in curiosità, quell'insaziabile desiderio dei sopravvissuti di dare un'occhiata a quelli che sono morti. I rispettabili cittadini che Carver andava spintonando lungo il suo tragitto avevano l'aria di spettatori arrivati tardi a un'impiccagione pubblica, e che si sentivano defraudati per essersi persi il grande momento.

C'era una decina di curiosi intorno a due cadaveri sulla strada, un uomo e una donna. Carver riconobbe la coppia che aveva visto dentro la Opel blu.

«*Papà!*» Una sola parola, strillata con la voce acuta e gemente di un bambino.

Carver si fece strada a spintoni dentro il caffè e vide Jean-Louis in ginocchio, col pigiama di Winnie-the-Pooh tutto imbrattato di sangue, che tra le lacrime scuoteva il corpo senza vita di Freddy.

«Svegliati, papà. Svegliati!»

Carver si avvicinò al bambino e lo prese in braccio, stringendoselo al petto. Si sentiva circondato dalla morte, sopraffatto dalla perdita e devastato dal senso di colpa per la distruzione che sembrava aleggiare intorno a lui come una malattia infettiva, contagiando tutti quelli con cui entrava in contatto. Sentì il petto che si sollevava, il respiro sospeso, e poi barcollando si accasciò contro un muro, vi appoggiò la schiena e scivolò giù fino a terra.

Non avrebbe saputo dire per quanto tempo rimase così. La prima cosa di cui ebbe nuovamente coscienza fu Jean-Louis che gli veniva strappato dalle braccia. Sentì un dolore violento su un lato della gamba, ed ebbe la vaga percezione di qualcuno che lo stava prendendo a calci, e di una voce di donna che gridava.

«Come osi? Come osi tenere in braccio mio figlio quando suo padre è morto a causa tua?»

Carver aprì gli occhi e vide Marianne, la moglie di Freddy; la vedova, ormai. Colse l'immagine fugace di un viso devastato dal dolore della perdita, ma nel quale gli occhi ardevano di rabbia.

E poi la donna si chinò su di lui e lo schiaffeggiò forte. «Alzati! Tirati su, patetico surrogato di essere umano! Il mio uomo è morto. Hanno portato via la tua donna. Perché non ti alzi e non fai qualcosa?»

Carver sapeva riconoscere un buon consiglio, quando ne sentiva uno. Alzò lo sguardo su Marianne, incapace di trovare parole per chiedere perdono. Poi si alzò e guardò il sangue che ricopriva lo scintillante vestito di Dirk Vandervart, e la sua vistosa camicia firmata. «Non posso andare in giro così, tutto sporco di sangue», mormorò. Attraversò la stanza e prese la borsa che aveva lasciato lì meno di quindici minuti prima, quando Freddy non aveva nulla di cui temere, quando Jean-Louis pensava ancora che il suo papà fosse immortale. «Posso cambiarmi da qualche parte? La polizia arriverà a momenti.»

Marianne aprì la porta che dava sulle scale; sul suo viso non s'intravedeva la minima traccia di perdono. La voce suonò ancora dura e implacabile. «Di sopra. Lascia lì i vestiti sporchi, me ne sbarazzo io.» Quando Carver le passò accanto, lei gli afferrò il braccio. «Vuoi che prenda in considerazione l'idea di perdonarti? Bene, trova le persone che hanno fatto questo e ammazzale. Ammazzale tutte!»

Il tempo di lavarsi via il sangue dalle mani e dalla faccia e d'infilarsi di nuovo i suoi soliti vestiti «da lavoro», e di sotto era arrivata la polizia e aveva cominciato a interrogare Marianne e Jean-Louis. Carver voleva uscire, ma aveva bisogno di un berretto, qualcosa per coprirsi i capelli e nascondere il volto alla vista; mise a soqquadro la camera frugando in cassetti e armadi, finché, abbandonato sul fondo di un mobiletto, non trovò un vecchio berretto blu decorato con lo stemma rosso scuro del Servette, la squadra di calcio di Ginevra. Lo sbatté contro la coscia per mandar via la polvere e se lo calcò bene in testa.

Si arrampicò fuori della finestra, quindi si lasciò scivolare lungo un tubo della grondaia fino a raggiungere il cortile sul retro dell'edificio; ritornò sulla strada, cercando di assumere un atteggiamento noncurante. Tre auto della polizia e un paio di ambulanze bloccavano il passaggio davanti al caffè; un uomo della scientifica stava scattando foto dei due cadaveri. Pochi metri più in là, altri due uomini discutevano animatamente; parlavano francese, ma, quando passò loro accanto, Carver si accorse che uno di loro aveva un accento inglese molto marcato.

«Devo insistere che mi venga permesso d'ispezionare i corpi», stava dicendo. «Rappresento il governo di sua maestà. Questi erano miei colleghi. È possibile che avessero con sé dei documenti ufficiali che ora devo recuperare.»

Certo che li devi recuperare, pensò Carver. I soli funzionari governativi che venivano destinati a compiti di piantonamento in Paesi stranieri erano agenti dell'MI6. Si erano mossi più veloce di quanto non si sarebbe aspettato. E lui avrebbe dovuto essere ancora più veloce.

In fondo alla strada si fermò accanto alla sua automobile,

una berlina Audi RS6; sembrava un esemplare perfettamente normale di un solido, affidabile modello Audi di media cilindrata, ma l'apparenza era ingannevole. Sotto la banale carrozzeria grigio acciaio, c'era infatti un motore V8 da 2400 cavalli in grado di schizzare ai cento all'ora in poco più di quattro secondi; era dotata di una trazione integrale che la faceva aderire alla strada come limatura di ferro su una calamita. Non c'era un solo veicolo della polizia in tutta Europa il cui conducente avrebbe sprecato una seconda occhiata su un'auto come quella. Ma, se un poliziotto avesse tentato d'inseguirla, avrebbe scoperto di non riuscire neppure a tenerla a portata di vista.

Carver scivolò nell'abitacolo, accese il motore e sfrecciò via dalla città.

Jurij Sergejevič Žukovskij non corrispondeva all'immagine convenzionale che Carver aveva del gangster russo. Non era fisicamente imponente: altezza media, con un viso sottile e corti capelli ormai grigi che stavano cominciando a diradarsi. Il vestito antracite, con la camicia bianca e la cravatta a disegni del tutto ordinari, dava l'idea di un uomo per nulla interessato ad apparire alla moda o a fare sfoggio della propria ricchezza; avrebbe potuto essere facilmente scambiato per una specie di intellettuale, magari un accademico o uno scienziato. La voce era tranquilla e discreta, ma il freddo acciaio dei suoi occhi grigi e la fermezza dello sguardo svelavano la verità sulla sua spietatezza, sull'ambizione e sulla fame di potere. L'ex colonnello del KGB parlava con voce tranquilla non perché fosse troppo mite per urlare, ma perché aveva l'assoluta certezza che anche il suo più piccolo bisbiglio avrebbe ricevuto obbedienza immediata.

La sua giornata era incominciata alle otto di mattina con un meeting a Mosca, durante il quale era stato discusso l'acquisto dell'ultima fonderia di alluminio in Russia che ancora non era in mano sua. Le sue tattiche di negoziazione erano molto semplici: dichiarava un prezzo d'acquisto, quindi informava i venditori che, nel caso non avessero accettato, sarebbero morti entro la settimana. Ecco come funzionavano gli affari nell'economia di frontiera del nuovo selvaggio Est, e Žukovskij vi si trovava a meraviglia.

Non tutti i suoi traffici, però, stavano andando così lisci; non tutti i suoi partner erano tanto sensibili all'intimidazione. Nel Challenger che quel pomeriggio lo aveva portato in Svizzera, Žukovskij aveva ricevuto una chiamata dal presidente di uno Stato africano. Era un vecchio amico dai tempi del comunismo che, come tanti membri della classe dirigente africana degli ultimi anni del XX secolo, aveva ricevuto la sua formazione a Kiev; ma in lui non c'era proprio nulla di amichevole: stava cercando di sottrarsi a un ordine da cento milioni di dollari, e non si trattava di alluminio.

«Mio caro Jurij», esordì con voce solenne il despota corrotto, il cui patrimonio in Svizzera combaciava esattamente, fino all'ultimo miliardo, con l'ammontare degli aiuti umanitari riversati nel suo Paese durante gli ultimi tre decenni. «Come già le ho detto svariate volte nel corso delle ultime settimane, non è niente di personale. È una questione politica. Semplicemente, non possiamo far vedere che acquistiamo il tipo di prodotti che voi proponete di venderci.» Parlava inglese con un tono che combinava la ricca musicalità dell'inflessione africana con la languida affettazione di un gentleman inglese. Dopo Kiev, aveva completato gli studi alla London School of Economics, ulteriore tratto tipico della sua casta.

«Io non sto proponendo nulla, signor presidente», replicò Žukovskij, con tono paziente. «Sto semplicemente onorando un contratto che entrambi abbiamo firmato.»

«Un contratto firmato in circostanze assai diverse, quando nei Paesi occidentali predominava un diverso atteggiamento. Si tratta semplicemente di questo. Abbiamo ricevuto pressioni enormi per indurci a modificare certi aspetti del nostro approvvigionamento militare e della nostra politica strategica. C'è stato anche chi è arrivato a minacciare il ritiro degli aiuti di cui il mio popolo ha un così disperato bisogno.»

Gli occhi di Žukovskij si chiusero in un gesto di silenziosa frustrazione, mentre formulava la sua risposta. «La prego, signor presidente, mi risparmi i discorsi strappacuore. Noi abbiamo fatto un accordo. Le sarei grato se la sua nazione volesse attenervisi.»

«Temo che questo sarà impossibile», ribatté il presidente. «Ma non dia la colpa a me. La dia invece a quella maledetta donna sempre lì a sfilare davanti alle telecamere.»

«Quella maledetta donna è morta. Non sarà più nella posizione d'influenzare nessuno, e le sole telecamere davanti alle quali sfilerà ancora saranno quelle presenti al suo funerale. Presto tutto tornerà alla normalità.»

«Bene, spero che vada così. E, in quel caso, sarò più che felice di tornare ad acquistare i vostri prodotti. Fino ad allora, il nostro accordo deve essere sospeso. E non si finga così indignato. Dubito di essere l'unico tra i suoi clienti ad aver deciso di rivedere i propri piani.»

Žukovskij cercò di mantenere la calma; la sua voce non tradiva neppure un'ombra di delusione, né tantomeno di rabbia. «Come lei sa, signor presidente, gli accordi coi miei clienti sono sempre strettamente confidenziali.»

«Naturalmente. Be', mandi i miei saluti a Olga.»

«E i miei a Thandie. Arrivederci, signor presidente.» Žukovskij riagganciò il telefono e si lasciò sprofondare nel divano di pelle beige che correva lungo tutto un lato della cabina. Le cose non stavano procedendo come avrebbero dovuto, ma forse c'era da aspettarselo. Il mondo era ancora sotto shock; la gente avrebbe avuto bisogno di un po' di tempo per tranquillizzarsi e tornare alle solite cose di sempre. Nel frattempo, lui aveva anche troppe questioni in sospeso da risolvere.

La sua Bentley gli andò incontro all'aeroporto privato sul lato orientale del lago di Ginevra, e lo portò alla tenuta di montagna che possedeva appena fuori Gstaad. Žukovskij era lì da quasi quattro ore quando ricevette il messaggio di Kursk: Carver era ancora riuscito a scappare. Ma poi, nascondendo a malapena la contentezza sadica che traspariva dalla sua voce, lo sgherro riferì di aver catturato Aleksandra Petrova.

Žukovskij sapeva che cosa Kursk avrebbe fatto alla donna, se solo gliene fosse stata data l'opportunità. Quando Alix arrivò al sontuoso chalet – e il furgone della Swisscom sembrava assurdamente fuori luogo, sul vialetto carrabile concepito per macchinoni e limousine – il boss non aveva ancora deciso che cosa fare della sua amante fuggiasca.

«Che piacere rivederti, Aleksandra», le disse quando, malridotta e quasi incapace di reggersi in piedi, la donna fu condotta nel suo studio. «Mi stavo domandando quando saremmo tornati a incontrarci. Hai l'aria stanca. Siediti.» Lanciò un'occhiata a un servitore in attesa in fondo alla stanza. «Portale qualcosa da mangiare e da bere.» Quindi tornò a concentrare l'attenzione sulla donna con la camicia sporca, la gonna blu strappata e il capo chino, che si stava massaggiando con la mano il livido dietro la testa. «E ora, Aleksandra, dimmi un po' che cos'hai combinato. Raccontami... tutto quanto.»

Il tono di voce di Žukovskij non avrebbe potuto essere più suadente, né la sua sollecitudine più sincera. Ma la minaccia dietro quelle parole pronunciate con tanta dolcezza era tagliente come una lama sguainata.

MARTEDÌ, 2 SETTEMBRE

Carver trascorse le ultime ore della notte in un Novotel alla periferia di Mâcon, un centinaio di chilometri oltre il confine tra Svizzera e Francia. Lungo tutto il percorso aveva sempre guidato su strade secondarie, tenendosi lontano dalle autostrade. Aveva meditato su quale sarebbe stata la sua mossa successiva.

A ogni minuto che passava, Alix si trovava in un pericolo sempre maggiore. Considerando la cosa dal punto di vista di Kursk, lei lo aveva tradito; e certamente il suo capo l'avrebbe vista allo stesso modo. Più la donna rimaneva nelle loro mani, più lontano l'avrebbero portata, e maggiore sarebbe stato il male che potevano farle.

E tuttavia Carver non poteva permettersi di correre rischi stupidi. Se voleva arrivare da lei, doveva prima raggiungere Londra tutto intero, affrontare Malgrave e smascherare gli uomini che si nascondevano dietro il complotto di Parigi. Ma, a quanto pareva, sia la mafia russa sia i servizi segreti britannici gli stavano alle calcagna. Ormai la sua descrizione doveva già essere stata inviata a porti, stazioni ferroviarie e aeroporti.

Si svegliò alle sette e mezzo, e fece subito una chiamata a Bobby Faulkner. A Londra erano un'ora indietro, ma non aveva mai conosciuto nessuno con dei figli piccoli che dormisse molto oltre il sorgere del sole.

L'amico sollevò la cornetta con un assonnato: «Sì, pronto?»

Carver andò dritto al punto. «È una linea sicura, la tua?»

Faulkner fece una risatina stanca. «Buongiorno, Pablo. Due chiamate in tre giorni, quale onore. Che intendi per 'linea sicura'?»

«Sei intercettato? Ti tengono sotto controllo? Sei sottoposto a un qualche tipo di sorveglianza?»

«Ormai faccio l'agente immobiliare, Pablo. Lo sapresti anche tu, se ti fossi preso il disturbo di tenerti in contatto. Quindi, a meno che la concorrenza non stia cercando di scoprire un qualche elegante trilocale che necessiti soltanto di pochi ritocchi, no, non mi sta sorvegliando nessuno. Perché diavolo me lo chiedi?»

«Ho bisogno di un favore, di un grande favore. Un favore da commilitone.»

«Ossia, il genere di cose che dovrei fare per te in nome di tutti gli anni trascorsi a combattere fianco a fianco, salvandoci il culo a vicenda...»

«Sì, proprio quel genere di cose lì.»

«Hai una bella faccia tosta, non ti pare? Ma l'hai sempre avuta, del resto. Dimmi, allora. Mi faccio un paio di caffè belli forti e provo a svegliarmi.»

Carver rimase ad ascoltare il fruscio di piedi che attraversavano la casa, e l'acciottolio di una tazza di porcellana su un piano di marmo. Poi, continuò. «Okay, allora. Ce l'hai ancora quella barca?»

«Sì», fu la cauta risposta di Faulkner.

«Dove la tieni?»

«A Poole, come ai vecchi tempi. Ma si può sapere che vuoi da me?»

«Ho bisogno di attraversare la Manica e non voglio passare attraverso nessun check-in, dogana o controllo passaporti. Non mi rimane che una traversata in barca a vela. E tu sei l'unico che conosca a possedere uno yacht da undici metri. Quindi ho bisogno che tu mi venga a prendere. Se sei a Poole, ritengo che il punto con migliori possibilità sia senz'altro Cherbourg.»

All'altro capo della linea vi fu un lungo sospiro. «Fammi capire bene. Tu vuoi che io navighi da solo per un minimo di... nove ore, sempre ammesso che vento e maree siano di buon umore, che ti prenda su a Cherbourg e spenda poi altre nove ore per riportarti indietro? Cristo santo, Pablo, se comunque ci devi andare, a Poole, allora prendi il traghetto come qualsiasi altro essere umano.»

«No, Bobby, non posso davvero. E non navigherai da solo, sulla via del ritorno. Io ti farò da secondo.»

« Buon Dio... E quando dovrebbe aver luogo questa traversata? »

« Stanotte. Be', tu dovresti recarti là in giornata. Dobbiamo tornare indietro col favore delle tenebre. »

Dall'altra parte, lunga pausa di silenzio.

Carver poté sentire l'acqua bollente che veniva versata in una tazza, il tintinnio di un cucchiaino che mescolava, poi il rumore di un uomo che si stava prendendo il primo sorso di caffè caldo della giornata.

Infine, Faulkner parlò. « Va bene, Pablo, di che storia si tratta? In che razza di pasticcio ti sei ficcato? »

« Temo di non potertelo dire, questo. »

« Be', invece dovrai farlo. Ascoltami bene, io sono un uomo sposato; ho una famiglia cui pensare. Non posso rischiare l'osso del collo solo perché a te viene in mente di chiedermi un favore. Ho il diritto di sapere qual è la portata del casino in cui mi sto mettendo. »

« Sì, ce l'hai, questo diritto », concordò Carver. « Ma credimi se ti dico che è davvero meglio che tu non sappia quello che sta succedendo. Se mi porti dall'altra parte, ti saluterò nel momento stesso in cui toccheremo terra e non mi sentirai più finché non sarà tutto finito. »

« Finché non sarà finito *cosa*? »

« Finché non avrò risolto un piccolo problema personale. » Carver ci pensò su qualche istante, cercando di decidere quanto potesse dire all'amico. « Okay, Bobby, ho incontrato una ragazza, la prima dopo Kate che abbia significato qualcosa per me. Penso che potrebbe davvero diventare qualcosa d'importante nella mia vita. »

Faulkner scoppiò a ridere. « E così hai bisogno di entrare nel Paese senza che suo marito ti scopra? »

« Magari fosse questo. No, è stata rapita. Qualcuno l'ha presa la scorsa notte, un russo. Ma non so dove l'abbia portata, e non so neanche per chi lavori. »

« Dove si trovava la ragazza quando l'hanno presa? »

« A Ginevra. »

Ancora un sorso di caffè dall'altra parte. « Non capisco. E perché hai bisogno di venire qui? »

« Perché è a Londra che si trovano le persone da cui prende gli ordini quel tizio, o che sanno chi glieli ha dati. Ma non voglio che sappiano che sto arrivando. Per cui niente carte di credito, niente dogane, niente passaporti. »

Silenzio, dall'altra parte del filo.

« Allora, sei con me? » domandò Carver.

« Temo di sentire un po' di raffreddore che sta montando », fece Faulkner.

« Mi stai dicendo che non ti senti bene e quindi non mi puoi aiutare? »

« No, ti sto dicendo che mi darò malato al lavoro. Ce la fai a trovarti alla darsena di Cherbourg per le nove di questa sera, ora locale? »

« Certo. »

« Benissimo. Ci vediamo là, allora. »

« Grazie, Bobby. Ti devo un favore. »

« Oh, sì, puoi giurarci che me lo devi. »

Non fu facile per Bobby Faulkner dire alla moglie che sarebbe scomparso per un giorno intero, come minimo, lasciandola da sola a gestire il bambino mentre lui correva a fare un favore a un uomo che nessuno dei due vedeva da anni. In genere, le mogli non ritengono che la lealtà del marito verso un ex commilitone dovrebbe superare quella nei confronti della propria donna e dei propri figli. E Faulkner sapeva benissimo che lei aveva ragione, maledettamente ragione; ma sapeva pure che il codice d'onore che legava tra loro gli ufficiali era qualcosa che non si poteva spezzare.

Era assolutamente lampante che Pablo Jackson si trovava in un serio pericolo, legato magari a un qualche guaio di natura criminosa, ma ciò non faceva nessuna differenza. Faulkner ne aveva viste, prima di allora, di vecchie glorie dell'esercito che erano finite in galera: si andava in tribunale a dar loro un appoggio morale, mentre erano dentro si teneva d'occhio la loro famiglia, e quando uscivano gli si organizzava una gran festa. E lo si faceva perché tutti sapevano che, a posizioni invertite, loro avrebbero fatto lo stesso.

Per cui strinse i denti e tenne duro di fronte all'ira della moglie, ne sopportò le lacrime e il gelido silenzio. Ma le promise che non si sarebbe imbarcato da solo nei folli progetti di Carver. Così, anche lui fece una chiamata. «Ciao, Quentin!»

«Bobby, ragazzo mio, che posso fare per te?»

«Ho appena ricevuto una chiamata da Pablo Jackson. È riuscito a contattarti, l'altro giorno? Gli avevo dato il tuo numero.»

«No. Pamela mi ha detto che aveva chiamato qui a casa, ma io non l'ho sentito.»

«Penso che si trovi un po' in difficoltà...» Faulkner spiegò la situazione, terminando con una richiesta d'aiuto. «Ti sarei maledettamente grato se venissi a darmi una mano in barca. La traversata sarebbe molto più facile.»

Trench si mise a ridere. «E così le posizioni di una volta si ritrovano scambiate, eh? Tu sarai il mio skipper e io l'umile equipaggio.»

«Non la metterei in questo modo, QT.»

«Non preoccuparti, stavo solo prendendoti in giro. Avevo un paio di incontri, oggi, ma nulla che la mia segretaria non possa rimandarmi in agenda. Okay, dove vuoi che mi trovi?»

«Al Poole Yacht Club, alle dieci. La mia barca è il *Tamarisk*, un Rustler 36. Mi troverai già su. Sali a bordo e salpiamo.»

«Bene, allora, non c'è tempo da perdere in chiacchiere. Ci si vede là.»

Era dal pranzo del giorno prima che Carver non mangiava. Si saziò col buffet della colazione del Novotel, pagò il conto in contanti, quindi fece tappa a una stazione di servizio e riempì il serbatoio dell'Audi. Aveva poco più di dodici ore per coprire in auto lo spazio tra la frontiera orientale della Francia e la costa settentrionale. In autostrada sarebbe stato uno scherzo, ma era costretto a mantenersi su strade secondarie intasate di traffico e interrotte da innumerevoli cittadine di provincia. Le prestazioni della sua auto non gli sarebbero state di grande aiuto, inchiodato dietro trattori, camion e vecchie Citroën. Doveva mettersi subito in marcia.

«Hai già fatto le telefonate?» Bill Selsey guardò il collega con occhi colmi di gratitudine; era contento che non fosse toccata a lui quell'amara incombenza.

«Sì.» Jack Grantham appariva svuotato della sua usuale determinazione. «Sai, era figlia unica, Jennifer Stock. La gioia e l'orgoglio dei suoi genitori, laureata col massimo dei voti a Cambridge, una carriera brillante. Non le mancava che un marito e dei bambini. La cosa peggiore è che i genitori non avevano idea di quale fosse realmente l'attività della figlia. Per lo meno, se tuo figlio è nell'esercito, lo sai che c'è sempre la possibilità che arrivino brutte notizie. Ma quelle persone se ne stavano là del tutto tranquille, convinte che la loro bambina avesse un sicuro lavoro diplomatico in Svizzera. E chi diavolo mai finisce ammazzato, in Svizzera?»

«Che spiegazione hai dato? Incidente stradale?»

«Sì, come sempre. Un pirata della strada, tragico incidente, morta sul colpo, non ha sofferto. Le solite stronzate.»

«Ti ho portato del caffè.» Selsey gli porse una tazza di plastica colma di un indefinito liquido marrone.

Grantham ne prese un sorso e fece una smorfia. «Dannazione, fa schifo!»

«Ci sono delle cose che non cambiano mai», replicò Selsey. «Uffici nuovi, stessa orribile brodaglia.»

Grantham trattenne una risata amara. Bevve un altro po', poi scosse la testa. «Non sarebbe dovuta andare così. Glielo avevo detto: guardare e basta, non intervenire.»

«Lo so, io le avevo detto la stessa cosa. Le avevo raccomandato di fare attenzione. Sappiamo già con sicurezza com'è successo tutto quanto?»

«Pressappoco. Murcheson, l'altro tizio da Berna, ha passato

tutta la notte con la polizia di Ginevra. Ha visionato tutte le prove raccolte dalla scientifica, ha letto tutte le dichiarazioni rilasciate dai testimoni. E Johnsen aveva continuato a fare foto fino al momento in cui non ha preso la decisione d'intervenire. Sembra praticamente certo che il nostro amico russo della BMW nera, quello che pensiamo abbia ucciso Papin, fosse riuscito a fare un cambio di vetture. Si era procurato un furgone della compagnia telefonica e con quello stava sorvegliando uno degli appartamenti che danno sulla strada. Presumibilmente, si tratta del posto dove li aveva portati Papin, dove si stava nascondendo la squadra di Parigi. E così lui tiene d'occhio la casa, noi teniamo d'occhio lui e tutto quanto va a meraviglia finché, per qualche ragione che nessuno riesce a capire, il russo non decide di cambiare piano ed entra in quel caffè. »

« Chissà, magari aveva soltanto voglia di bere qualcosa di caldo. »

« Be', questo potrei capirlo. Ma doveva esserci sotto dell'altro, perché Johnsen si è preso la briga di andare anche lui in quel caffè e, una volta arrivato là, ha visto che il russo aveva agguantato una giovane donna – a proposito, l'identità è sconosciuta – e la stava trascinando fuori della porta. Allora Johnsen ha pensato bene di mettersi a fare il cavaliere dalla scintillante armatura, e per tutta risposta si è beccato una pallottola. A questo punto il russo ha cominciato a sparare ai testimoni, due dentro il caffè e Jennifer, che era accorsa quando aveva visto cadere il compagno. »

« Un bel bagno di sangue. E tutto, secondo me, gira intorno a quella donna del mistero, quella che è stata rapita. Il russo doveva proprio volerla a tutti i costi, se è stato pronto ad ammazzare quattro persone senza battere ciglio. Lei invece non l'ha ammazzata. »

« Non ancora, no. »

« Per cui quella donna è la chiave di tutto. »

« Be', è parte della chiave, questo sì. Perché c'è qualcos'altro... » Grantham scosse la testa. « Quasi nello stesso momento in cui il russo nel caffè stava ammazzando gente a destra e a manca, più in su lungo la strada, in un pub irlandese, si stava sviluppando un'altra rissa. »

«Diavolo! Sembrerebbe più Dodge City che Ginevra!»

«Lo so, ma qui arriva la cosa interessante. Tre persone sono state messe al tappeto in quella zuffa del pub, e tutte quante erano russe, provviste di passaporto diplomatico. E non hanno voluto dire una dannata parola su quanto è successo. Ma erano tutti armati di mitra, e sono stati messi fuori gioco da un uomo solo.»

Selsey fece un fischio di ammirazione. «Un tizio formidabile, a quanto pare.»

«Già, e questo stesso uomo del mistero è stato visto subito dopo mentre correva giù per la strada, sparando con una pistola. E indovina un po' qual era il bersaglio?»

«Il russo?»

«Proprio il russo, che stava andando via col furgone, presumibilmente con la donna chiusa nel vano posteriore. Quindi, questo a cosa ci porta?»

«Che l'uomo del mistero e la donna del mistero erano entrambi inseguiti dalla stessa cricca di russi.»

«I quali russi avevano avuto l'informazione da Pierre Papin, che stava cercando di rifilarci un aggancio per risalire alle persone che hanno ucciso la principessa. Il che significa...»

Selsey non ebbe difficoltà a terminare la frase. «Che, se troviamo il duetto del mistero, troviamo i nostri killer.»

«Proprio così.»

«Forse quei due poveracci non sono morti inutilmente.»

«Non so, ma qualcosa mi dice che questo non sarà di grande conforto ai loro genitori.»

Nessuno dei due uomini sapeva più cosa dire. Prima che all'uno o all'altro venisse in mente qualcosa, il telefono prese a squillare.

Grantham sollevò la cornetta. Per qualche secondo rimase in ascolto, l'espressione accigliata. Poi disse: «Aspetti un attimo», e fece un gesto a Bill Selsey, indicando qualcosa sulla sua scrivania. «Passami quel blocco, svelto, e una biro.» Cominciò a scrivere, con la cornetta del telefono schiacciata tra spalla e orecchio. «Grazie, Sir Perceval, lo apprezzo veramente. Come forse saprà, l'altra notte tutta questa storia per noi è diventata una questione personale. In ogni caso, ben fatto. Ancora una volta se l'è cavata anche meglio del previsto.» Grantham riagganciò. All'improvviso il suo volto, così triste solo pochi minuti prima, era illuminato da un ampio sorriso. «Li abbiamo beccati! A quanto pare, Percy Wake ha convinto i suoi contatti che gli conveniva essere un po' più collaborativi. Hanno fatto due nomi: un uomo e una donna. E io li prenderò, fosse l'ultima cosa che faccio.»

«Parti, stronzo!» Bobby Faulkner si trovava nella cabina di pilotaggio del *Tamarisk*, la mano sul pulsante d'avviamento del propulsore diesel Yanmar, l'orecchio teso ad ascoltare il tossicchiare sputacchiante di un motore che non ne voleva sapere di accendersi.

Una battuta di scherno arrivò da Samuel Carver, che si trovava a prua, una cima in mano, aspettando di poterla gettare. «Non dirmi che ti sei scordato di fare il pieno!» Gli sembrava di essere tornato ai vecchi tempi, quando lui, Faulkner e QT partivano insieme in missione. Aveva trascorso tutto il giorno senza trovare nulla in grado di distoglierlo dal pensiero di Alix; gli sembrava d'impazzire, nel tentativo di capire che cosa potesse esserle successo, cercando di non indugiare troppo a lungo su ciò che i suoi rapitori avrebbero potuto farle. E invece, in un attimo, eccolo immerso di nuovo in quella familiare routine, con le spiritosaggini e le prese in giro usate per mettere da parte la paura, trovando conforto nel tacito affetto di cui si nutrono le amicizie maschili.

«Ma non rompere!» ribatté Faulkner. «Il serbatoio è pieno, c'è solo un po' di morchia nel condotto del carburante. Vedrai che adesso si libera, lo fa sempre.»

Dalla poppa della barca, arrivò un'altra voce, più anziana. «Niente paura. Era altrettanto fiacco quando siamo partiti da Poole, ma alla fine si è messo in moto.»

Carver sorrise nell'udire la voce del suo vecchio ufficiale in comando: la sua presenza lo faceva sentire più sicuro. Era felice che, almeno per una volta, vi fosse qualcun altro di guardia al posto suo. Ormai il vecchio doveva essere vicino alla sessantina, ma aveva ancora pressappoco lo stesso aspetto che Carver ricordava: piuttosto basso, di corporatura tarchiata, ma traboccante di un'energia impetuosa. Intorno al girovita gli si era accumulato qualche chilo di troppo, le rughe sul viso rubicondo erano scavate un po' più in profondità, ma quello era il genere di cose che il tempo fa su qualsiasi uomo.

Trench aveva anche delle pesanti ombre scure intorno agli occhi, ma per quelle si era affrettato a fornire una spiegazione. «Sono stato a caccia in Scozia per il weekend, con dei vecchi amici. Avevamo giurato che non saremmo stati su tutta la notte a bere e a parlare; ci eravamo detti che ormai stiamo diventando troppo vecchi per andare a letto alle tre ed essere poi fuori sulla brughiera alle otto. Ma alla fine ci siamo ricascati!»

Faulkner scomparve sottocoperta nel ventre della barca ad armeggiare col motore. Gli altri due tornarono nella zona di pilotaggio aperta. Si sedettero l'uno di fronte all'altro sulle panche ricoperte di cuscini che correvano lungo tutti i lati, interrotte soltanto dal portello sul lato anteriore che si apriva su una scaletta per scendere in cabina.

Trench si sporse in avanti, i gomiti appoggiati sulle ginocchia. «Bobby mi dice che ti sei trovato una bella moglie sexy per posta», esordì, con lo sguardo di uno zio affezionato che si diverte alle ultime marachelle del nipote.

Carver non se l'aspettava. Aggrottò le sopracciglia, con aria perplessa. «Come, scusa?»

Trench ridacchiò. «Perdonami, ragazzo mio. Commento fuori luogo. Devi trovarti in uno stato di pressione terribile, con questa tua ragazza russa che è scomparsa. Stavo solo cercando di alleggerire un po' la situazione, nient'altro che una battutina sul modo in cui la maggior parte delle ragazze di quelle parti si trova un marito qui all'Ovest. Mossa sbagliata, ovviamente.» Si schiarì la gola, poi ci riprovò. «Insomma, dimmi di questa ragazza. Mi sembra di capire che è quella giusta.»

Carver fece una smorfia. Non si sentiva in vena per una chiacchierata a cuore aperto. «Forse... Ma non lo si sa mai con certezza, giusto?»

«Avrei dovuto capirlo che si trattava di questo. Lo sai all'istante. È stato così, quando ho incontrato Pamela. Mi è bastato darle un'occhiata.»

«Già, sì, questa è una parte della faccenda. Ma non è così semplice. Tu ti senti in un certo modo, ma non è detto che ti fidi del tutto di questo sentimento. Non puoi essere sicuro di ciò che lei pensa e prova. Non sai che cosa stia per accadere tra voi. In effetti, non puoi essere sicuro di nulla.»

L'uomo più vecchio sospirò. «Oh, Cristo! Questo non è il giovane ufficiale pieno di fascino che conoscevo una volta. Eri sempre risoluto, fiducioso, assolutamente sicuro di te e dei tuoi uomini. Non te ne stavi lì a preoccuparti per tutto il tempo. Andavi avanti col tuo lavoro, e basta.»

«Era perché sapevo di che lavoro si trattava. Avevo degli ordini, conoscevo i miei obiettivi e c'era una ben precisa definizione di successo. Era roba facile, quella. Questa non lo è per niente.»

Trench annuì. «Andiamo nel dettaglio, adesso. Come si chiama? Età? Connotati?»

«Aleksandra Petrova. Quasi trent'anni. Altezza: un metro e settantatré. Peso: 58 chili. Capelli biondi, occhi azzurri.»

«Insomma, uno schianto!» esclamò Trench.

«Sì, ma c'è qualcosa di più.»

«Che vuoi dire?»

«È solo che in lei c'è qualcosa... non so come definirlo. Ma penso che lei veda lo stesso in me. Abbiamo molto in comune, cose che la maggior parte della gente non capirebbe.»

«Cose di che genere?»

«Del genere privato, che non riguarda nessun altro.»

Trench annuì. «Hai assolutamente ragione. Quel tipo di cose è meglio che rimangano private.»

Faulkner emerse dal portello con uno sguardo determinato stampato sul volto. Lanciò un'occhiata agli altri due uomini. «Ho interrotto qualcosa?»

«Va tutto bene. Abbiamo finito», rispose Carver. «Allora, questa barca vuole decidersi a partire, oppure no?»

«Come un razzo», fece Faulkner, con un sorriso trionfante. «Signori, tornate alle vostre postazioni, se non vi dispiace.» Aspettò che gli altri due si fossero sistemati alle due estremità della barca e avessero raccolto le loro cime, quindi premette di nuovo il pulsante d'avviamento.

Il motore tossì, sputacchiò, fece un paio di incoraggianti scoppiettii, quindi morì di nuovo.

« Maledizione! » borbottò Faulkner, e premette ancora... e ancora.

Al quarto tentativo, il motore prese finalmente vita. Furono gettate le cime, e la barca si staccò dal molo al quale era stata ormeggiata. Lentamente, Faulkner prese ad avanzare con grande cautela lungo uno stretto canale che si apriva in mezzo agli scafi beccheggianti, tra il dolce dondolio degli alberi degli altri yacht che si trovavano ormeggiati a Port Cheyenne, il porto turistico di Cherbourg. Entro pochi minuti avrebbero raggiunto le acque relativamente aperte della Petite Rade, il porto più interno di Cherbourg.

Faulkner indicò la costa che si stavano lasciando alle spalle. « Vedete laggiù, vicino a quel traghetto mastodontico? È il ponte di partenza per le traversate transoceaniche. Vi è stato ormeggiato anche il *Titanic*, proprio prima che salpasse per andare a scontrarsi con quell'iceberg. » Aprì la valvola al massimo e spinse il motore a tutta velocità mentre, oltrepassata un'enorme fortificazione circolare, entravano nel porto esterno, la Grande Rade. I porti erano racchiusi da gigantesche muraglie frangiflutti, con un altro castello che si ergeva a guardia dell'ultimo passaggio che dava l'accesso al canale della Manica. « Al lavoro, ragazzi », disse Faulkner. « È tempo di alzare le vele. »

Di lì a poco, i due grandi triangoli bianchi della vela maestra e del fiocco si stagliarono contro il cielo dell'imbrunire, e per qualche istante Carver si sentì perso nella magnifica libertà che dà un'imbarcazione quando incontra il mare aperto, inclinandosi dolcemente alla brezza. Faulkner spense il motore; gli unici rumori erano prodotti dallo sventolio delle vele, dal lieve cigolio delle cime sotto pressione e dall'impeto dell'acqua e del vento.

Lontano, verso nord, nuvole nere si stavano accumulando sull'orizzonte. Carver toccò Faulkner sulla spalla, indicandogliele. « Non hanno un'aria rassicurante. »

« Fronte freddo che scende dall'Artico », spiegò Faulkner. « È previsto che arrivi da noi entro le prossime tre ore. Il vento adesso soffia da ovest, forza quattro. Dovrebbe virare in direzione nord e rafforzarsi fino a cinque o sei, forse anche sette. Non uno scherzetto, ma non vi preoccupate, il Rustler ce la farà e le maree sono a nostro favore per la maggior parte del percorso. Però si prevede anche pioggia, quindi non sarà piacevole. Ho un paio di impermeabili in più, sotto la cuccetta nella cabina di prua; è meglio che andiate a indossarli adesso, finché ce n'è l'opportunità.»

Carver scese di sotto. Si fece strada attraverso la stretta cabina principale del Rustler, schiacciandosi dietro la cucina e poi tra un tavolo di legno e una zona per sedersi, finché non raggiunse una liscia porta di legno. Si apriva su uno spazio ancora più angusto, la maggior parte del quale era occupata da un'area destinata al sonno, che aveva la forma di un triangolo mozzato ed era stata ricavata nella prua della barca.

I materassi erano stati fissati con dei cardini allo scafo; al di sotto rivelavano degli spazi di stivaggio. Carver vi rovistò finché non trovò un paio di pantaloni impermeabili color rosso-arancio e una giacca a vento coordinata.

Carver pensò agli altri due uomini sulla barca, a come l'aspetto apparentemente alla buona con cui entrambi si presentavano al mondo nascondesse in realtà enormi riserve di coraggio, di competenza e, quando necessario, anche di spietatezza. Riandò col pensiero a tutte le volte in cui avevano dato, preso e passato istruzioni, all'accuratezza con cui erano stati addestrati a ricordare e ripetere quanto veniva detto loro; sapevano bene quali effetti devastanti potesse sortire anche il più piccolo malinteso, in tempo di guerra. A quel punto, Carver ripassò mentalmente tutto quello che era stato detto, e capì di essere stato tradito.

Si domandò se entrambi i suoi ex commilitoni fossero coinvolti. Uno di loro, di certo, era un nemico; l'altro poteva anche essere all'oscuro di tutto. Le tessere di un puzzle che già da un po' gli vagavano alla rinfusa nella mente stavano cominciando ad andare al proprio posto, e ne emerse un'immagine. Era un suo ritratto, ma non proprio lusinghiero; mostrava un uomo che si era fatto prendere in giro, non una volta soltanto ma ripetutamente, un uomo che aveva esteso la propria fiducia a un gruppo ristrettissimo di persone, scegliendo ogni volta quelle sbagliate. Si ripromise, ammesso che fosse riuscito a vivere abbastanza a lungo, di ripercorrere tutta quanta la storia, sforzandosi di capire non dove avesse sbagliato ma *perché*. Quegli uomini una volta erano i suoi amici, i suoi compagni d'arme. C'era stato un tempo in cui sarebbero stati disposti a rischiare la propria vita per lui. Che cosa aveva fatto, da allora, che li aveva convinti a tradirlo?

Ma forse non c'era stato bisogno di fare nulla. Sua madre lo aveva abbandonato, e soltanto per il semplice fatto di essere nato. Quello, era riuscito a superarlo. Poteva superare anche un altro tradimento.

Si chiese dove avrebbe avuto luogo lo scontro. Uno yacht nel bel mezzo di una tempesta era un pessimo posto per una lotta: era stretto, oscillava in continuazione e rollava da tutte le parti, e tutte le persone a bordo avevano addosso roba bagnata e voluminosa. Ficcare un fucile dentro un indumento impermeabile non era un problema. Ma tirarlo fuori, e in fretta, poteva essere assai più difficoltoso. Quanto al rimanere in piedi con una stabilità sufficiente a sparare in modo preciso, be', rischiava di rivelarsi un'impresa dannatamente difficile.

Il punto chiave erano il portello e la scaletta tra il posto di pilotaggio sul ponte e la cabina sottocoperta. Chiunque fosse stato beccato lì, sarebbe stato fregato, privo di qualsiasi difesa. Nella successiva manciata di ore si sarebbe svolta una corsa dissimulata per accaparrarsi la posizione migliore, una corsa nella quale due degli uomini a bordo, o forse tutti e tre, avrebbero gareggiato silenziosamente per trovarsi al posto giusto quando sarebbe finalmente giunto il momento di giocare a carte scoperte. Nel frattempo, Carver avrebbe fatto di tutto per tirare la sorte dalla sua.

Nascosto nello stesso spazio in cui aveva trovato gli indumenti impermeabili, trovò ciò di cui avrebbe avuto bisogno più tardi. Per il momento, però, avrebbe continuato a comportarsi in modo cortese e affabile, come se fosse ancora convinto che lì erano tutti quanti ottimi amici, loro contro il mondo intero, proprio come ai vecchi tempi.

Tornò al portello della cabina di pilotaggio e sporse la testa. «Qualcuno ha voglia di una tazza di caffè?»

Prese le ordinazioni e mise il bollitore sulla stufa a gas della cucina. Riempì tre tazze, aggiunse latte e zucchero a quelli che lo desideravano e risalì sul ponte. Non rimaneva che un'ultima cosa da fare.

L'albero di uno yacht è sostenuto da sartie, funi che si allungano fino alla cima da una parte dello scafo. A mantenerle in tensione, distanziate dal lato dell'albero, sono due aste, o picchi di civada. Un cilindro di plastica bianca, alto circa quarantacinque centimetri, era stato issato sul picco di sinistra. Il cilindro era un radar, progettato per far sì che la posizione dello yacht fosse nota ai navigli di passaggio; era fissato per mezzo di una fune legata a una galloccia in fondo all'albero.

Carver si diresse verso la galloccia. Sciolse la fune e, tenendola stretta, gridò alla volta del posto di pilotaggio: «Mi dispiace, Bobby, ma questo deve andare».

«Che diavoli dici?» ribatté Faulkner.

«Non posso finire su nessuno schermo radar.»

«Sei ammattito del tutto? Stiamo per fare una traversata in notturna su una delle rotte navali più trafficate al mondo. Ci sono cinquecento imbarcazioni che navigano attraverso la Manica ogni giorno e, se una di queste ci sfiora soltanto, sarà come un elefante che cammina su una scatola di fiammiferi. Affonderemo. E allora non entrerai mai più in quel maledetto Paese. E neanche noi altri due.»

Carver si produsse in un affabile sorriso. «Allora dovremo tenere gli occhi bene aperti. Non credete?»

Alix era sola, al buio. L'avevano trattata abbastanza bene, per il momento.

La prima notte, Jurij Žukovskij l'aveva lasciata dormire in pace. E ciò l'aveva sorpresa; non era la tecnica abituale di quell'uomo. Nel corso del giorno seguente, le domande erano state insistenti ma educate; civili, perfino. Come aveva incontrato l'inglese? Perché era andata con lui? Perché non lo aveva ucciso? Ci aveva provato, almeno? E, dal momento che lo aveva lasciato vivo, che cosa era riuscita a scoprire da lui? Dov'era il computer? E lei, che cosa aveva rivelato?

Solo quest'ultima domanda era stata posta con una certa vaga sfumatura, quasi senza cercare di nascondere il fatto che c'era in ballo qualcosa di più che semplici informazioni. Comunque, non l'avevano trattata male. Il personale dello chalet l'aveva trattata con una sorta di familiarità distante, più come un'ospite occasionale che come una prigioniera. Le era stato servito lo stesso cibo di tutti gli altri, così come le era stato permesso di bere lo stesso vino.

Ma, per tutto il tempo, Alix aveva sempre saputo che le cose non sarebbero potute andare avanti così per sempre. Presto o tardi, la pazienza di Jurij Žukovskij si sarebbe esaurita; il boss si sarebbe stancato di una semplice conversazione e avrebbe fatto ricorso a mezzi estremi – anche alla tortura – per scoprire ciò di cui aveva bisogno.

Žukovskij stava agendo sotto il peso di una grandissima pressione, quello era ovvio. Da qualche parte, nella vasta rete di società che formava il suo impero commerciale, stava covando una crisi. Era rimasto rinchiuso nel suo studio per ore, a chiamare i suoi soci più importanti e a negoziare coi clienti, mentre Alix era stata affidata alla gelida sorveglianza di Kursk, i cui occhi la seguivano con odio implacabile.

Ogni volta che Žukovskij rispuntava per proseguire con l'interrogatorio, nella terribile tensione con cui serrava la mascella, nel gesto ossessivo di stringere e rilasciare il pugno, Alix poteva vedere come lo stress lo stesse attanagliando. E sarebbe stata lei a fare le spese di quella tensione, ne era più che certa.

Alla fine, Žukovskij aveva ordinato di portarla di sopra, dove l'avevano lasciata da sola in una stanza pesantemente blindata. Alix non aveva idea di quanto tempo avesse trascorso cercando di prepararsi a ciò che probabilmente sarebbe successo. Poteva essere passata un'ora, o potevano esserne passate anche tre. In quell'oscurità vellutata, il tempo sembrava scorrere a un'altra velocità.

Poi sentì i passi, fuori, nel corridoio. Fece un respiro profondo, costringendosi a rimanere calma, concentrandosi sul battito martellante del suo cuore e cercando di far rallentare le pulsazioni mentre espirava. Doveva rimanere immobile, doveva rimanere in silenzio. Di urla ce ne sarebbero state fin troppe nelle ore a seguire.

Magnus Leclerc aveva ricevuto un numero da chiamare in caso di emergenza. Gli avevano detto che era improbabile che qualcuno venisse a lamentarsi per il falso trasferimento di denaro; ma, nel caso, c'erano delle persone che avrebbero voluto esserne informate e che sarebbero state molto riconoscenti per quell'informazione.

Gli ci vollero parecchie ore per mettere insieme il coraggio. Aveva avuto un bel po' di cose cui pensare.

Se lo smascheravano così come minacciato da Vandervart, il suo matrimonio ne sarebbe stato distrutto. Più ci pensava, e meno la cosa gli appariva come un problema. Si sarebbe sbarazzato di Marthe per sempre, e l'unica cosa che provava a tal riguardo era sollievo.

Avrebbe perso anche il lavoro, naturalmente, e lo status sociale che comportava. Avrebbe dovuto sopportare una discreta quantità di umiliazioni, e anche di sbeffeggiamenti; ma sotto sotto, e di questo ne era certo, moltissimi tra i suoi colleghi avrebbero pensato che anche a loro non sarebbe dispiaciuto dare una bottarella a quella bomba sexy in lingerie bianca. E nel giro di pochi mesi sarebbe rientrato in pista, di nuovo in affari.

O magari no. Magari avrebbe alzato il dito medio in faccia a tutti quanti e se ne sarebbe volato alle isole Cayman. Per anni, tra creste e bustarelle, aveva continuato a mettere da parte soldi. Aveva la possibilità di trascorrere il resto della vita sdraiato su una spiaggia, se ne aveva voglia.

Messa così, non sembrava che ci fosse molto da perdere, a parlare. Ma... se teneva la bocca chiusa?

C'era una ragione, se Vandervart aveva voluto il numero di Malgrave; ovviamente voleva riavere indietro i suoi soldi, e con ogni mezzo necessario. Ciò avrebbe finito col generare grossi problemi; presto o tardi, loro sarebbero arrivati a capire che la causa prima di tali problemi era stato Leclerc, e non ne sarebbero stati contenti. Non gli piaceva pensare a come avrebbero reagito; d'altra parte, non credeva neanche per un momento che Vandervart avrebbe rinunciato a spedire qualche video ai media, se solo avesse avuto l'impressione di essere stato tradito.

Nella testa di Leclerc continuavano a girare le varie possibilità, in una spirale di combinazioni diverse. Passò una notte insonne nella stanza degli ospiti e andò al lavoro ancora incerto su quella che sarebbe stata la sua mossa successiva. Infine, arrivò a una decisione. Compose due numeri. Il primo era il numero che gli aveva dato Malgrave.

Gli rispose una voce di donna. «Consorzio. In cosa posso aiutarla?»

Venne passato a un uomo che parlava con un raffinato accento britannico. L'uomo ringraziò profusamente Leclerc per l'informazione, quindi gli domandò in che modo potesse venire contattato, più tardi in giornata. «Nel caso avessimo necessità di farle qualche altra domanda, controllare i dettagli riguardo a ciò che questo Vandervart stava cercando, cose di questo genere.»

Leclerc fornì i propri numeri di telefono e il recapito di casa. Voleva che l'altro potesse apprezzare quanto lui era dispiaciuto per quella grana. Fece tutto quello che poteva per compensare la sua sventatezza.

L'uomo si dimostrò estremamente comprensivo. «La capisco perfettamente, Monsieur», gli disse. «Lei è passato attraverso una terribile disavventura. Chiunque avrebbe reagito nello stesso modo.»

Quando mise giù il telefono, Leclerc stava sudando. Si asciugò la fronte e allentò la cravatta; quindi fece un'altra telefonata, a un agente di viaggi. Chiese il primo volo per Miami. L'agente gli prenotò un posto in prima classe sul volo in partenza il mattino seguente da Heathrow, con coincidenza all'ora di pranzo per Miami. Leclerc pagò con la carta di credito aziendale.

Quella sera, dopo il lavoro, tornò a casa e cercò di comportarsi normalmente. La famiglia era riunita in salotto, dopo cena, Leclerc sdraiato sulla sua poltrona reclinabile in pelle, impegnato a guardare in TV un poliziesco americano malamente doppiato, quando suonò il campanello.

L'uomo tirò su il braccio, pigiò il telecomando e abbassò il volume. Il campanello suonò ancora tre volte, più forte e con maggior insistenza. «Va' ad aprire», ordinò a Serge, un diciassettenne musone con l'aria da bullo, che era il più giovane dei suoi figli.

Il ragazzo rimase immobile sulla sedia, in modo che tutti potessero vedere quanto lo infastidisse quella intrusione nella sua impegnatissima agenda di nullafacente integrale, quindi si alzò. Uscì dalla stanza sbattendo la porta e attraversò l'ingresso a lunghe falcate rabbiose.

Leclerc allungò la testa in direzione della porta d'ingresso; la sentì aprirsi. Sentì il figlio che diceva qualcosa. Poi udì un suono come di qualcosa che va in frantumi, che sembrava un incrocio tra una mazza quando colpisce la palla e un uovo che viene rotto sul bordo di una ciotola. Quindi il tonfo attutito di qualcosa di molto pesante che cade per terra.

La prima a reagire fu Marthe. Balzò su dalla poltrona ed era a metà strada per la porta che dava sull'ingresso, quando quella si aprì e due uomini con dei fucili a pompa entrarono nella stanza; c'era del sangue, sulla bocca di una delle armi.

Il primo uomo a varcare la soglia aveva un'irsuta capigliatura rossa. Per poco non andò a sbattere contro Marthe in mezzo al salotto, e senza quasi interrompere l'avanzata le sferrò una ginocchiata in pieno petto. Senza emettere nessun suono, lei si piegò in due, completamente priva di fiato, e l'uomo le diede uno spintone mandandola a sbattere contro il muro.

La figlia di Leclerc, Amélie, una diciannovenne magrolina e scialba, si mise a strillare. Il secondo uomo, un faccione rotondo con le labbra carnose, le mollò un pugno in bocca per farla star zitta e poi la lanciò attraverso la stanza. La ragazza crollò accanto alla madre.

Non erano passati che pochi secondi da quando i due avevano fatto il loro ingresso nella stanza. Leclerc era ancora inchiodato alla sua poltrona e assisteva impotente all'aggressione alle donne della sua famiglia. Si tirò su a fatica, mentre gli occhi gli si spalancavano quando uno dei due uomini ruotò il suo fucile fino a mirare dritto alle sue budella. L'altro aveva l'arma puntata alle due donne, raggomitolate insieme contro il muro opposto.

I due uomini si scambiarono un'occhiata. L'uomo coi capelli rossi fece un rapido gesto imperioso con la testa. Poi, tutti e due cominciarono a sparare.

Il fronte freddo si abbatté su Carver e i suoi compagni di navigazione poco prima di mezzanotte, e il tempo cambiò con la stessa velocità con cui si passa da un canale televisivo all'altro. Un momento stavano navigando in scioltezza verso la loro destinazione, sospinti da un fresco e mite venticello che soffiava di traverso sulla bordata ovest, attraversando proprio la loro rotta settentrionale; il momento dopo, la temperatura dell'aria si era abbassata di dieci gradi e il vento aveva virato di quarantacinque gradi verso nord, acquistando velocità e gonfiandosi di una pioggia battente che scrosciava in modo incessante.

Quel nuovo vento rabbioso si accapigliava con qualsiasi cosa incontrasse sul suo percorso. S'infilò in un tratto del canale dove la marea calante faceva ammucchiare il rollio del moto ondoso creando onde più corte e violente, che si abbattevano sull'imbarcazione sballottandola qua e là, facendola rimbalzare e ricadere come un giocattolo.

Non aveva senso rimanere tutti e tre sul ponte, per cui si accordarono su un ruolino che prevedeva turni di guardia di due ore. La rotta venne fissata sul timone automatico. Chiunque si trovasse sovracoperta non doveva far altro che tenere gli occhi aperti, pronto a disattivare il sistema e prendere il timone, nel caso in cui se ne fosse presentata la necessità. Carver andò per primo. Trench si offrì volontario per il secondo turno. In quel modo, Faulkner poteva godere di una pausa ininterrotta fino a che non fosse arrivato il suo turno di guardia; era stato al timone per più di dodici ore, aveva bisogno di riposare. Quando fosse terminato il suo turno, sarebbe mancato poco all'alba, e allora si sarebbero alzati tutti quanti.

Carver non si aspettava nessun problema nelle sue ore di turno. Mentre si trovava nella cabina di pilotaggio, chiunque volesse aggredirlo sarebbe stato costretto ad arrampicarsi su per una scaletta e attraversare il portello, uscendo dalla luce per entrare nell'oscurità. In quelle condizioni, a meno che lui non fosse caduto addormentato alla barra del timone, nessuno avrebbe cercato di sopraffarlo. Sarebbe stato vulnerabile soltanto una volta ritornato sottocoperta.

Alla fine del suo turno, salì verso il portello, ne afferrò la parte superiore e dondolando le gambe vi s'infilò dentro; evitò del tutto la scaletta per saltare direttamente dentro la cabina, atterrando accovacciato al centro del pavimento ondeggiante.

Trench era seduto sul bordo del tavolo più grande, al centro della cabina. «Dannazione, un'entrata un po' drammatica, ti pare?» disse, gelidamente. Sollevò con aria di apprezzamento la tazza che aveva in mano. «Toddy bollente. Dovresti provarlo. Te ne abbiamo lasciato un po' in un thermos, sulla cucina.» Fece un gesto con la testa indicando alla sua sinistra, dove Bobby Faulkner era sdraiato su un divano. «Dorme come un sasso. Povero ragazzo, era completamente distrutto.»

«Penso che crollerò anch'io», disse Carver. «È il tuo turno, adesso. Buona fortuna. È maledettamente freddo e umido, lassù.»

Con una smorfia, Trench mormorò: «Brrr...» proprio come qualsiasi uomo che si stia accingendo a uscire in un tempaccio da lupi. Passò oltre Carver e appoggiò la tazza nel lavello della cucina. Non mostrava nessun segno di tensione, né aveva un'aria particolarmente guardinga; eppure, non girò mai completamente la schiena mentre sgattaiolava su per la scaletta e usciva sul posto di pilotaggio, tirandosi dietro il portello dopo essere passato.

Carver lo lasciò andare. Forse Trench lo aveva appena invitato a uscire allo scoperto, ad aggredirlo. E non c'era nessuna garanzia che Faulkner stesse veramente dormendo. Non voleva ritrovarsi a dover combattere contro entrambi gli uomini.

Prese il thermos e si versò una tazza di toddy, assaporando il vapore odoroso del brandy, del miele, del limone e del tè. Proprio quando stava per bere il primo sorso, fu distratto da un rumore secco di plastica dura proveniente dal pavimento.

Due tazze, lì per terra, erano andate a cozzare l'una contro l'altra per il rollio. Anche Faulkner doveva essersi fatto una bevuta, e in quel momento era lì sdraiato privo di sensi, svenuto sul divano.

Be', questo almeno risolve un problema, pensò Carver.

Sarebbe stato un faccia a faccia tra lui e Trench, allievo contro maestro. E, quando Bobby Faulkner si fosse risvegliato dal suo torpore da narcotico, avrebbe trovato solo uno di loro ancora vivo a salutarlo.

Lo *Scandwave Adventurer* era più lungo di tre campi di calcio l'uno dietro l'altro. Pesava all'incirca centomila tonnellate, e poteva trasportare oltre seimila container standard da imbarco, viaggiando a una velocità di oltre venticinque nodi. Ciò lo rendeva all'incirca quattordicimila volte più pesante dello yacht di Faulkner e tre volte più veloce. La combinazione di dimensioni, peso e velocità lo rendeva manovrabile al pari di uno schiacciasassi impazzito.

Consapevoli di tutto ciò, i progettisti avevano fornito all'imbarcazione ogni possibile accorgimento di supporto: radar, localizzatore satellitare e ogni equipaggiamento di telecomunicazione. Il comandante conosceva l'esatta posizione della sua nave sulla superficie terrestre ed era in grado di localizzare qualsiasi altra imbarcazione in un raggio di miglia; in acque basse, poteva fare una mappatura del rilievo preciso del fondale marino sotto di sé, il che gli rendeva virtualmente impossibile finire in secca.

«Al giorno d'oggi, nessuno ha più bisogno di un equipaggio con esperienza. Ci pensa la tecnologia a manovrare quelle maledette navi», si ripetevano sempre tra loro gli uomini alla guida della Scandwave Shipping Corporation.

Così, quando quella notte il vento cambiò e dal Nord giunse una pioggia gelida e feroce, il marinaio di guardia sull'angusta piattaforma esposta al vento, in alto accanto al ponte, non si ergeva fiero e impavido ad affrontare le raffiche violente perché quello era il suo dovere ed era orgoglioso di farlo; se ne stava invece seduto, con la schiena appoggiata al basso parapetto d'acciaio della piattaforma, le mani chiuse a cucchiaio per ripararsi dal vento mentre tentava di accendersi una sigaretta.

Per la miseria che lo pagavano non potevano pensare che se ne stesse là a sopportare il freddo; per non parlare della pioggia, così forte che a malapena l'uomo riusciva a distinguere la prua della sua stessa nave, figurarsi qualsiasi altra cosa più in là, in mezzo al mare. E poi c'era pur sempre un tizio seduto davanti a uno schermo radar, pensò il marinaio, che ci pensasse lui a controllare il traffico di passaggio.

E così lo *Scandwave Adventurer*, diretto da Rotterdam a Baltimora, stava navigando in direzione ovest lungo il canale della Manica, col suo carico di seimila container, mentre lo yacht *Tamarisk*, diretto da Cherbourg a Poole, stava navigando verso nord, attraverso la Manica, col suo carico di tre uomini distrutti dalla fatica. E nessuna delle due imbarcazioni aveva la minima idea dell'esistenza dell'altra.

Una parte di Carver avrebbe voluto affrontare Trench a viso aperto, chiedergli che cosa fosse successo veramente, perché avesse fatto quello che aveva fatto. Ma, anche se quel vecchio bastardo gli avesse detto la verità, non avrebbe potuto svelargli nulla che lui non fosse in grado di capire da sé. Chi aveva assoldato Carver nel corso degli ultimi anni, doveva aver già iscritto Trench sul libro paga mentre era ancora un comandante al servizio dell'esercito. Tutto tornava. Trench era perfetto come agente reclutatore, e Carver era il candidato perfetto per il mestiere di assassino: capace, ben addestrato e con la giusta quantità di rabbia e disillusione che gli consentiva di sporcarsi le mani per un prezzo adeguato.

Non era il caso di commiserarsi. Lo avevano comprato, ed era stato pagato per quello. Nel caso in cui fosse sopravvissuto al servizio svolto, Trench aveva previsto di sbarazzarsi di lui, proprio come si fa con una qualsiasi attrezzatura divenuta superflua. Non sarebbe stata la prima volta che Trench spediva degli uomini in una missione suicida. Ogni ufficiale con responsabilità di comando doveva essere pronto a sacrificare delle vite umane per un bene maggiore.

In un modo o nell'altro, concluse Carver, lui aveva trascorso tutta la sua vita professionale facendosi pagare per ammazzare della gente. Non era nella posizione di lamentarsi se in quel momento c'era qualcuno che voleva ammazzare lui. Ma non doveva neppure fargliela passare liscia.

C'era una tasca profonda, nella sua giacca impermeabile. Era chiusa da una zip verticale, e gli arrivava fino al torace, sul lato sinistro. Dentro c'erano due tubi di plastica lunghi una trentina di centimetri. Alla base erano tinti di un colore rosso che si schiariva via via in una striscia arancione e poi gialla in cima, dov'era disegnata la silhouette di un arciere sopra un logo in cui appariva il nome IKAROS. In fondo al tubo c'era una linguetta di plastica rossa.

Carver si spostò a lato della scaletta; allungò la mano e con una spinta aprì il portello, facendo entrare una raffica di vento e spruzzi, insieme col frastuono fragoroso e martellante della bufera. Poi con l'altra mano sollevò il tubo, tenendolo orizzontalmente, allo stesso livello del ponte all'esterno. Quindi tirò la linguetta. Vi fu una vampata improvvisa, simile al lancio di un fuoco d'artificio, poi si udì un grido d'allarme, gli schiocchi confusi del tubo che rimbalzava avanti e indietro da un lato all'altro della cabina di pilotaggio e, nemmeno un secondo dopo, l'esplosione di un razzo d'emergenza.

Non appena lo spazio del portello aperto venne riempito dalle dense volute di fumo rosso, Carver si lanciò su per la scaletta, attraversò il passaggio e si addentrò in quell'infernale nebbia scarlatta. Riuscì a distinguere a malapena la sagoma di un uomo davanti a sé, il suo braccio che si sollevava. Poi un bagliore e il crepitio di un'arma da fuoco di piccolo calibro, mentre Quentin sparava in mezzo al fumo, in direzione del portello. Tre colpi andarono a conficcarsi nello stipite di legno, mancando Carver di pochissimo.

I due uomini finirono l'uno addosso all'altro, e Carver andò a sbattere sulla cintola di Trench, spingendolo indietro sulla panca in fondo alla cabina di pilotaggio. Con tutta la forza che aveva, sferrò il pugno destro contro l'inguine del vecchio amico, mentre con la sinistra cercava di fargli mollare la presa sulla pistola.

Era quasi come trovarsi sott'acqua, senza la possibilità di respirare, annaspando in cerca di ossigeno, persi in una lotta primordiale per la sopravvivenza.

Alla fine, Carver sentì che la presa di Trench sulla pistola si stava allentando. Senza badare al disperato tentativo che l'altro faceva di colpirlo con la mano libera, né allo scalciare delle sue gambe, infilò a forza la mano destra fra le dita di Trench e l'impugnatura della sua pistola. Quando un dito allentò la presa, lui l'afferrò e lo piegò all'indietro, spezzando l'articolazione inferiore.

La pistola cadde sul ponte della barca e rotolò via, lungo la superficie resa scivolosa dalla pioggia. Carver si tirò su arrancando, il petto pulsante per la respirazione affannosa, gli occhi colmi di lacrime; Trench era seduto di fronte a lui, si teneva la mano ferita e tossiva cercando di riprendere fiato.

Il vecchio cercò di alzarsi, ma Carver lo colpì due volte in pieno volto, di sinistro e di destro, mettendo in ogni pugno tutta la forza che le sue spalle riuscirono a produrre. Poi afferrò una manciata dei capelli grigi di Trench, e gli sbatté la testa contro il bordo di legno che correva lungo tutto il perimetro superiore della cabina di pilotaggio: tre colpi furiosi che lasciarono Trench in uno stato di semincoscienza, ricoperto di sangue.

«Siediti sulle mani!» ordinò Carver.

Con una smorfia di dolore, Trench s'infilò le mani sotto le cosce.

Il razzo stava ancora vomitando fumo, anche se il vento lo stava soffiando via in un fluttuante pennacchio rossastro. Per un istante, Carver riuscì a inspirare nei polmoni in fiamme un soffio di limpida e pulita brezza marina. «Dov'è lei?» ringhiò.

Trench lo guardò attraverso gli occhi offuscati, persi nel vuoto. «Dov'è *chi*?»

«Aleksandra Petrova, la ragazza russa. Gran brutto sbaglio, è stato quello a tradirti. E allora... dov'è?»

«Cristo, lei... non ne ho la minima idea.»

Carver lo colpì di nuovo.

«Dico sul serio», insistette Trench. «Non ne so niente dei russi. Non sono stati una mia idea.»

«E di chi è stata l'idea, allora?»

Trench fece un sorriso stremato. Teneva ancora la bocca aperta, cercando faticosamente di riprendere fiato. «Sono stato io a insegnarti tutto quello che sai su come resistere a un interrogatorio. Pensi veramente che riuscirai a farmi parlare?»

Carver guardò Trench dritto negli occhi. «No, non lo credo.»

«E che cosa farai, allora?»

La domanda lo colse alla sprovvista. Carver si rese conto di non avere nessuna risposta.

E in quell'istante d'indecisione Trench colpì: portate le ginocchia al petto, scagliò le gambe in avanti, contro il corpo di Carver, mandandolo a finire lungo disteso sul ponte.

Improvvisamente un'ondata colpì il *Tamarisk* in mezzo allo scafo, e i due uomini si trovarono avvolti in una pioggia schiumosa mentre il ponte cominciò a ondeggiare violentemente in tutte le direzioni.

Carver finì con la testa vicino a un piccolo oggetto nero, appoggiato sul legno umido e freddo. Quando la barca sbandò nuovamente, lui si accorse che si trattava della pistola di Trench e che stava scivolando lungo il ponte verso l'uomo che voleva ucciderlo.

Il vecchio comandante di Carver, il suo maestro, il suo modello di comportamento, raccolse la pistola e ruotò il braccio per prendere la mira. I suoi occhi luccicavano dello spietato giubilo del trionfo, e poi si spalancarono in un lampo fugace di attonita sorpresa, quando Carver sparò il secondo razzo di emergenza.

Il razzo colpì Quentin Trench in pieno volto, gli attraversò il palato penetrando nel cervello; l'uomo scivolò lungo lo stretto ponte di poppa, e poi oltre la fiancata della barca, e a quel punto il razzo deflagrò del tutto, frantumandogli il cranio in un'esplosione di sangue, materia cerebrale e fumo gorgogliante.

E quando il razzo gettò sull'acqua la sua luce color sangue, illuminando ogni cosa si trovasse sul suo percorso, Samuel Carver vide la gigantesca prua dello *Scandwave Adventurer* che stava piombando loro addosso, un muro inarrestabile di acciaio nero, gigantesco e irrefrenabile come una valanga.

Il mercantile da centomila tonnellate si trovava ormai a non più di duecento metri di distanza, con lo scafo che incombeva alto sull'albero del *Tamarisk*; la colossale struttura si perdeva nella pioggia torrenziale, ben oltre il bagliore prodotto dal razzo. Si muoveva con tutta la velocità consentita dalle condizioni atmosferiche, aprendosi una strada attraverso le onde quasi fossero soltanto increspature sulla superficie di uno stagno.

Carver sapeva che, seppure il razzo di segnalazione avesse avvertito l'equipaggio della nave della presenza di uno yacht che stava navigando proprio sulla loro traiettoria, ormai era decisamente troppo tardi perché potessero cambiare rotta o ridurre la velocità. Stimò all'incirca una ventina di secondi prima che lo *Scandwave Adventurer* andasse a schiantarsi sulla fiancata dello yacht. Cercò di concentrarsi. Non era troppo tardi. Se fosse riuscito a far partire il motore e a mollare le vele, avrebbe potuto dirigersi dritto contro il vento, mantenendo la velocità e virando via dal percorso di quella mole dirompente; le due imbarcazioni si sarebbero così trovate fianco a fianco, col mercantile a sovrastare lo yacht come un autotreno che sorpassi un motorino. Anche solo un colpo di striscio sarebbe stato fatale, ma almeno c'era una possibilità di scamparla.

Si lanciò sul pulsante d'avviamento, lo schiacciò: il motore tossì, sputacchiò e si spense. Schiacciò ancora. Niente. Erano passati cinque secondi. La barca stava ancora veleggiando contro il suo gigantesco carnefice.

Samuel Carver non era un velista. Ma era un ex soldato della marina. Per anni aveva studiato, progettato ed eseguito operazioni sull'acqua; aveva frequentato i corsi di navigazione dell'esercito, vera e propria ossessione delle forze armate britanniche, intrise com'erano delle tradizioni nautiche proprie di un'isola. In quel momento, la sua preghiera fu di ricordarsi ognuna delle cose che gli erano state insegnate.

Disinnescò il pilota automatico e andò ad accucciarsi accanto alla barra del timone; il vento era forte, tutt'intorno a lui era un turbinio schiumoso di acqua marina, e la pioggia lo colpiva con una tale violenza che per vedere qualcosa era costretto a strizzare gli occhi fino a ridurli a due fessure. La mole colossale si trovava ormai a non più di cento metri di distanza e procedeva ancora alla stessa velocità, ancora sulla stessa rotta, ancora ignara dell'esistenza dello yacht. Carver riusciva a vederne i puntini di ruggine sullo scafo. Trasse un profondo respiro, e con una spinta allontanò il timone dal proprio corpo, spostandolo direttamente verso lo *Scandwave Adventurer*.

Per un interminabile e straziante secondo, non accadde nulla. Poi la prua dello yacht virò contro il vento, cominciò a girarsi e il boma che reggeva la vela di maestra fu scagliato attraverso la barca, passando velocissimo sopra la testa di Carver. Il fiocco sulla parte anteriore era strettamente fissato all'albero; il vento lo stava spingendo dalla parte opposta, verso la banda di sinistra della barca. Ma la vela era trattenuta dalla cima tesa che la teneva nell'originaria posizione di dritta.

A poco a poco, il *Tamarisk* mutava rotta. Ruotò in senso antiorario, girandosi di tre quarti, finché non si trovò più a correre fianco a fianco col mercantile, ma puntò quasi direttamente sull'enorme colosso. Poi la rotazione si fermò, e il *Tamarisk* rimase là, immobile in mezzo all'acqua.

Il mercantile non si trovava a più di cinquanta metri. Nel tempo in cui il *Tamarisk* ebbe completato il suo giro, Carver era riuscito a manovrare freneticamente il fiocco, lottando contro la tensione generata dal vento nella vela. La cima si allentò e il fiocco rimase a penzolare nel vento, impotente.

La barca non si sarebbe più mossa finché Carver non avesse compiuto il processo inverso. Gli rimanevano meno di cinque secondi prima dell'impatto. Si lanciò sul verricello sulla banda sinistra della barca e girò furiosamente la leva per tendere la cima fino a portarla al punto in cui poté tornare a catturare il vento sufficiente a dare spinta al *Tamarisk*.

Lo *Scandwave Adventurer* era ormai così vicino che Carver

non riusciva neppure a distinguerne la cima. A ogni secondo si avvicinava di un'altra decina di metri. Non c'era più tempo, più nulla che lui potesse fare.

E poi, in qualche modo, il fiocco catturò una folata di vento e si gonfiò per un istante, dando al *Tamarisk* una piccola spinta, un movimento di non più di un paio di metri, ma sufficiente a farlo virare.

Carver sentì che la barca veniva afferrata da una forza di gran lunga più potente. Al di sotto della linea di galleggiamento del mercantile, la prora si allargava in una grande protuberanza tondeggiante a forma di bulbo, come la testa di una mastodontica balena. Era progettata in modo tale da sospingere l'acqua davanti a sé riducendo al minimo la scia che si lasciava dietro. Ed era talmente efficace, che l'*Adventurer*, come la gran parte delle grandi navi moderne, generava una scia di dimensioni minori di quella di un cruiser da dodici metri.

L'acqua venne spostata in un'onda enorme, che si arrotolò su se stessa sollevando il *Tamarisk* e scagliandolo verso l'alto, lontano dal mercantile. Era come navigare nell'occhio di un uragano. L'aria era immobile. Le vele ciondolavano a vuoto. Ancora una volta Carver si trovava in una condizione di totale impotenza, ballonzolando nell'acqua come una papera di gomma in una vasca da bagno. Alla sua sinistra, il mercantile stava passando via, con un movimento che durò dieci, venti, trenta secondi, come se riempisse l'oceano intero... una nave immensa che sembrava non dover finire mai.

All'improvviso la corrente dell'onda di prua riconquistò nuovamente il controllo, oscillando all'indietro verso la massa della nave e portandosi il *Tamarisk* con sé. Lo yacht veniva sospinto direttamente verso la fiancata della nave che era sempre più vicina e incombeva sempre più alta, al punto che, stendendo il braccio sinistro, Carver avrebbe quasi potuto toccarne la fredda e bagnata superficie d'acciaio.

Poi la corrente girò di nuovo, scagliando lo yacht indietro verso il mare aperto mentre, cinquanta metri più in là, il mercantile procedeva nel suo cammino. Carver riuscì a distinguere gli enormi caratteri maiuscoli che componevano il suo nome, scritto sulla poppa; le parole si fecero sempre più piccole, finché la nave non venne inghiottita dal buio e dalla pioggia. Ormai non era rimasta traccia del razzo, nessuna indicazione del punto in cui il corpo di Trench stava galleggiando.

Carver soppesò brevemente la possibilità di fermarsi a cercarlo, ma vento, onde e corrente dovevano aver già spostato il cadavere dalla sua posizione originale. Non disponeva di un riflettore con cui perlustrare la superficie dell'acqua, né di un motore per portare avanti e indietro il *Tamarisk*; avrebbe potuto anche sprecare ore senza riuscire a trovare nulla. L'indomani mattina, il corpo sarebbe stato avvistato e una qualunque nave di passaggio lo avrebbe tirato su a bordo; avrebbero chiamato la guardia costiera, e sarebbe stata aperta un'inchiesta, che avrebbe inevitabilmente condotto al *Tamarisk* e a Bobby Faulkner.

Quindi per Carver partiva un altro conto alla rovescia. L'unica cosa che gli rimaneva da fare era andare avanti. Gli facevano male la schiena e le gambe, sentiva il sudore che gli si stava ghiacciando sulla pelle; la fatica gli si stava riversando addosso come l'acqua che circondava la barca.

Era accasciato sulla leva del timone, la testa bassa, quando udì dei colpi di tosse sovrastare l'urlo del vento e il battere della pioggia. Alzò lo sguardo e vide emergere dal portello Bobby Faulkner.

L'amico si guardò intorno, con aria assonnata. «Dov'è Quentin? Che sta combinando quella vecchia canaglia?» Si fermò un momento, quindi rivolse a Carver un sorriso stremato, ancora sotto l'effetto della droga. «Mi sono perso tutto il divertimento, vero?»

MERCOLEDÌ, 3 SETTEMBRE

A Bobby Faulkner occorsero un paio di minuti per farsi entrare nella testa narcotizzata il fatto che Quentin Trench fosse morto; un altro paio di minuti li spese a urlare contro Carver, la voce impastata e confusa, i pensieri in subbuglio, buttandogli addosso la colpa di quanto era accaduto e dandogli dell'assassino. Gli disse che sua moglie aveva ragione, che avrebbe fatto meglio a restarsene a casa sua e andare al lavoro. «Commilitone, un cazzo!» sbraitò. «Non sai fare altro che combinare casini. In Francia, ti dovevo lasciare! A risolverti da solo i tuoi fottuti problemi, che non sono affari miei. E adesso Quentin è morto, il miglior comandante che si possa avere. Ed è tutta colpa tua, maledizione!»

Carver lasciò che Faulkner si sfogasse. E, mentre l'altro andava avanti a sbraitare, considerò le opzioni a sua disposizione: poteva ingollarsi tutti quegli insulti e non dire niente, oppure poteva reagire e farlo a pezzi.

Pensò anche alla possibilità di fare il duro rimanendosene in silenzio. Probabilmente quella sarebbe stata la risposta più matura; ma non poteva essere sicuro che Faulkner non avrebbe provato a fare qualcosa di stupido, finché continuava a vedere lui come un assassino e Trench come una vittima innocente.

In più, Carver era distrutto e aveva già sopportato tutto quello che poteva sopportare quella notte, e la notte prima, e quelle precedenti. Afferrò Faulkner per il collo e lo sollevò vicino a sé, fino ad avere la sua faccia a pochi centimetri; lo fissò dritto negli occhi, ancora offuscati dai farmaci, quindi disse: «Ascoltami. E ascoltami con molta attenzione, perché te lo dirò una volta sola. Quentin Trench era un bastardo traditore e bugiardo, che ha cercato di ammazzarmi e che dopo avrebbe ammazzato anche te. Ha messo qualcosa in quel dannato toddy che ti ha dato ieri sera, e così ti ha messo fuori combattimento. Sant'Iddio, sei un ragazzone grande e grosso, te ne sarai accorto, che ti hanno drogato. E io non posso essere stato, giusto? Ero di guardia quassù in coperta».

Faulkner si strinse fra le spalle, senza esporsi: non era in grado di ribattere, ma non voleva neppure far vedere di essere d'accordo.

«Mi ha sparato addosso», continuò Carver. «Ma mi ha mancato. Guarda...» Indicò lo stipite del portello. «Ecco qui i fottutissimi fori. E niente di tutto questo sarebbe mai successo, se tu non lo avessi fatto salire su questa barca.»

Faulkner andò verso il timone, facendo virare la barca in direzione nord, in attesa del primo flebile lucore dell'aurora. «Ma perché Quentin avrebbe voluto ucciderti?» domandò. «Ti amava come un figlio. Me l'ha detto lui stesso.»

«Mi ha spedito in una missione dalla quale non sarei dovuto uscire vivo. E, quando invece ce l'ho fatta, lui ha decretato la mia morte. Senti, ho trascorso gli ultimi cinque anni lavorando in via non ufficiale: operazioni sommerse, incarichi mai assegnati, per intenderci. Non sapevo da chi mi venisse il lavoro e pensavo che nemmeno loro conoscessero la mia identità; meglio così, per il bene di entrambi. Ma adesso viene fuori che mi ero sbagliato. Uno dei miei boss lo sapeva perfettamente, chi fossi, perché si trattava di Quentin. Ho lavorato per lui tutto il tempo, e non lo sapevo.»

Faulkner si accigliò. «Aspetta un attimo. Sei stato tu il primo a chiamarmi chiedendomi di Quentin. È proprio per questo motivo che ho pensato a lui, quando mi hai chiamato di nuovo per la faccenda della barca.»

«Pensavo che lui avrebbe potuto aiutarmi. Stupido, no?»

«E come hai fatto a capire che era venuto qui per fregarti, invece?»

«Perché si è messo a fare delle battute sceme su Alix, la ragazza di cui vi ho parlato, sul fatto che fosse una moglie che mi ero ordinato per posta in Russia. Ma come faceva a sapere che è russa? Io non ve l'avevo detto. Doveva esserci dentro anche lui. Tutto ciò che dovevo scoprire era se anche tu fossi coinvolto;

quando ti ho visto là sdraiato, privo di conoscenza, ho saputo che eri pulito.»

«Come faccio a sapere che mi stai dicendo la verità?» chiese Faulkner. «Come faccio a sapere che non ucciderai anche me?»

«Perché l'avrei già fatto. Sei rimasto in uno stato d'incoscienza, o comunque incapace di reagire, per la maggior parte dell'ultima ora. Avrei potuto buttarti fuori bordo in qualsiasi momento. E, in ogni caso, la conosci anche tu la verità. Qual è l'ultima cosa di cui ti ricordi, prima di aver perso i sensi?»

Faulkner strizzò gli occhi, nel tentativo di ricostruirsi un'immagine mentale. Fece un paio di respiri profondi, buttando fuori l'aria dal naso. Poi spalancò gli occhi e scosse la testa, con un'espressione addolorata. «Hai ragione. Dev'essere stato lui. Eravamo giù di sotto. Io mi ero seduto e stavo pensando di riposarmi un po'. È arrivato lui; aveva in mano una tazza di... qualcosa. Dopo quello, non riesco a ricordare niente.»

«Ti ha messo fuori gioco, poi ha cercato di sistemare me. Ma non si ricordava quanto io sia bravo nel mio lavoro. E così è morto.»

Faulkner si sporse in avanti. «E qual è, esattamente, il tuo lavoro, Pablo?»

Carver non rispose.

«Oh, andiamo!» insistette l'amico. «Hai trasformato la mia barca in un campo di battaglia. Ho il diritto di sapere.»

«Te l'ho già detto. Operazioni sommerse, incidenti. Come, poniamo, un ufficiale veterano della marina con anni di esperienza per mare che incappa in una burrasca durante una traversata notturna della Manica e viene ferito a morte da un razzo di soccorso. Quest'ultimo esplode troppo presto, mentre lui sta cercando di avvisare della sua presenza un mercantile in avvicinamento, e così il poveraccio salta per aria e finisce fuori bordo. Cose di questo genere, insomma.»

«E questo lavoro che Trench ti aveva mandato a fare, quello in cui hai incontrato la ragazza, quello da cui non saresti dovuto uscire vivo, che cos'era?»

«Non chiedermelo. È meglio per entrambi se lasciamo cadere qui l'argomento», replicò Carver. «Senti, prendi il timone per un po'. Io scendo giù in cabina a controllare un paio di cose. La vuoi una tazza di caffè, per svegliarti?» Andò di sotto. La radio della barca era montata sulla parete della cabina; Carver la svelse dal suo sostegno e la fracassò contro il bordo del tavolo.

«Che succede là sotto?» gridò Faulkner dal posto di pilotaggio.

«Sono solo inciampato», mentì Carver. «Non preoccuparti, niente danni.» Preparò i caffè e li portò in coperta. Quindi, mentre sorseggiava il suo, rimase a osservare la costa meridionale dell'isola di White, a poche miglia di distanza: un profilo nero contro un cielo grigio scuro, mentre i primi raggi del sole nascente cominciavano già a striare il fondo delle nubi.

«Cos'era tutto quel casino?» domandò Faulkner.

«Stavo mettendo fuori uso la tua radio. Così, quando arriverai a riva, potrai giustificare il fatto di non aver potuto chiedere soccorso via radio una volta scoperta la scomparsa dei tuoi due compagni di equipaggio...»

«Ne è scomparso uno solo.»

«Adesso ci arrivo. Ecco che cosa farai. Non appena sbarchi, va' dal comandante del porto e fa' chiamare la guardia costiera. Poi di' la verità: che sei stato drogato; avrai ancora delle tracce nel sangue. La tazza usata da Trench dev'essere ancora là, è rotolata in qualche angolo della cabina.

«Quando ti sei svegliato, ti sei arrampicato su in coperta ed entrambi i membri del tuo equipaggio, Trench e Johnson, erano spariti; e così anche il gommone della barca. Naturalmente, il tuo primo istinto è stato di lanciare un *mayday*, ma la radio era fuori uso. Fingerai di essere sconvolto perché due dei tuoi amici più cari sono scomparsi e tu non hai la minima idea di cosa possa essere accaduto; né hai la minima idea del perché vi siano fori di proiettile disseminati per tutta la barca. Pensi di riuscirci?»

Con una certa riluttanza, Faulkner rispose: «Sì, suppongo di sì».

Non erano lontani dalla costa inglese, ormai. Poole si trovava sul lato opposto del canale del Solent, a nord-ovest dell'isola di White, sulla loro sinistra.

Carver girò la testa verso dritta, a nord-est, scrutando l'orizzonte. Quindi si voltò di nuovo verso Faulkner. «Cambia rotta», gli disse. «Abbiamo bisogno di un altro porto.»

C'era una lontana possibilità che Trench avesse predisposto un comitato di benvenuto per accoglierli, nell'evenienza che non fosse riuscito a portare a termine il lavoro in mare.

Jurij Žukovskij diede ordine di far portare ad Alix la colazione. L'aveva torchiata per ore; era più che certo che non avesse nient'altro da dirgli. Doveva soltanto decidere che cosa fare di lei.

La cameriera non disse nulla quando entrò nella stanza, ma la sua presenza fu sufficiente a risvegliare Alix da un sonno irregolare, che in effetti non era nient'altro che un torpore semicosciente. I lacci con cui era stata legata erano spariti, ma su polsi e caviglie si potevano distinguere nettamente le ecchimosi blu. Non era certo mancata la violenza, e il ricordo di ciò che lui le aveva fatto era vivido quanto i lividi sul suo corpo.

Alix continuò a osservare la cameriera, un'altra russa, mentre appoggiava il vassoio sul tavolino accanto al letto. Sul volto della donna era calata quella maschera di muta vacuità dello sguardo dietro la quale erano rimasti nascosti per secoli i veri sentimenti di generazioni di servitori; ma Alix riuscì ugualmente a percepire il disprezzo.

Si lasciò ricadere sul letto. Sapeva di dover mangiare, ma non le era rimasta abbastanza forza per portarsi il cibo alla bocca. Forse ci avrebbe riprovato più tardi.

Jack Grantham incontrò Agatha Bewley per una colazione interdipartimentale alla Coffee Room del Travellers Club, su Pall Mall. Ospitato in un palazzo ad architettura pseudorinascimentale che Charles Barry realizzò nel 1832, il locale era diventato da tempo il tradizionale luogo d'incontro londinese per diplomatici, ambasciatori e dignitari di passaggio.

E tale era anche un agente dell'MI6 come Grantham, che in teoria, lavorando al Foreign and Commonwealth Office, era un impiegato del servizio diplomatico britannico. La sua appartenenza al Travellers offriva un'utile aggiunta a quella copertura, sebbene Grantham fosse tutt'altro che un animale da club: disprezzava quell'atmosfera di inveterato privilegio ereditario che aleggiava sugli esclusivi circoli di Pall Mall, simile a una vetusta nebbia londinese. Bisognava ammettere tuttavia che quel posto gli faceva comodo: non doveva preoccuparsi di trovare un ristorante, né di prenotare un tavolo. Era un risparmio di tempo, evitava sprechi e aumentava l'efficienza, tutti principi che Grantham apprezzava.

«Mi è dispiaciuto sentire di quei due vostri agenti a Ginevra», disse Agatha Bewley mentre spalmava marmellata su un croissant. «Non è mai facile perdere dei collaboratori, specie quando sono giovani. Niente figli, a quanto sento. Questa, almeno, è una fortuna.»

«È così», concordò Grantham. Si era lanciato su un English breakfast al gran completo, come sempre. «Comunque, potrebbe essere uscito qualcosa di buono da tutta questa storia. Stiamo cominciando ad avere dei nomi e dei volti. Ci manca soltanto il modo di combinarli insieme.»

Agatha Bewley era una donna pignola. Masticò con cura, inghiottì, e poi, quando fu certa di avere la bocca completamente vuota, domandò: «C'è nulla che desideriate condividere con noi?»

Grantham annuì. Aveva la bocca piena di bacon e uova fritte.

«Vada avanti», gli disse la donna, che aveva posato la forchetta e se ne stava immobile sulla sedia.

Grantham le restituì lo sguardo. «Mi sembra scettica. Non dovrebbe. Non sto cercando di scaricarvi.»

«Insomma, cos'è che avete in mano, fino a questo momento?»

«Due nomi: un uomo inglese, tale Samuel Carver, e una donna russa, Aleksandra Petrova.»

«E da dove vengono, questi nomi?»

«Diciamo solo che Percy Wake ha mosso alcune leve, tirando in ballo certi vecchi favori. A questo punto, non m'interessa sapere come abbia fatto a ottenere l'informazione.»

La donna gli lanciò un'occhiata diffidente. «Carver e Petrova: che cosa sappiamo di loro?»

«Quasi niente. Carver dev'essere uno pseudonimo; non c'è nessun passaporto britannico registrato a questo nome... nessun passaporto autentico, almeno. Non ha carte di credito; non compare nei database di nessuna compagnia aerea e non troviamo nessun conto bancario a lui intestato. Petrova era un'agente di basso rango del KGB, di base a Mosca. Aveva cominciato a lavorare poco prima del crollo del Muro; la usavano come specchietto per le allodole.» Grantham tirò fuori una busta di cartoncino marrone, l'aprì e passò sul tavolo un paio di foto in bianco e nero.

«Una ragazza graziosa, no?» fu il commento di Agatha Bewley.

«Di certo lo era quando sono state scattate queste, sette anni fa. Non è riuscita ad accalappiare nessuno dei nostri agenti, ma un paio di uomini d'affari le dissero più di quanto non avrebbero dovuto.»

Agatha Bewley sollevò un sopracciglio. «Gli uomini sono creature talmente semplici.»

«Tante donne sono cadute per questo stesso genere di cose», ribatté Grantham. «Non ci voleva altro che un bell'agente della Stasi che dicesse loro 'Ti amo', e metà dello staff femminile del governo della Germania Occidentale era ben contenta di passare segreti all'Est.»

«Suppongo che lei abbia ragione. La debolezza umana è universale.»

«Ed è anche una buona cosa, altrimenti non riusciremmo mai a scoprire niente», aggiunse Grantham. «In ogni caso, questa Petrova è sparita dai radar cinque o sei anni fa. Per quanto ne sappiamo, vive ancora a Mosca. Ma non è più stata impiegata in nessuna attività di spionaggio e non risulta nulla sulla fedina penale.»

«Sembrerebbe una figura piuttosto improbabile, come assassina», osservò Agatha Bewley.

«O è così, oppure è dannatamente brava, perché è riuscita a tenersi ben lontana dalle luci della ribalta.»

«Il che risulta alquanto inverosimile, non le pare? Un momento sta dormendo accanto ai suoi obiettivi, il momento dopo li ammazza. Direi che entrambi i gesti richiedono lo stesso distacco, una sorta di insensibilità nei confronti dell'altra persona, ma l'addestramento richiesto sarebbe assai diverso. Che cosa vi fa pensare che questa donna sia coinvolta? A parte la soffiata del nome, naturalmente.»

Grantham inghiottì un ultimo boccone di salsiccia, funghi e fagioli stufati. «Due giorni fa, in via ufficiosa, abbiamo ricevuto un messaggio da un agente dei servizi segreti francesi. Diceva di sapere dove si trovavano le persone che stavamo cercando, e chiedeva in cambio mezzo milione di dollari.»

Agatha Bewley scoppiò a ridere. «Sono veramente da ammirare, i francesi. C'è qualcosa di grandioso in questa loro totale mancanza di scrupoli.»

«Già, è quello che abbiamo pensato anche noi. Gli abbiamo detto di andare al diavolo, naturalmente. Poi abbiamo rintracciato il telefono da cui chiamava e gli abbiamo messo degli agenti alle calcagna. Era a Ginevra.»

«Ah...»

«Be', comunque, i nostri hanno seguito il francese. Si è incontrato con un uomo che aveva con sé una valigia.»

«Contenente i soldi?»

«Non lo sappiamo; la valigia non è mai stata aperta. Ma il

francese deve aver pensato che il denaro ci fosse, perché se n'è andato via col suo contatto, il che è stato un grosso sbaglio. Sono saliti su una BMW nera, registrata a nome di un'azienda di Milano che importa pellicce. C'erano altri tre uomini nell'auto. Sono andati in una strada della Città Vecchia, e lì il francese è stato ammazzato. Per farla breve, i russi se ne sono stati in giro fino alle dieci di sera, ora locale, quand'è esploso un vero inferno. Il primo russo, quello che aveva incontrato il francese, ha rapito una donna in un caffè, e nel farlo ha ucciso il proprietario, un avventore e i nostri due agenti.»

«Mio Dio!» mormorò Agatha Bewley.

«Un vero bagno di sangue. Comunque, siamo convinti che la donna rapita fosse Aleksandra Petrova. Nel frattempo, gli altri tre russi venivano pestati a sangue in una rissa in un pub, proprio in fondo alla stessa strada. Testimoni attribuiscono un accento inglese all'uomo responsabile del pestaggio.»

«Carver?»

«È ciò che pensiamo.»

«Quindi la ragazza è stata rapita nello stesso momento in cui Carver si faceva coinvolgere in una rissa. Sembrerebbe che tutti quanti stessero cercando proprio loro due. Come per un'operazione di pulizia.»

«Proprio così. Ma, tutti questi russi, in che modo sono stati tirati dentro? Si dà per scontato che l'operazione di Parigi sia stata pianificata da un'organizzazione inglese. Non sono ancora riuscito a chiarire quale sia il legame con Mosca.»

«Sapete niente del rapitore?»

«Si chiama Grigorij Kursk. La polizia di Mosca lo conosce bene. È stato arrestato innumerevoli volte per aggressione, e anche per un paio di omicidi; ma le accuse sono sempre cadute. Probabilmente ha degli amici potenti.»

«Dunque Kursk rapisce Petrova, e i suoi uomini seguono Carver. Ma Carver scappa. E dove va?»

«Lei dove andrebbe?»

Agatha Bewley sorrise. «Il più lontano possibile.»

«Sarebbe una decisione logica», concordò Grantham. «Ma proviamo un altro punto di vista. Carver ha trascorso quasi quarantott'ore in compagnia di una donna il cui unico talento è la seduzione; c'è la possibilità che lei sia riuscita a ficcare i suoi arpioni in profondità. E se lui la rivolesse indietro?»

«Allora andrà dietro ai russi.»

«Forse non sa chi sono. Forse è confuso tanto quanto lo siamo noi, perché i suoi ordini li ha ricevuti da Londra; per cui, se vuole scoprire chi è che ha preso la ragazza...»

«Deve tornare qui.»

«Precisamente. Che è il motivo per cui forse dovrà essere coinvolto l'MI5.»

Agatha Bewley era sul punto di ribattere, quando uno dei camerieri si avvicinò in silenzio alla sedia di Grantham, tossicchiò discretamente per attirare la sua attenzione e gli bisbigliò qualcosa all'orecchio.

Grantham annuì. «Mi scusi, Agatha. Mi ci vorrà un istante.» E seguì il cameriere fuori della stanza.

Tornò meno di cinque minuti dopo. Il suo umore appariva sensibilmente migliorato, mentre si sedeva e si versava una tazza di caffè caldo da una caraffa d'argento.

«Era l'ufficio», disse. «Abbiamo appena ricevuto altre informazioni da Mosca. Uno dei nostri agenti di stanza laggiù ha pensato che Aleksandra Petrova avesse un'aria vagamente familiare. Così ha smesso di scartabellare nei database della polizia e ha dato invece un'occhiata a certi ritagli di giornale. A quanto pare, Grigorij Kursk non è l'unico ad avere amici potenti.»

A meno di mezzo miglio dall'imbocco del porto di Chichester, sulla costa occidentale del Sussex, Carver calò in acqua il gommone gonfiabile del *Tamarisk*. Azionò il motore e si diresse verso la riva. Il porto era un'insenatura naturale, i cui quattro canali principali si addentravano per chilometri nell'entroterra, creando così una vasta distesa di acqua protetta che era un vero paradiso dei velisti. Club di vela e porticcioli turistici erano fioriti nella mezza dozzina di villaggi sparpagliati lungo la baia.

Alle otto di un'umida mattina di settembre, per Carver non fu un problema trovare un molo, legare il suo gommone accanto a una dozzina di altri e poi, come se niente fosse, scendere a riva senza attirare l'attenzione. A Chichester comprò un biglietto dell'autobus, una tazza di caffè, un panino e un biglietto ferroviario per Londra. Nel bar della stazione lesse le notizie del mattino. La famiglia reale se la stava passando davvero male: a quanto pareva, non stavano facendo sfoggio di un livello di cordoglio adeguato; e intanto la gente stava erigendo piccoli altari all'esterno di Kensington Palace, con tanto di foto, candele e fiori.

Carver si sentiva uno straniero nella propria terra. L'intero Paese era completamente impazzito; c'era nell'aria un'atmosfera di isteria mal repressa, un senso di contenuta esaltazione.

Continuò a leggere. A quanto pareva, George Clooney era convinto che la stampa scandalistica fosse da ritenere responsabile per quella morte. Tiger Woods sosteneva che si dovesse fare qualcosa per fermare l'eccessiva aggressività dei giornalisti. Madonna giurava che tutti quanti avevano le mani sporche di sangue.

«No, tesoro, ce le ho soltanto io», mormorò Carver. Aveva

difficoltà a concentrarsi sulle parole che aveva davanti agli occhi. Era stato in piedi tutta la notte. E il giorno prima non aveva dormito più di quattro ore. C'è un punto in cui gli effetti dell'affaticamento sul cervello non si riescono quasi più a distinguere da quelli dell'alcol: le reazioni sono rallentate, la capacità di giudizio è compromessa, e diventa più difficile tenere sotto controllo la rabbia. Carver si stava avvicinando rapidamente a quel punto.

Salì sul treno per Londra. Dormì per tutta la durata del viaggio, un'ora e cinquanta minuti, un riposo sufficiente ad attenuare un poco la spossatezza pur senza farlo sentire veramente ristorato. Quando arrivò nella capitale erano le undici: ormai Faulkner doveva aver parlato con le autorità; anche se il corpo di Trench non era ancora stato trovato, i natanti che viaggiavano su e giù per il canale della Manica di certo erano già stati messi all'erta perché lo avvistassero. Finché Faulkner si fosse attenuto al copione, Carver non aveva ragione di preoccuparsi... sempre che l'amico non avesse nel frattempo deciso di tradirlo, ovviamente. Ma il tempo a sua disposizione stava per esaurirsi, e così anche quello di Alix. Ormai la ragazza era nelle mani di Kursk da più di trentasei ore, e Carver non voleva nemmeno pensare a cosa ciò potesse significare.

Leclerc gli aveva detto che le istruzioni per il trasferimento bancario fasullo erano arrivate da Lord Malgrave. In circostanze normali, Carver lo avrebbe seguito per giorni, cercando di prendere dimestichezza con le sue abitudini prima di scegliere il momento opportuno per fare la propria mossa. Ma tale possibilità era fuori discussione: doveva affrontare il banchiere immediatamente.

Il numero dell'ufficio centrale della banca era sull'elenco. Carver chiamò e chiese del presidente; gli fu detto che Lord Malgrave sarebbe stato in riunione tutta la mattina. Era tutto quello che voleva sapere.

Prese la metropolitana. Era calda, affollata e sporca, ma più veloce di un taxi. Riemerse nel cuore della City, il cui potere e l'importanza a livello globale erano eguagliati soltanto da Wall Street. Torri svettanti di vetro e acciaio si sovrapponevano a un intrico di viuzze tortuose, sede di istituzioni secolari.

Gli uffici direzionali della Malgrave Bank erano situati dietro un lucido portone nero, fiancheggiato da colonne di pietra e sormontato da uno stemma di famiglia. L'imponente edificio trasudava un senso di fiducia e sicurezza; Carver ipotizzò che dovesse risalire ai primi del secolo, l'era del commercio globale e della prosperità nazionale, prima che l'illusione di un progresso inarrestabile finisse frantumata nel mattatoio della prima guerra mondiale.

Fece il giro dell'isolato, controllando l'entrata secondaria che si apriva su una strada ancor più stretta che correva sul lato della banca. Pensò di andare da quella parte, cercando di raggiungere l'ufficio del presidente attraverso le scale di servizio. Ma non sapeva dove tale ufficio si trovasse, e non aveva tempo di cercare piantine o di mettersi a esplorare l'edificio. Doveva entrare dall'ingresso principale.

Trovò un barbiere e si fece dare una rasata. Si comprò un Rolex, una Mont Blanc e un'elegante valigetta. Trasferì nella valigetta il contante, che fino a quel momento aveva portato in una borsa da shopping di Harrods; rimase appena lo spazio sufficiente per il marsupio e la pistola.

Venti minuti in una boutique di abbigliamento maschile lo fornirono di un vestito gessato color antracite, a tre bottoni, nel più classico stile della City; una camicia in cotone egiziano a righe rosa, più sgargiante di quella che avrebbe mai indossato un qualsiasi banchiere di New York; cravatta blu scuro, semplici gemelli d'oro e un paio di Derby nere.

Si fermò in una cartoleria per procurarsi un blocco di carta da lettere e un pacco di buste, poi bevve un altro caffè mentre con la Mont Blanc scriveva una breve nota: *Carver è morto. Trench lo stesso. Circostanze ancora sconosciute. Ogni comunicazione è a rischio; sospetti sul governo inglese. Essenziale niente telefono né e-mail. Richiesto incontro immediato per riferire di persona misure d'emergenza.*

C'era soltanto un'altra cosa di cui aveva bisogno: una piccola videocamera facile da maneggiare. Comprò una Sony, ultimo modello, e con quella lo shopping era concluso. Gli attrezzi di scena erano stati scelti, il copione scritto. Stava per levarsi il sipario.

Passò attraverso il portone d'ingresso e fece un breve cenno col capo al portiere in uniforme, il quale raddrizzò la schiena all'istante e restituì il cenno, riconoscendo d'istinto la presenza di un funzionario. Alla reception, Carver lampeggiò un veloce e simpatico sorriso alla graziosa brunetta seduta dietro il banco e le porse la busta. «La prego, faccia consegnare questa a Lord Malgrave. È estremamente urgente.»

La receptionist compose un numero ed ebbe una breve e concitata conversazione. Un paio di volte lanciò un'occhiata a Carver, cercando di giudicarne il livello di rispettabilità. Quindi, tenendo una mano sul ricevitore gli rivolse la parola. «Mi dispiace moltissimo, signore, ma Lord Malgrave è in riunione.»

Carver rimase impassibile. Non sembrò per nulla offeso dal rifiuto. «Capisco. So che è molto impegnato, questa mattina. Ma, se non le spiace, vorrei parlare direttamente con l'assistente personale di Lord Malgrave.»

La linea elegante delle sopracciglia della receptionist, accuratamente disegnata con le pinzette, s'increspò in una rapida espressione di biasimo. «Naturalmente, signore.»

«Grazie», disse Carver. E parlò con l'assistente personale del presidente. «Mi chiamo Jackson. Ho un messaggio urgente per Lord Malgrave. Riguarda le nostre transazioni a Parigi e le assicuro nel modo più assoluto che sua signoria sarà estremamente grata di poterlo leggere. E, se penserà che non vale la pena di approfondire la questione, io me ne sarò andato ancor prima che lei lo sappia.» Fece una pausa per sentire ciò che l'assistente aveva da dirgli, quindi proferì un rassicurante «Assolutamente!» seguito da un entusiastico «Ottimo!» Infine, restituì il ricevitore alla receptionist. «Grazie infinite per il suo aiuto.» Aveva un largo sorriso stampato sul volto. «Mi stanno aspettando su al sesto piano. Mi direbbe cortesemente dove posso trovare un ascensore?»

Lord Crispin Malgrave non era molto imponente, come figura. Indossava un raffinato completo con giacca doppio petto, e la cravatta di Eton. Aspetto rubicondo, unti capelli sale e pepe, la tipica aria della classe dirigente britannica, olezzante di tenute e partite di caccia. Ma in quel momento la facciata si stava sgretolando, e la buccia di arroganza scivolava via rivelando la cruda paura che si celava al di sotto.

Carver era stato introdotto nell'ufficio privato di Malgrave. L'assistente personale del presidente era un'elegante signora sulla cinquantina, energica, efficiente e autoritaria: quell'uomo era a capo di una banca, eppure aveva bisogno di una tata. La quale, finché non arrivò il suo capo, tenne d'occhio Carver quasi temesse che avrebbe potuto rubare un fermacarte nel caso fosse stato lasciato da solo.

Malgrave entrò nella stanza con passettini veloci, trasudando panico da ogni poro. Si lasciò cadere sulla sedia di pelle imbottita che si trovava dietro la scrivania di mogano. «Grazie, Maureen.» Quasi non riuscì ad aspettare che la donna fosse uscita dalla stanza prima di sbottare. «Trench è morto? Ne è sicuro? Come lo sa?»

Carver si allungò verso la scrivania e porse la mano destra. «Salve», disse. «Mi chiamo Samuel Carver.»

Malgrave non si mosse. Sembrava che ogni sua energia fosse impegnata nel semplice sforzo d'impedire alla lingua di penzolare come un pesce appena catturato. Alla fine, gli riuscì di tirar fuori qualche parola. «Ma il biglietto diceva...»

«Il biglietto mentiva.»

«E Trench?»

«Lui è morto. Quella parte era vera.»

Malgrave comprese chi sarebbe stato il prossimo a morire. E allora si sporse in avanti sulla sedia, gli occhi imploranti, le mani tese in un gesto di supplica. «Oh, mio Dio! No, la prego, non lo faccia. Farò qualunque cosa!» Rimase a pensare un momento. «Io le devo dei soldi. Ma certo! Le pagherò tutto. Tre milioni di dollari. Più gli interessi!»

Carver lasciò che continuasse a farfugliare, e il suo silenzio non faceva che aumentare ancora di più le effusioni dell'altro. «Guardami», disse poi, quando Malgrave finalmente si zittì.

Il banchiere assunse un'espressione attonita.

«Guardami!» ripeté Carver. «Sta' zitto e basta, guardami e sta' attento. Non li voglio, i tuoi fottuti soldi. E non ho intenzione di ucciderti. Sono un soldato, non uno psicopatico. Tolgo una vita solo quando non c'è alternativa. Tu ce l'hai, un'alternativa. Mi puoi dire dei russi.»

«Quali russi?»

«Quelli che erano a Parigi. Quelli che avete mandato ad ammazzarmi.»

«Non ne so niente. Glielo giuro», disse il banchiere scuotendo la testa.

Carver era propenso a credergli. Malgrave non aveva il sangue freddo necessario a un bugiardo provetto, e la sua ignoranza riguardo ai russi collimava con quella di Trench.

Malgrave si passò un fazzoletto di seta sulla fronte sudata. «Il presidente mi aveva detto che stava progettando di... sa... l'operazione della principessa. Voglio dire... non che mi piacesse... non approvavo per niente, e a dire il vero ho criticato con molta energia l'intero piano. Ma lui obiettò che era vitale per la sopravvivenza della monarchia e che aveva impegnato il Consorzio, e che eravamo finanziati da fuori, milioni di sterline da un sostenitore estero. Il denaro era arrivato da Zurigo con un bonifico anonimo. Non avevo idea di chi l'avesse fatto. E così lei sta dicendo che si trattava di russi...» Si accigliò, e il panico si acquietò per qualche istante mentre l'uomo soppesava quella possibilità. «Ma perché i russi avrebbero...? Voglio dire, che interesse potevano mai avere a ucciderla?»

«Non lo so», replicò Carver. «Quando li troverò, non mancherò di domandarglielo. Nel frattempo, dal momento che nessuno ha la minima idea di chi siano questi russi, perché non chiami il tuo presidente e organizzi un incontro? Adesso!»

«Ma è una cosa impossibile!»

Carver aprì la valigetta ed estrasse la pistola. «Questa è l'alternativa, quindi ti conviene chiamarlo. Digli che hai bisogno di vederlo di persona, e subito. Se ti chiede perché, digli che non ne puoi parlare per telefono. Inventati qualcosa. Poi di' al tuo autista che hai bisogno dell'auto; andiamo a fare un giro. Capito tutto?»

Malgrave annuì.

«Bene. Comincia a fare il numero.»

Agatha Bewley era tornata negli uffici direttivi dell'MI5, siti nella Thames House, sulla riva nord del Tamigi. L'edificio non entusiasmava per la modernità, non colpiva per l'aria vetusta, non provocava per la bruttezza né ispirava un senso di eleganza; stava lì, semplicemente, fin dal 1929. Milioni di persone gli sfrecciavano davanti in automobile, su e giù per una trafficata strada che correva lungo il fiume, e nemmeno uno su mille sprecava mai il tempo necessario per lanciargli anche solo un'occhiata. Come sede delle spie della nazione, non avrebbe potuto funzionare meglio.

Dopo la colazione al Travellers Club, la donna era andata al lavoro con la sua Jaguar nera d'ordinanza, e lungo il percorso si era messa a pensare a Sir Perceval Wake. Che si fosse messo in affari per conto proprio, ora che i suoi servigi non era più richiesti dal Paese con la stessa regolarità? Cosa aveva detto Grantham in quell'incontro, subito dopo che era arrivata la notizia dell'incidente? Qualcosa sullo speciale talento di Wake per le operazioni sommerse, sull'istinto che aveva per realizzarle e gestirne le conseguenze.

Agatha Bewley non si sentiva a suo agio con un uomo in cui la bramosia di potere era tanto evidente e i bisogni sessuali ed emotivi così ben mascherati. Wake era sempre stato scapolo, e non si sapeva di nessun amante, né dell'uno né dell'altro sesso. Era possibile che nascondesse qualche segreto vergognoso che lo avrebbe esposto a tentativi di ricatto; oppure, allo stesso modo, poteva anche essere un uomo del tutto asessuato, cui ripugnava il solo pensiero del contatto fisico. Ma una sessualità repressa è quasi altrettanto pericolosa di una che è invece soggetta a perversioni.

Agatha Bewley sapeva di dover fare molta attenzione.

Wake poteva ancora contare su agganci molto in alto, fino alla vetta del potere; se avesse avuto anche solo un sentore che c'era in atto una qualche inchiesta, sarebbe scoppiato un pandemonio. Per cui bisognava agire con discrezione.

Una squadra era stata inviata per tenere d'occhio la casa di Wake, i suoi movimenti e tutti i contatti che teneva. A mezzogiorno, Agatha Bewley era stata convocata nella stanza dalla quale veniva controllata l'intera operazione; uno dei suoi agenti, seduto alla consolle operativa, faceva funzionare la rete di comunicazione.

Dal diffusore acustico uscì una voce. «Abbiamo due individui, maschi, che stanno entrando nell'edificio. Entrambi bianchi, vestiti elegantemente. Uno sembra sulla cinquantina, capelli grigi, costituzione florida. L'altro è più giovane, probabilmente vicino ai quaranta, capelli tagliati cortissimi, porta una valigetta. Abbiamo delle foto. Mark si sta mettendo in contatto proprio in questo momento; dovremmo essere in grado d'inviarvele da un momento all'altro».

Sullo schermo del computer al centro della consolle comparvero due foto sgranate, scattate da lontano con un teleobiettivo.

«Uno dei due lo conosco», disse Agatha Bewley. «Lord Crispin Malgrave, il presidente e maggior azionista della Malgrave and Company. È membro della commissione interna del Jockey Club, viene invitato regolarmente al palco reale di Ascot e ha donato almeno cinque milioni di sterline al partito conservatore.»

«Sei molto ben informata», fece il suo luogotenente, Pearson Chalmers, che stava osservando lo stesso schermo.

«Lo credo bene. L'ultima volta che Lord Malgrave si è unito alla famiglia reale ad Ascot, prima aveva pranzato nel castello di Windsor. Io ero seduta vicino a lui.»

«Perbacco, bazzichi davvero le alte sfere!»

«Non di frequente. Ma Lord Malgrave ci vive in pianta stabile, invece. Chi è l'uomo che è con lui?»

«Una guardia del corpo?» suggerì Chalmers. «Ha un'aria militare.»

«Potrebbe essere.» La donna lanciò un'occhiata scettica allo schermo. «Ma una guardia del corpo andrebbe in giro con una valigetta? Passatelo al sistema. Vediamo se la sua faccia riesce a punzecchiare la memoria del computer.»

Schiacciò un bottone sulla consolle e parlò dentro un microfono. «Continuate l'osservazione. Rimanete in attesa di ulteriori ordini. Ottimo lavoro, finora.» Troncò la conversazione coi suoi agenti esterni, mentre continuava a pensare all'uomo dall'aspetto militare.

Si trattava forse del killer di cui le aveva parlato Grantham, tornato in Inghilterra per rintracciare la sua ragazza perduta? Era un'ipotesi azzardata, certo, ma, se Wake era davvero coinvolto, allora il killer avrebbe sicuramente voluto parlare con lui. Ma cosa c'entrava Lord Malgrave in tutto ciò?

Agatha Bewley si voltò di nuovo verso Pearson Chalmers. «Dovresti chiamare Jack Grantham al SIS. Digli che forse abbiamo qualcosa per lui. Se ci sarà un interrogatorio, vorrà essere della partita.»

Chalmers sollevò un sopracciglio. «Sono favorevole alla collaborazione tra dipartimenti, ma questo non significa andare un po' troppo in là?»

«No. Siamo entrambi sotto la spada di Damocle. Una volta tanto, è meglio se restiamo uniti.» Agatha Bewley schiacciò ancora il bottone e parlò ai suoi agenti esterni. «Quando i visitatori di Sir Perceval Wake se ne vanno, voglio che pediniate Lord Malgrave. Ma fatelo con discrezione. Quanto all'altro uomo, prelevatelo e portatelo qui. Vorrei scambiare una parola col nostro misterioso ospite.»

70

La prima cosa che Carver notò furono le fotografie ovunque. Sugli scaffali della libreria, sul caminetto, e un paio anche sulla scrivania: in ogni angolo, foto dell'uomo cui quella stanza apparteneva. Lui che scambiava una battuta scherzosa con Ronald Reagan e Michail Gorbačëv, in smoking accanto a Margaret Thatcher in abito da sera. Lui che sorseggiava un cocktail in compagnia di John e Jackie sul bordo della piscina di Hyannisport, lui che ammirava le bistecche sul barbecue dei Bush a Kennebunkport. C'erano dediche *Al mio caro amico Percy* firmate da Richard Nixon, e *Au mon cher Perceval* da parte del generale Charles de Gaulle. C'era anche un augurio in cirillico su una foto dell'ex leader sovietico Leonid Brežnev. Sir Perceval Wake non era di quelli che amano buttar là casualmente i nomi importanti; lui, i nomi, li lanciava come bombe.

Poi Carver vide una foto in una vetrinetta che si trovava dietro la scrivania; doveva esser stata scattata a un gala reale. L'anziano uomo stava parlando con l'ospite d'onore. Lei indossava un lungo abito blu; portava una tiara di diamanti appuntata sui biondi capelli ornati di piume. La dedica in fondo, scritta in una tonda calligrafia infantile, diceva *Grazie per i suoi saggi consigli!* La parola «saggi» era stata sottolineata. Due volte.

Incredibile! pensò Carver. *Ha appena fatto ammazzare la principessa. Eppure ci tiene ancora a mostrare che erano stati buoni amici.*

Sir Perceval Wake colpì Carver come il genere di uomo convinto che la realtà sia qualunque cosa lui decida debba essere, le cui menzogne risultano convincenti perché lui è sinceramente convinto che siano vere. Per esempio, era ancora convinto di avere il controllo. Il suo fedele comandante stava ballonzolando su e giù per il canale della Manica con la testa saltata per aria, le sue truppe affollavano gli obitori di Parigi; i russi pensavano chiaramente di averlo in pugno. Ma Wake si considerava ancora il capo.

E funzionava ancora, con una certa categoria di persone. Quand'erano arrivati, una segretaria aveva detto a Lord Malgrave che il presidente desiderava vedere Carver da solo; gli era stato chiesto di aspettare fuori dell'ufficio. Malgrave aveva obbedito all'istante, ed era sembrato sollevato.

A Carver venne chiesto di lasciare valigetta e pistola alla segretaria. Lui accettò, quindi entrò nell'ufficio.

«Ha del coraggio a venire qui», esordì Wake, come se la sua arroganza bastasse da sola a tenere a bada un killer.

«Chi è il russo?» chiese Carver.

«A quale russo in particolare sta pensando?» Con un gesto della mano, indicò le pareti intorno a sé. «Come può vedere, ne ho conosciuti parecchi.»

«Davvero?» fece Carver, avvicinandosi a una libreria e buttando l'occhio sulle cornici d'argento, di legno e di pelle. «Quali sono i russi, allora?»

«Ah, be'... vediamo un po'.» Wake si alzò e si avvicinò a Carver. Cercò tra quelle file di immagini felici. «Ah, sì, ecco qui Nikita Cruš...»

Carver si voltò di scatto finendo faccia a faccia con Wake e gli ficcò negli occhi indice e medio della mano destra, con la stessa violenza e rapidità del morso di un serpente. Il vecchio lanciò uno strillo e si piegò in due, tenendosi la testa tra le mani.

Allora Carver gli agguantò la mascella e la sollevò finché i loro occhi non s'incontrarono. Mantenendo ben stretta la presa, ripeté: «Chi è il russo?»

Wake alzò lo sguardo su di lui, ricacciando indietro le lacrime con un battito di ciglia. «Non posso dirglielo. Proprio non posso...»

Carver non aveva tempo da perdere. Stando in piedi dietro di lui, girò il braccio destro intorno al collo di Wake; la sua bocca si trovava adesso vicino all'orecchio destro del vecchio, e i due uomini erano stretti insieme in una sorta di morbosa intimità. Poi, Carver cominciò a stringere. «Chi-è-il-russo?» sibilò.

Le mani di Wake penzolavano nel vuoto, inermi. La testa ciondolava avanti e indietro e il torace si sollevava nella disperata ricerca di aria. Carver temette di essersi spinto troppo in là: il cuore del vecchio avrebbe anche potuto cedere prima che lui riuscisse a parlare. Poi udì un suono gracchiante uscire dalla gola di Wake; allentò appena la stretta del braccio.

Wake fece un rantolo spezzato. «Žukovskij», mormorò ansimando. «Jurij Žukovskij.»

«Chi è?»

«Uno degli oligarchi, gli uomini che controllano la Russia. Possiede cartiere, fonderie di alluminio, fabbriche di armamenti... attività ovunque.»

«E che cosa c'entra con la principessa?»

Negli occhi di Wake si accese uno sguardo supplichevole. «Non lo so. Davvero non lo so. Tutto quello che so è che era pronto a pagarci una fortuna, milioni, pur di sbarazzarsi di lei. È stata tutta una sua idea.»

«E tu eri d'accordo. Perché?»

«È una storia lunga, ci riporta indietro ai vecchi tempi. Non avevo altra scelta...»

Carver tirò via il braccio.

«Grazie», gracchiò Wake, accennando a un penoso tentativo di sorriso.

Carver lo spinse indietro contro la libreria, e ve lo tenne inchiodato contro. «E allora, che cosa faceva questo Žukovskij ai vecchi tempi?»

«Lavorava per lo Stato.»

«Tutti quanti lavoravano per lo Stato: comunismo significava proprio quello. Quale parte dello Stato?»

Wake fece una smorfia. «Piazza Dzeržinskij.»

Carver capì. Piazza Dzeržinskij era il quartier generale del KGB; quindi, il potere di Žukovskij su Wake risaliva ai tempi della guerra fredda. *Probabilmente il vecchio bastardo faceva il doppio gioco. Era uno di quella cricca di traditori provenienti dalle classi agiate.* Žukovskij lo sapeva, e usava l'informazione per esercitare la sua influenza. Ma quella era storia vecchia; Carver aveva questioni più importanti di cui occuparsi. «Ha la ragazza?»

«Credo di sì.»

«Prendi il telefono e chiamalo, subito.» Carver fece un passo indietro.

Wake si allontanò dalla libreria. Gli ci volle qualche secondo per recuperare l'equilibrio, poi tornò barcollando verso la sua scrivania e si lasciò crollare sulla sedia. Tentò di mettere insieme un sorriso. «Lei non è tipo da perdere tempo con le buone maniere, vero?»

«Non quando lavoro. Non quando ci sono in ballo delle vite.»

«Pensa davvero di poter salvare quella ragazza? Ah!» La risata uscì come un gracchio sferzante. «Lei non sa con chi ha a che fare.»

«Nemmeno lui. Fa' il numero.»

Wake prese il telefono e parlò con la segretaria, cercando di respirare normalmente e di tenere sotto controllo il dolore che gli incrinava la voce. «Mi contatti Mr Žukovskij, per cortesia. Le suggerisco di provare sul telefono cellulare.»

Pochi secondi dopo, Žukovskij era in linea.

«Jurij, amico mio... sì, anch'io sono felice di sentirti. C'è qui qualcuno che vorrebbe parlare con te. Si chiama Samuel Carver.»

Carver afferrò la cornetta. «È lì con te?»

Dopo qualche attimo di silenzio, Žukovskij parlò. «Buon pomeriggio, Mr Carver. Sono Jurij Žukovskij.»

«Il mio nome lo sai. Adesso dammi la prova che lei è ancora viva», replicò Carver.

«Ma certo», disse Žukovskij. Si sentì il rumore di passi strascicati sul pavimento, quindi il russo disse: «Come lei ha richiesto...»

Una voce inconfondibile gridò: «Carver! Non...» Le parole furono interrotte da uno schiaffo e da un grido soffocato di dolore di una donna.

Žukovskij tornò al telefono come se nulla fosse successo. «Dunque, Miss Petrova è in mano mia», riprese in tono pacato. «A essere sinceri, pensavo che lei mi avrebbe contattato prima. So tutto delle vostre avventure con Monsieur Leclerc a Ginevra.» Fece un sospiro meditabondo. «Spero che le sia piaciuto vedere Aleksandra Petrova al lavoro; a me è sempre piaciuto il suo modo di lavorare. In ogni caso, a quanto mi è dato di capire, lei la vorrebbe indietro.»

«Sì.»

«Molto bene. E che cosa è disposto a offrirmi in cambio? La prego di tenere bene a mente che il prezzo che richiedo è assai alto. I miei uomini vogliono che la donna sappia che cosa pensano del suo tradimento, e non credo di aver bisogno di spiegarle che cosa questo implichi. Se lei vuole la donna, deve darmi una ragione molto valida per togliere loro il divertimento che si aspettano.»

«Il computer», disse Carver. «Ho il portatile sul quale è stata organizzata e controllata l'operazione di sabato notte. I sistemi di protezione sono stati aggirati; abbiamo decrittato i file. E l'uomo che se n'è occupato è stato molto efficiente. Ogni ordine, ogni transazione, ogni dettaglio del progetto è stato registrato.» Cercava di capire fino a che punto potesse spingersi col suo bluff. Non aveva niente in mano, ma non gli rimaneva altra scelta. Doveva tentare il tutto per tutto. «Quell'uomo è andato un po' a scavare per conto suo», continuò. «Dev'essere sospettoso per natura. Gli erano state scaricate addosso due persone di cui non aveva mai sentito parlare prima; voleva sapere chi fossero, da dove prendessero gli ordini. È riuscito a seguirne le tracce su fino a Mosca. Fidati, Žukovskij, hai bisogno di quel computer. E di certo non vorrai che rimanga in mano mia.»

«E cosa le impedirebbe di duplicarsi l'hard-disk?» domandò il russo.

«E cosa impedirebbe a te di far fuori la ragazza e impadronirti comunque del computer?» ribatté Carver. «Nessuno di noi ha interesse a vedere questa storia diventare di pubblico dominio. Concludiamo l'affare e chiudiamola qui.»

«Molto bene. Col suo prezioso computer, si faccia trovare all'ingresso principale dell'Hotel Palace, a Gstaad, alle sette in punto di questa sera.»

«È tra meno di cinque ore!»

«Sì, è una tabella di marcia sostenuta. Ma se parte ora e non perde tempo, per esempio cercando di architettare qualche trappola per fregarmi, è anche possibile che lei ce la faccia. Ah... naturalmente, verrà da solo e disarmato. Non c'è bisogno che le spieghi che cosa accadrebbe nel caso che lei non rispettasse una di queste condizioni. Al di là di questo, non le prometto niente. Se riesce a convincermi che lei ha qualcosa da offrirmi, forse le lascerò prendere la ragazza. In caso contrario, be', i miei uomini provano nei suoi confronti sentimenti forti tanto quanto quelli che provano verso Aleksandra Petrova.»

La linea venne interrotta.

Carver restituì il telefono a Wake. «Chiama la tua segretaria. Mi serve un volo per Zurigo o per Ginevra, questo pomeriggio. Subito.»

C'era un solo volo che avrebbe potuto portarlo in Svizzera in tempo utile per rispettare la scadenza, e anche così sarebbe stata una corsa di stretta misura. L'aereo decollava dall'aeroporto di Gatwick alle 14.50. Atterrava alle 17.20, ora locale, il che gli lasciava un'ora e quaranta minuti per passare il controllo passaporti e la dogana, incontrarsi con Thor Larsson, prendere il computer e guidare per centocinquanta chilometri fino a Gstaad. Chiunque avesse considerato la faccenda con un occhio razionale non avrebbe dato a Carver nessuna possibilità di farcela.

Ma se si fosse scapicollato fino a Victoria Station e fosse saltato sulla prima navetta per l'aeroporto; se non vi fossero stati ritardi sulla rete ferroviaria londinese, notoriamente pessima; se fosse riuscito a trovare un posto su quel volo; se l'aereo fosse atterrato in orario; se il controllo alla dogana fosse stato veloce; se la Volvo di Larsson avesse avuto il serbatoio pieno e le strade fossero state sgombre... be', forse ce l'avrebbe fatta.

Sir Perceval Wake era ancora seduto, immobile, dietro la scrivania, prosciugato di ogni energia vitale. «Suppongo che mi ucciderà, adesso.»

«Mi piacerebbe, vecchio mio», replicò Samuel Carver. «Ma non ne ho proprio il tempo.»

71

Lo presero non appena imboccò Ecclestone Street, nelle immediate vicinanze di un ristorante italiano. Stava andando a tutta velocità, zigzagando tra i pedoni come un giocatore di rugby che evita i placcaggi, tutto teso a spremere fuori dal suo corpo esausto l'energia sufficiente a percorrere una città costipata di traffico. Aveva in mente un solo pensiero, l'unico che gli dava la forza di continuare ad andare, ed era la paura angosciante per ciò che stava succedendo ad Alix, e per quello che avrebbero potuto farle se lui non avesse rispettato la scadenza di quella sera. Così non fece caso alla Ford Mondeo nera che scaricò un passeggero dietro di lui, fece uno sprint lungo la strada e ne depositò altri due una cinquantina di metri più in su, prima di andare ad accostarsi in doppia fila.

All'improvviso, un uomo robusto in una giacca nera gli tagliò la strada, bloccando la sua corsa. Carver finì lungo disteso per terra, il fiato cacciato a forza fuori dai polmoni. Immediatamente, gli altri due si unirono al compagno, tirarono su Carver, lo trascinarono fino al bordo del marciapiede e lo buttarono di peso nel retro dell'auto.

Quando Carver riacquistò coscienza di quanto stava accadendo, le portiere erano ormai state chiuse, c'erano delle pistole puntate su di lui da entrambi i lati, e un bastardo con l'aria da duro e una felpa del Chelsea indosso lo stava ammanettando.

Carver si maledisse per la sua stupidità e la mancanza di cautela. Il prelevamento era stato effettuato con una precisione che nasceva dalla pratica. Ma non importava quanto fossero state in gamba le persone che lo avevano acchiappato: lui avrebbe dovuto fare attenzione, avrebbe dovuto vederle mentre si avvicinavano.

Si chiese se fosse stato Wake a tradirlo, ma non riusciva a capirne il motivo. Il vecchio doveva sapere molto bene che, se Carver fosse andato a fondo, sarebbe affondato anche lui.

Ma forse quella situazione non aveva niente a che fare con Wake. Carver lanciò un'occhiata ai due uomini seduti accanto a lui nei sedili posteriori della Mondeo, e agli altri due davanti. Erano tranquilli. Non avevano pronunciato una parola a parte un breve messaggio via radio, nella quale avevano comunicato di aver preso il loro uomo e che sarebbero stati di ritorno nel giro di cinque minuti. Il loro comportamento non ricordava per niente quello di criminali; non sembravano nervosi, non urlavano minacce né tiravano sberle gratuite.

Carver ripercorse con la mente tutte le organizzazioni che avevano sede in un raggio di cinque minuti da Vauxhall Bridge Road, che potessero disporre di uomini ben addestrati e in grado di catturare un elemento pericoloso in pieno giorno nel bel mezzo di Londra. C'erano tre possibilità. Si trattava solo di vedere da che parte sarebbe andato l'autista.

Non prese la prima a sinistra, che li avrebbe condotti a New Scotland Yard; quindi, non erano poliziotti. Quando procedettero in direzione del Tamigi, l'autista non imboccò il Vauxhall Bridge, il che eliminava l'MI6. Svoltò invece a sinistra, giù per Millbank, e continuò a guidare lungo il fiume, sino ad arrivare al grosso edificio grigio chiaro coi lampioni ornamentali di ghisa e con, disseminate su tutta la scialba facciata, le statue decorative simili a pretenziose pennellate di trucco sul viso di una donna brutta.

Difficile considerarlo un interrogatorio formale. Il luogo dove si trovavano era un normale ufficio, senza registratore, né videocamera: non era il genere di conversazione di cui si voleva lasciare traccia.

«Che uomo incredibilmente complicato», disse Agatha Bewley, buttando l'occhio su vari fogli di carta e su una serie di fotografie, ammucchiate in un raccoglitore marrone. «I suoi genitori adottivi l'hanno cresciuta col nome di Paul Jackson, che era il loro cognome e quello col quale lei ha prestato servizio nei Royal Marines e nello Special Boat Squadron. Ha ricevuto una Croce Militare e tre Encomi della regina, così come numerosi riconoscimenti minori e onorificenze sul campo. Una carriera eccezionale... me ne congratulo.

«Il suo nome di nascita era Carver. E questa, naturalmente, è l'identità professionale che usa oggi. Sui passaporti di cui è stato trovato in possesso, però, non vi è nessun riferimento a Jackson né a Carver. Lì, lei compare come un cittadino del Sudafrica di nome Vandervart, come un canadese di nome Erikson e come un neozelandese, tale James Conway Murray. E questo è strano, perché nessuno di questi signori è mai entrato nel Regno Unito nel corso dell'ultimo mese. Eppure, eccola qui, chi l'avrebbe mai detto?» La donna sventagliò un foglio. «E qui abbiamo una prenotazione sul volo delle 14.50 dall'aeroporto di Gatwick per Ginevra, a nome di Mr Murray. Interessante. Ci va spesso, a Ginevra? Si trovava là lunedì scorso? E, magari, ha qualche proprietà laggiù?»

«Vorrei davvero esservi d'aiuto, ma ho un aereo da prendere», replicò Carver, cercando di non far trapelare l'agitazione e il nervosismo che gli torcevano lo stomaco e gli strozzavano la voce in gola. C'era un orologio appeso al muro, con una lancetta dei secondi rossa che ruotava velocissima sul quadrante; la sensazione era che, a ogni giro che quella completava, Alix venisse trascinata sempre più lontano da lui.

«Devi correre a salvare la tua amichetta russa, vero? La puttana del KGB», intervenne Grantham, senza simulare cortesia, come aveva invece fatto Agatha Bewley. Faceva la parte del poliziotto cattivo, lui.

Mentre lo guardava, Carver si domandò se fosse davvero quello il suo stile. L'uomo non emanava quel tanfo di testosterone in eccesso che trasuda dal genere di persone che gode della propria prepotenza; l'istinto naturale lo avrebbe sempre portato a usare uno stiletto piuttosto che un'ascia, un fucile da cecchino invece di uno schioppo. Insomma, non convinceva nei panni del bullo.

«Miss Petrova», continuò Grantham. «Parliamo di lei. Parliamo un po' di quello che voi due stavate facendo sabato notte a Parigi.»

«Non so di cosa stiate parlando.»

«Sto parlando dell'assassinio della principessa del Galles.»

«Assassinio? Sui giornali si è parlato di un incidente», replicò Carver. «L'autista era ubriaco, guidava troppo veloce... un incidente.»

«Non raccontarmi stronzate.» Grantham si alzò, fece il giro del tavolo portandosi dove stava seduto Carver, e si chinò. «Non sei altro che uno squallido e schifoso assassino. Non te ne frega un cazzo di nessuno. Ammazzi chiunque, se ti pagano abbastanza.»

Carver sorrise. «Che bella penna hai lì», gli disse, come per fargli un complimento.

Grantham abbassò lo sguardo, disorientato: la sua giacca era rimasta aperta; nel taschino interno di destra era infilata una Waterman col cappuccio dorato.

Carver continuò a parlare. «L'hai visto, il mio curriculum. Te le puoi anche mettere in culo, le tue manette. In qualsiasi momento del tuo commovente discorsetto avrei potuto infilarti quella penna in gola, dritta nella carotide.» Lasciò passare un istante, poi aggiunse stancamente: «Ma non l'ho fatto, giusto?»

Grantham si raddrizzò, si stirò il collo e riabbottonò la giacca. Guardò Carver, aprì la bocca come per dire qualcosa, poi cambiò idea e con pochi lunghi passi ritornò alla sua sedia, dall'altra parte del tavolo.

La lancetta dei secondi completò un altro giro.

Carver attraversò il tavolo con lo sguardo, rivolgendosi ad Agatha Bewley. «Voi operate in conformità con le leggi in vigore nel Regno Unito.»

Era un'affermazione oggettiva, non una domanda. La donna fece un cenno di assenso.

«Quindi, un uomo è innocente fino a quando la sua colpevolezza non sia stata dimostrata al di là di ogni ragionevole dubbio. E per dimostrare questo occorrono delle prove: testimoni, reperti investigativi, un'arma. Esiste una qualsiasi prova che mi colleghi alla morte della principessa?»

Silenzio.

«Così pensavo.» Carver annuì. «E, anche se saltassero fuori delle prove, non verrà mai celebrato nessun processo. Non lo vuole nessuno. La storia dell'incidente va benissimo a tutti quanti. Per cui, c'è soltanto una cosa che voglio dire. Quando sono entrato a far parte dei Royal Marines, ho giurato di servire sua maestà la regina. E quel giuramento l'ho preso sul serio. Me ne considero ancora obbligato. Capite quello che voglio dire?»

Agatha Bewley soppesò l'uomo che le stava di fronte. «Sì, credo di capirlo.»

«E lo scimmione, lo capisce?» incalzò Carver.

Grantham stava respirando rumorosamente. Ormai la sua rabbia non era più una messa in scena. Riusciva a malapena a controllare l'ira.

La donna gli appoggiò una mano sul braccio. «Non si lasci provocare», disse con fare quasi materno, come per prevenire un litigio tra due figli attaccabrighe. Poi si rivolse a Carver. «Come lei stesso ha detto, è stato molto ben addestrato. Ha dimestichezza con le operazioni segrete. Immaginiamo, per semplice gusto di discussione, che i tragici eventi di Parigi non siano stati un incidente. Supponiamo che c'entri un crimine. Perché non mi dice, in via puramente ipotetica, che cosa pensa che potrebbe essere successo?»

Carver si strinse nelle spalle. Mettersi contro quella gente non lo avrebbe portato molto in là. Se aveva una sola remota speranza di uscire dall'interrogatorio ragionevolmente in fretta, era collaborando, e nel modo più completo e veloce possibile. «Be', se fossi stato io a progettare quell'operazione, avrei scelto qualcuno veramente in gamba per fare il lavoro. Uno psicopatico proverebbe forse piacere ad ammazzare la donna più amata al mondo, ma sarebbe troppo inaffidabile. Quindi bisognerebbe trovare qualcuno di relativamente equilibrato e dargli delle indicazioni fuorvianti. Fargli bere un mucchio di stronzate: per esempio, che dovrà distruggere un'auto su cui viaggia un terrorista islamico che ha in mente una qualche atrocità in grande stile.»

Agatha Bewley annuì.

«Tuttavia, se questo professionista venisse mai a scoprire quello che ha fatto veramente, di certo s'incazzerebbe di brutto. A nessuno piace essere preso in giro, giusto? Pertanto bisognerebbe ucciderlo prima che venga a sapere quello che è effettivamente successo.»

«Una doppia eliminazione», intervenne Grantham. «Eliminare il proprio stesso agente.»

«Già. Ma, se il tizio vale qualcosa, potrebbe riuscire a cavarsela. Potrebbe fare del male – molto male – alle persone incaricate di occuparsi di lui. E magari potrebbe proteggersi impossessandosi, diciamo, di un computer... un computer che ha in memoria i dettagli dell'intera operazione. E poi quel computer potrebbe nasconderlo in un posto sicuro, in modo tale che, se gli capitasse qualcosa di brutto, tutti i dettagli dell'operazione possano essere resi pubblici.

«Ecco, potrebbero essere successe delle cose di questo genere. Voglio dire, in via puramente ipotetica. E adesso, posso prendere il mio aereo?»

«Non ancora», replicò Grantham. «C'è un'altra cosa. Ho perso due dei miei agenti a Ginevra.»

«Mi dispiace. Ma io non c'entro niente con quelle morti.»

«Lo so», disse Grantham.

« Allora saprai pure che l'uomo che li ha uccisi è un russo di nome Grigorij Kursk. Stava lavorando per conto di un altro russo, Jurij Žukovskij. E, su ordine di Žukovskij, ha rapito quella che tu hai chiamato 'la puttana del KGB'. Quella donna si chiama Aleksandra Petrova, ed è la ragione per cui sto volando in Svizzera. »

« Come pensa di riuscire a riaverla indietro? » domandò Agatha Bewley.

« Uno scambio: la sua vita per il mio computer. » Carver sorrise. « Il mio ipotetico computer. »

« E tu hai fiducia in quell'uomo? » Grantham non si preoccupò di nascondere lo scetticismo nella sua voce.

« Certo che no. Ma ho fiducia nelle mie capacità », rispose Carver.

« Questo però non è tutto, vero? » disse Agatha Bewley, con aria pensierosa. « Che fosse intenzionato a farlo oppure no, lei ha tolto la vita a una donna. Non fingiamo che non sia così. Adesso vuole salvare la vita di un'altra, anche se farlo potrebbe costarle la sua. Si tratta forse di una sorta di risarcimento? »

« Se vuole, può vederla così. Io preferisco pensarla come una normale missione di salvataggio. Ma non potrò portarla a compimento, a meno che non salga su quell'aereo. »

« Non si preoccupi di questo. Può sempre saltar fuori qualche problema meccanico, a causare un piccolo ritardo. Succede in continuazione. »

Carver fece scorrere lo sguardo da una spia all'altra. « Quindi mi lasciate andare. Perché? »

La donna parlò per prima. « Come lei ha detto, l'MI5 opera in conformità con le leggi in vigore nel Paese. E lei ha perfettamente ragione, un processo non lo vuole nessuno. Potremmo ucciderla, naturalmente, prescindendo dalla legge. Ma sono cose difficili da tenere segrete, queste. Presto o tardi, c'è sempre qualcuno che parla. Per cui siamo pronti a dimostrarci concilianti... se lei in cambio ci farà un favore. »

« E cioè? »

« Dirci quello che sa sulle persone che hanno organizzato l'assassinio. »

« Stavate spiando la casa di Percy Wake? »

« Sì. »

« Be', allora mi avrete visto entrare con Lord Malgrave. Cominciate da loro due. Provate a domandarvi come mai un ex agente del KGB come Žukovskij conosceva una risorsa dei servizi segreti inglesi come Wake, come mai aveva su di lui abbastanza potere da ordinargli un lavoro come questo. E chiamate la guardia costiera. Controllate se hanno trovato un cadavere che galleggiava nella Manica... un tizio con un grosso buco fumante in mezzo al petto. Si tratta del colonnello Quentin Trench, un tempo membro dei Royal Marines. Gestiva il settore operativo del gruppo. »

Agatha Bewley buttò giù un paio di appunti su un blocco rilegato in pelle. Poi domandò: « Insomma, qual è stata la vera ragione dell'operazione di Parigi? »

« Wake aveva detto a quella gente che l'intervento era vitale per la preservazione della monarchia. »

« Sì, ha detto lo stesso anche a me. Con dovizia di particolari », intervenne Grantham. Il suo atteggiamento era più tranquillo. Aveva recuperato l'autocontrollo, ma c'era ancora una punta di ostilità nella voce.

« Però non è questa la ragione per cui ha organizzato l'attentato », continuò Carver. « L'intera faccenda è stata commissionata e pagata da Žukovskij. E a lui non credo importi niente del destino della monarchia inglese. »

Grantham si accigliò. « Perché l'ha fatto, allora? »

« Be', Žukovskij ha pagato al Consorzio diversi milioni di sterline. È un uomo d'affari. Deve aver pensato che ne avrebbe ricevuto in cambio un profitto. »

« In che modo? »

« Guardate agli affari del nostro amico: è un industriale delle armi. Be', non sono un appassionato delle vicende reali, ma ho visto anch'io la principessa in televisione mentre parlava a tutti quei bambini senza braccia e senza gambe. »

L'espressione di Grantham si faceva sempre più cupa. « Dove vuoi arrivare? »

« La Russia è uno dei maggiori produttori di mine antiuomo. E se vi dicessi che le fabbrica anche Žukovskij? Le mine antiuomo sono una delle merci meglio commerciabili al mondo. Sono piccole, non pesano niente e sono fatte di plastica. Si possono trasportare ovunque con la stessa facilità di un pacchetto di sigarette, e tutti quanti le vogliono. Governi, ribelli, terroristi... dove c'è un conflitto in atto c'è bisogno di mine antiuomo. Un affare da miliardi. Naturalmente, c'è gente che per anni ha fatto campagne contro le mine antiuomo...»

«Sì, abbiamo dei dossier su di loro» mormorò Agatha Bewley, con una smorfia sarcastica.

«Ma quelle campagne non hanno mai portato da nessuna parte, perché ai politici non gliene frega niente dei bambini mutilati in Africa o in Kosovo. Non fino a quando la donna più fotogenica al mondo non ha cominciato ad andarsene in giro a vezzeggiare neonati. Allora i governanti hanno dato un'occhiata ai sondaggi, e all'improvviso tutti hanno cominciato a buttar giù trattati internazionali contro la proliferazione delle mine.

«E questo è un problema molto serio per un uomo che quella dannata robaccia la fabbrica. All'improvviso, la gente non vuole più comprare i suoi prodotti. Tutti quei miliardi gli si dissolvono proprio lì, davanti ai suoi occhi. E allora che cosa fa Žukovskij? Investe un po' di denaro per far sì che il problema scompaia. Per lui, quell'omicidio non è stato altro che un ragionevole investimento.»

Agatha Bewley picchiettava con la penna sul piano del tavolo. «Sì, è una teoria ragionevole.»

«Può pensarne una migliore di questa?» le domandò Carver.

«No, ma non ne ho bisogno. Posso semplicemente dire che è stato un incidente.»

«Okay, allora», tagliò corto Carver. «C'è qualcos'altro? Devo assolutamente andare.»

«Se ti lasciamo uscire da questo edificio con le tue gambe, non credere di aver chiuso la faccenda», intervenne Grantham. «Magari la signora qui presente potrà avere i suoi scrupoli, ma a me non dà così fastidio l'idea di un'esecuzione. Potrei spararti qui in questo momento senza doverci pensare due volte.»

«E perché non lo fai, allora?»

«Perché preferisco averti in pugno. Hai un debito nei confronti del tuo nome, un debito che non potrà mai venire ripagato. Quello che hai fatto non lo si può disfare. Ma puoi trovare il modo di fornire... un risarcimento. Puoi fare delle cose per me, per il tuo Paese. E se nel farlo tu rimanessi ucciso... be', pazienza. Se invece ce la fai, avrai fatto qualcosa di buono per riparare il danno. Quindi, eccoci qua. Posso farti portare in una qualche discarica, dire che ti sparino un colpo nella nuca per poi sotterrarti sotto svariate tonnellate di spazzatura, oppure puoi metterti al lavoro...» Grantham fece una pausa, e guardò Carver dritto negli occhi. Poi, con una certa calma, con un guizzo d'ironia appena percepibile nella voce, aggiunse: «E adesso, chi è lo scimmione?»

Carver annuì, accusando il colpo; era stato lui a cominciare quella stupida contesa, quindi Grantham aveva tutto il diritto di rendergli il dovuto. Si domandò che relazione professionale avrebbero potuto avere se fosse rimasto nelle forze speciali della marina: il soldato e la spia-ombra, entrambi dalla stessa parte, entrambi più o meno della stessa età e con un grado equiparabile. Avrebbero lavorato piuttosto bene, insieme. «D'accordo. Supponiamo che io sia disposto ad accettare queste condizioni. Il primo lavoro quale sarebbe?»

«Žukovskij, naturalmente, ma non perché m'interessi vederti correre a salvare la tua Mata Hari; non ti ci vedo nelle vesti di cavaliere con l'armatura scintillante. L'unica cosa di cui ti devi preoccupare veramente è beccare il russo prima che lui becchi te. E becca il suo complice, Kursk. Ci farai un favore.»

«Ovviamente, non potrò contare su nessun tipo di supporto...» disse Carver.

«Hai indovinato.»

«Non mi aspettavo un'altra risposta. Okay, allora: che succede se ce la faccio?»

«In quel caso, rimani vivo e domani è un altro giorno. Stesse condizioni descritte prima. Le discariche non mancano.» Qualche istante di silenzio, poi Grantham riprese a parlare; nella sua voce si avvertiva un nuova nota di conciliazione. «Eri un buon elemento, una volta. Lavoravi bene. Questa è la tua occasione per fare ancora un buon lavoro. Niente di pubblico, non ci saranno medaglie. Ma lo saprai tu...»

Carver valutò quelle parole. Grantham gli stava offrendo una possibilità di redimersi, come già aveva fatto Agatha Bewley. A quanto pareva, le attività di redenzione andavano assai di moda, da quelle parti. «Non disturbatevi a chiamare l'aeroporto», disse. «Quell'aereo può decollare senza di me.»

La donna fece un'espressione sorpresa. «Sta declinando la nostra offerta?»

«No, ma ho bisogno di un volo che mi porti là più rapidamente. E adesso, se ciò non assume troppo l'aspetto di un supporto, dovrei usare il vostro telefono.»

Agatha Bewley spinse l'apparecchio attraverso il tavolo.

Carver compose il numero dell'operatore. «Mi chiami la Platinum Private Aviation. Si trovano a Biggin Hill...»

«Quindi prenderai il volo dallo stesso posto in cui è ritornata la donna che hai ucciso», mormorò Grantham. «Questa sì che si chiama ironia.»

Carver lo ignorò. Tenendo una mano sul microfono, si rivolse alla donna. «Avrò anche bisogno di riavere indietro la mia valigetta, con tutto quello che c'è dentro: la pistola, il passaporto, la videocamera e i soldi. Non si preoccupi, non sparerò.»

Grantham estrasse una pistola dalla fondina che portava appesa alla spalla. «Giusto nel caso che cambiassi idea.»

Agatha Bewley uscì dall'ufficio, riaffacciandosi poco dopo accompagnata da una segretaria che portava la valigetta. Con un gesto, Carver le indicò di passargliela; stava già parlando con la compagnia di noleggio di jet.

«È fortunato», gli disse una voce cordiale ed efficiente dall'altra parte della linea. «Abbiamo un Lear 45 in arrivo da Nizza. L'equipaggio ha pernottato in Francia, per cui potrà subito ripartire e portarla in Svizzera. Il mio suggerimento è di atterrare a Sion: è a soli quindici minuti di elicottero da Gstaad, volando sulle montagne. Non si preoccupi, possiamo organizzare tutto quanto noi. E, intanto, ci occuperemo del rifornimento, del piano di volo e di tutto ciò che serve perché l'aereo parta il prima possibile. Dovremmo riuscire a farla atterrare a Sion in poco meno di tre ore.»

«Perfetto.»

«Felice di poterla aiutare. In tutto fanno 5546 sterline, incluse le tasse e il noleggio dell'elicottero per Gstaad. Mi può dare gli estremi della carta di credito?»

«Sì, è un'American Express, a nome di James C. Carrey...» Carver completò la prenotazione, poi si rivolse ai due agenti dell'MI6 e dell'MI5. «Bene, adesso vado.»

Agatha Bewley lo guardò mentre lasciava la stanza. Quindi si voltò verso il suo collega. «Non gli ha detto della ragazza...»

«No.» Grantham mise via la pistola.

«Sa, riguardo ai suoi sentimenti verso Petrova, credo che lei si sbagli.»

«Be', in tal caso, sta perdendo tempo.»

La donna s'incupì. «Come pensa che reagirà quando verrà a scoprirlo?»

«Si sentirà scoppiare di rabbia. Vorrà passare al contrattacco. Avrà ancora più voglia di ammazzare Žukovskij, anche a costo di morire lui stesso.»

«Per cui, qualsiasi cosa succeda, vinciamo noi.»

«Già.» Grantham sorrise. «A grandi linee, l'idea è questa.»

L'aeroporto di Sion si stendeva in una stretta valle che si apriva tra due file di monti. La pista correva parallela a un'autostrada, a soli duecento metri di distanza.

Mentre osservava il Learjet di Carver toccare terra, Thor Larsson si domandò quante volte i piloti avessero confuso i due nastri d'asfalto, andando ad atterrare sull'autostrada. «Eccolo qui», disse porgendo il computer all'amico, quando lo ebbe raggiunto. «Ho provveduto a fare quella particolare modifica, come mi avevi chiesto.» Larsson distolse lo sguardo, gli occhi fissi sulle cime delle montagne in lontananza.

«Che c'è?» domandò Carver.

«Sono riuscito ad aprire alcuni file. So quello che hai fatto.»

Carver annuì. «Hai trovato anche ciò che mi avevano raccontato riguardo il mio incarico? Il nome di Ramzi Hakim Narwaz ti dice niente?»

Un sorriso diffidente attraversò il viso di Larsson. «Sì, so di lui.»

«E...»

«Niente. Hanno fatto il doppio gioco, e tu ci sei cascato; non c'è da aggiungere altro. Quanto alla password, è composta da otto caratteri: *c s 2 z s i s p.*»

«E come diavolo faccio a ricordarmela?»

«Semplice: ti ho creato un'immagine, come in un libro illustrato. *Ci sono 2 zebre sdraiate insieme sul prato.* »

«Non me lo ricorderò mai.»

«E dai, ripetilo con me: *Ci sono 2 zebre sdraiate insieme sul prato.* »

«Non ho tempo. Non posso permettermi di arrivare tardi.»

«Non puoi permetterti neanche di scordare questo. Il sistema ti dà tre possibilità per inserire la password giusta. Se fallisci, si attiva un virus che cancella l'intero hard-disk. Non rimarrà più niente.»

Carver fece come gli era stato detto: ripeté la frase finché non gli sembrò di averla memorizzata. «Il mio elicottero è dall'altra parte del campo di volo. Accompagnami. Potremo scambiare due parole mentre camminiamo.»

Erano le sei e mezzo appena passate, e il sole cominciava proprio allora a tuffarsi dietro i picchi più alti delle montagne, gettando frastagliate ombre nere in diagonale sulla valle.

A passi veloci e decisi, Carver attraversò il piazzale che conduceva alla piattaforma dell'elicottero. «Quanto sei riuscito a recuperare?» domandò.

«Solo una piccola parte di quello che c'è qui dentro, ma abbastanza per sapere che Max aveva registrato ogni singolo dettaglio di questa operazione, e anche molto altro. Sembrerebbe quasi che si stesse costruendo una rete di sicurezza, nel caso in cui qualcosa andasse storto.»

«E riguardo ai russi, niente?»

«Ho trovato Kursk e Alix menzionati in un paio di e-mail. Ma ancora niente che li leghi a Žukovskij.»

«Maledizione!» Carver rifletté per un momento. «Non importa; chiunque coi mezzi d'investigazione adeguati sarebbe in grado di scovare un legame. Il punto è che Žukovskij non può permettersi che questi fili di collegamento escano allo scoperto. Tu ne hai fatto una copia, vero?»

«Naturalmente.»

«Bene, questa è una parte della mia rete di sicurezza. Ed ecco qui l'altra.» Carver estrasse la videocamera dalla valigetta. «Durante il volo ho registrato la mia confessione. Come sono stato reclutato, come sono riusciti con l'inganno a farmi fare questo lavoro, come si è svolta l'operazione, quello che è successo dopo. C'è tutto.» Fece un mesto sorriso. «Be', quasi tutto. Alix l'ho tenuta fuori.»

Larsson scoppiò in una grassa risata. «Vecchio romanticone!»

Carver lo ignorò. «Se per le nove di domani mattina non mi sarò ancora messo in contatto con te, diffondi la confessione e i file del computer sul web, sui giornali, sulle televisioni, ovunque.»

«D'accordo. Ma non preoccuparti, ce la farai. Tu ce la fai sempre, giusto?»

«Non lo so», replicò Carver. Vedeva il suo apparecchio, immobile, pronto a partire. Scosse tristemente la testa. «È una follia. Non ho preparato niente, neanche una via di fuga. Ma, per qualche ragione, non m'interessa. Non lo so...» Con lo sguardo andò oltre l'elicottero, verso la linea di montagne all'orizzonte. «È come se mi fossi affidato al fato. Sto per essere giudicato, e mi troveranno innocente o colpevole.»

«Ti capisco», disse Larsson.

Il pilota accese il motore.

Carver diede all'amico la valigetta. «Prendi questa. A me adesso non serve», gridò per sovrastare i colpi ritmici dei rotori. «Dentro c'è un mucchio di soldi, in contanti e azioni al portatore. Se non ce la faccio, è tutto tuo. Non discutere. È il minimo che ti devo.»

Larsson rimase a guardare l'elicottero che si sollevava e poi virava curvando verso nord, verso i passi montani che lo avrebbero portato fino alla rinomata località sciistica di Gstaad. Poi raggiunse la sua automobile. Magari Carver non aveva preparato una via di fuga, pensò, ma lui avrebbe fatto del suo meglio per cercare di rimediare a quella mancanza.

Carver si sentiva come se il film della sua vita avesse cominciato a scorrere all'indietro. Cinque giorni prima aveva sorvolato delle montagne in elicottero per poi salire su un jet. E in quel momento invece si trovava dall'altra parte del mondo e, dopo essere sceso da un jet, aveva preso un elicottero e stava di nuovo sorvolando delle montagne. Il sole, che cinque giorni prima stava sorgendo, in quel momento stava tramontando. Allora, si preparava a uccidere; si chiese se, cinque giorni dopo, stesse invece per essere ucciso.

Il pilota gli picchiettò sulla spalla e indicò in basso dove, in fondo a una verde vallata, s'innalzava un'enorme torre bianca, con tanto di torrette su ciascuno degli angoli. «L'Hotel Palace! Grandioso, eh?»

Carver annuì. Accanto alla torre si ergeva una grande parete bianca, nella quale si aprivano le finestre delle camere. Enormi chalet erano disposti in una sorta di circolo protettivo intorno all'edificio principale, ai bordi di un terreno chiazzato dal rosso dei campi di tennis e dal turchese di una piscina all'aperto.

L'elicottero si abbassò sulla piattaforma privata dell'hotel. Il pilota avrebbe aspettato Carver per un'ora, e lo avrebbe portato indietro senza costi aggiuntivi. Ma dopo un'ora e un minuto, qualunque cosa fosse successa, sarebbe decollato.

«Ci vediamo!» urlò il pilota.

«Lo spero!» gridò Carver di rimando. Poi si avviò verso la mole incombente della torre.

Fu come un incontro fra vecchi amici. C'era Kursk col suo finto furgone della Swisscom, e accanto a lui c'erano i suoi tre tirapiedi, ciascuno adorno del suo personale assortimento di punti, gessi e bende; se ne stavano lì e guardavano Carver in cagnesco, sfrigolando di vendetta repressa. In quel momento, a trattenerli c'erano gli ordini che avevano ricevuto, ma alla minima provocazione avrebbero potuto passare il limite.

Carver decise di non fornire loro nessun pretesto. Pertanto, non reagì quando la banda lo circondò. «Parli inglese?» chiese a Kursk.

«Poco.»

«Okay, allora. Ho un appuntamento col vostro boss, Mr Žukovskij. Ha detto di trovarmi qui alle sette. Sono qui. Andiamo.»

Kursk si limitò a guardarlo, gli occhi inespressivi come le sfere di vetro di un alce impagliato. «Vaffanculo!» ringhiò.

Carver sentì un colpo violento dietro la nuca. Poi non sentì più nulla.

Quando riprese conoscenza, Carver si trovava nel retro del furgone; sentiva un dolore pulsante proprio dietro l'orecchio destro. Sentiva il motore e i rumori provenienti dalla strada, e avvertiva gli scarti quando il veicolo svoltava a destra o a sinistra. Non poteva vedere niente, però, perché gli avevano messo qualcosa in testa.

Cercò di toccare il cappuccio, ma non vi riuscì. Aveva i polsi ammanettati; le caviglie erano imprigionate in anelli di ferro. Manette e anelli erano stati bloccati sul punto di chiusura più stretto, e gli pizzicavano la pelle fermando la circolazione sanguigna di mani e piedi. Erano uniti tra loro per mezzo di una corta catena verticale, in modo tale che le mani potessero venire sollevate soltanto di pochi centimetri oltre il bacino.

Carver aveva qualcosa legato stretto intorno alla vita, come una larga cintura. Sulla parte posteriore di quella cintura c'era una dura scatola quadrata che gli affondava nella carne quando lui si appoggiava alla parete del furgone.

E c'era anche qualcos'altro. Riusciva a sentire la dura e fredda superficie metallica contro cosce, natiche e schiena. Le mani erano inguantate con delle muffole imbottite che gli impedivano di sentire qualsiasi cosa col tatto. Per cui, di fatto, non poteva toccarsi la pelle scoperta. Ma non ne aveva bisogno. Sapeva perfettamente di essere nudo.

Il furgone sembrava procedere in salita. Ma poi curvò bruscamente, rallentò, e cominciò a scendere.

Carver percepì la variazione nel rumore della marmitta, che rimbombò mentre il veicolo veniva condotto dentro un ambiente chiuso, per poi spegnersi del tutto. Sentì lo scatto di una portiera che veniva aperta, poi vi fu uno strattone violento alla catena che gli legava le caviglie, e Carver si ritrovò ad annaspare disperatamente cercando di aggrapparsi a qualcosa, mentre veniva trascinato fuori del furgone e sbattuto sul pavimento.

Con un altro strattone, venne tirato su, mentre le manette gli entravano ancora più a fondo nei polsi. Poi gli fecero attraversare il garage e varcare una porta che conduceva in un corridoio. Udì il rumore di un'altra porta che si apriva. Qualche altro passo strascicato, poi gli arrivò uno spintone alla schiena che lo fece inciampare e crollare di nuovo a terra, completamente inerme. Dietro di sé, udì il rumore dei catenacci che venivano chiusi con violenza.

Era stato giudicato, quindi. Ed era stato trovato colpevole. Ormai si trattava soltanto di ascoltare quale sarebbe stata la sentenza.

Non sapeva per quanto tempo fosse stato tenuto lì da solo al buio. Cercò di farsi un'idea delle dimensioni della cella camminando in una direzione, incespicando, fino a toccare la parete più vicina. Quindi percorse tutto il perimetro intorno alla stanza. Sembrava quadrata; per ogni lato, forse una ventina dei suoi passi costretti dalle catene. Finì rannicchiato in un angolo, scosso dai brividi per il freddo che dal pavimento di cemento gli s'infiltrava nelle ossa, irrigidendogli i muscoli.

Era alquanto scomodo, ma niente che fosse fuori dell'ordinario. Le tecniche cui avevano fatto ricorso erano state piuttosto rozze: privazione delle principali facoltà sensoriali, il che implicava negazione della vista, del tatto e dell'udito – la stanza era immersa in un silenzio totale, dovevano averla insonorizzata in qualche modo –, unita alla degradazione fisica e sessuale della nudità forzata. Se quello era il meglio che riuscivano a produrre, pensò, poteva farcela. Ma, dato l'addestramento di Žukovskij nelle file del KGB, Carver aveva il sospetto che fosse soltanto l'inizio. Gli stavano dando tempo in abbondanza, perché potesse starsene lì seduto in solitudine a immaginare che cosa sarebbe successo poi. Volevano che la sua paura spianasse la strada al loro lavoro.

Sgombra la mente da qualsiasi apprensione, si disse. *Pensa positivo. Concentrati su quello che devi fare.*

Passò un secolo, prima che sentisse i catenacci scorrere all'indietro, e aspre voci che parlavano russo. Venne tirato su e trascinato per le catene. Uscirono dalla stanza, e sentì che stavano di nuovo percorrendo il corridoio. Con le dita dei piedi andò a urtare contro qualcosa di duro, che gli fece emettere un grido di dolore. Ci furono delle risate, poi un calcio violento, e una parola: «Scale».

Sollevò il piede destro quanto in alto glielo permettevano i ferri alle caviglie, e riuscì a malapena a trovare l'appoggio sul bordo della ruvida superficie in cemento del primo gradino. Portò in avanti anche la gamba sinistra. E così cominciò a salire, in una lenta e umiliante avanzata, incitato a procedere da continui schiaffi e calci, ognuno dei quali accompagnato dalle roche risate dei suoi carcerieri.

Arrivò in cima. Poco dopo, il pavimento divenne più liscio, prima con fredde mattonelle di pietra, poi con un più caldo impiantito di legno; infine, i suoi piedi percepirono la morbidezza di un tappeto. Scese una serie di bassi gradini, incespicando e quasi ruzzolando sino in fondo; ma un altro strattone della catena lo costrinse ancora una volta a tirarsi su.

«Fermo!» gli ordinarono.

Qualcuno gli afferrò i polsi e gli tolse le muffole dalle mani. Poi gli strapparono via il cappuccio dalla testa, e Carver si ritrovò a sbattere gli occhi cercando di difendersi dalla luce.

A poco a poco, la vista gli si schiarì. Si trovava in un vasto salone. Sentiva il calore delle fiamme sulla schiena nuda; il camino era del tipo aperto su tutti e quattro i lati. Il pavimento era ricoperto da un pregiato tappeto persiano. A sinistra, sistemato contro il muro, c'era un lungo divano di pelle color cioccolata; sulla parete di fronte campeggiava un gigantesco schermo televisivo al plasma.

Gli scagnozzi di Kursk erano seduti sul divano. Uno di loro, quello coi capelli rossi, teneva in mano un rudimentale e antiquato telecomando. Kursk invece si trovava in piedi accanto a Carver; lo scrutava, senza parlare.

Ma gli occhi di Carver erano fissi sull'uomo che sedeva proprio di fronte a lui, nella poltrona di pelle coordinata al divano. L'uomo, vestito di uno scialbo abito formale, lo percorse con lo sguardo, con la distaccata obiettività di un medico legale che esamini un cadavere sulla tavola dell'obitorio. C'era qualcosa di profondamente inquietante in quella attenta osservazione. Per la prima volta, Carver provò vergogna per la propria nudità e per la condizione di prigionia in cui si trovava; dovette fare uno sforzo per mantenere la testa alta e lo sguardo fermo.

«Buonasera», esordì l'uomo. «Sono Jurij Žukovskij. Mi permetta di spiegarle la sua situazione. La prima cosa che deve capire è che non ha nessuna speranza di poter scappare. Anche ammesso che lei riuscisse in qualche modo a liberarsi, come Houdini dai suoi ceppi, verrebbe ridotto all'impotenza nel giro di un istante.

«Noterà che ha una cintura di nylon nera intorno alla vita. È dotata di un'unità di alimentazione sul retro, fuori della sua portata, che è in grado di far passare attraverso il suo corpo una scarica da 50.000 volt, attivata da un telecomando.»

Carver si girò a guardare il rosso e il rudimentale telecomando che aveva in mano.

«Questa cintura viene utilizzata dalle autorità americane per contenere i prigionieri violenti, ma recentemente è stata condannata come mezzo di tortura da quelle teste di cazzo progressiste di Amnesty International», continuò Žukovskij. «Hanno da ridire sulla totale inabilità fisica indotta da uno shock così violento, per non parlare poi del dolore lancinante, dei danni cerebrali, e perfino dell'incontinenza. Tutte cose altamente raccomandabili, alla luce dei miei scopi.»

Carver abbassò lo sguardo sulla banda nera che lo avvolgeva. «Non ho dubbi sul fatto che faccia male» disse, con tono asciutto. «Ma c'è qualcosa che lei dovrebbe sapere. Ho fatto una copia dell'hard-disk del computer, proprio come lei aveva previsto. E ho anche registrato una videoconfessione completa, raccontando tutti i dettagli dell'ormai famigerato 'incidente' che ha provocato la morte della principessa. Lei ha un ruolo da star. E, se domani mattina io non fossi più in vita, tutti i principali canali d'informazione del mondo occidentale riceveranno copia di entrambi.»

Žukovskij assunse un'espressione accigliata, quasi fosse sinceramente disorientato di fronte a delle minacce così mal condotte. «E lei pensa che questo la proteggerà? Per favore, usi la sua intelligenza. Sa quanti fiumi di confessioni fasulle sono arrivati alle stazioni televisive e ai giornali, nel corso degli ultimi giorni? Il mondo è pieno di mitomani che vogliono il loro momento di gloria. Quanto al computer e alle teorie del complotto, anche di quelle ce ne sono già a centinaia; nessuno vi farà più caso. Non faranno altro che buttare nella spazzatura il suo hard-disk e la confessione, insieme con tutto il resto.

«Bene, questa faccenda l'abbiamo sistemata, credo. Ora mi permetta di presentarle i miei collaboratori, i quali si prodigheranno per rendere il suo, spero breve, soggiorno tra noi il più sgradevole possibile. Naturalmente conosce già Mr Kursk.» Come il cantante di un gruppo rock che presenti gli altri componenti della band, Žukovskij indicò col dito la pallida figura coi capelli rossi. «Quello è Mr Titov; lei ha combinato un gran bel macello con la sua faccia, devo dire. Come forse avrà notato, è lui che ha il telecomando della sua cintura.» Poi Žukovskij indicò l'uomo dalla faccia rotonda e dalle labbra corrucciate, il cui naso era avvolto dalle bende. «Mr Rutsev. E, infine, Mr Dimitrov», concluse indicando un uomo massiccio coi capelli tagliati cortissimi, i cui rozzi lineamenti non erano certo stati ingentiliti dalle testate ricevute nel bar di Ginevra.

Dimitrov fece un ironico inchino. Carver rispose con un cenno del capo.

«Naturalmente, il meglio l'ho tenuto per ultimo.» Žukovskij alzò lo sguardo sulla persona che Carver aveva cercato con tutte le forze di cancellare, l'incantevole figura appollaiata sul bracciolo della poltrona su cui sedeva il russo, che gli faceva scorrere tra i capelli le scintillanti unghie rosso vivo, emettendo sospiri deliziati mentre lui le passava la mano lungo la coscia nuda. Jurij Žukovskij sorrise a Samuel Carver. «Credo che lei abbia già conosciuto la mia amante.»

Alix aveva l'aspetto di una persona che era stata irrorata di soldi. La folta capigliatura, ritornata di una tonalità biondo miele, le ricadeva sulle spalle nude; la pelle sembrava sprizzare pagliuzze dorate, le labbra erano di un rosso brillante. Alle orecchie, così come intorno ai polsi, le scintillavano diamanti. Gli stivali neri col tacco alto le aderivano ai polpacci, stretti e lisci come un paio di collant.

Il vestito che indossava era poco più di un frammento di tessuto scintillante e semitrasparente, una sorta di cotta di maglia leggera come una piuma, che dal collo le scendeva arrivando a sfiorare un punto tra la parte superiore delle cosce. Col suo tremolio la stoffa rimandava il bagliore delle fiamme mentre le accarezzava il seno e lo stomaco, rendendo evidente che sotto non indossava nulla. Lanciando una rapida occhiata di scherno alla volta del prigioniero, la donna si girò di sbieco per bisbigliare qualcosa nell'orecchio di Žukovskij, ridacchiando; il vestito le lasciò la schiena completamente scoperta, per poi arrivare ad accarezzarle i glutei nudi in uno scintillante sussurro argentato.

Dunque era quella, in fondo, la vera Aleksandra Petrova: una prostituta di professione, una preziosa proprietà da viziare e coccolare perché poi il suo padrone potesse usarla come meglio credeva. Carver sentì stringersi la gola, quasi che l'umiliazione lo stesse strozzando. L'ultimo pilastro su cui poggiava la sua fiducia era stato scalzato via, ormai non gli rimaneva più niente: quell'amore che avrebbe dovuto redimerlo si era rivelato una vuota simulazione.

Avrebbe dovuto sentirsi arrabbiato, e forse in tal caso l'ira gli avrebbe dato energia. Ma mentre si trovava di fronte a lei, spogliato di ogni dignità, il sentimento che lo invase fu il perdono. C'era ancora un'ultima traccia di illusione che gli impediva di biasimare Alix. Carver si disse che non era colpa sua, che la sprezzante prostituta lì davanti a lui non era la vera donna che lui aveva amato, ma un'identità fasulla. Cercò di darsi delle ragioni per negare ciò che ai suoi occhi e alle sue orecchie era evidente. E, così facendo, capì per la prima volta in vita sua che cosa significasse donarsi completamente a un altro essere umano.

In ogni caso, non intendeva darle la soddisfazione di vederlo strisciare. Raddrizzò le spalle, sollevò la testa e, rivolto a Žukovskij, domandò: «Come va il commercio di mine antiuomo? Venduto niente dalla scorsa domenica?»

Il russo annuì. «Quindi l'ha capito. Ora c'è una richiesta che devo farle.» Si sporse in avanti sulla poltrona. «Chieda scusa, per favore.»

«Chiedere scusa? Perché dovrei?»

«Lei mi ha arrecato una notevole quantità di disagi, ma di questo potremo occuparci più tardi. Prima, insisto che lei chieda scusa a Miss Petrova. L'ha costretta a sopportare i suoi rozzi tentativi di amante e, cosa ancora peggiore, l'ha fatta annoiare. Adesso dovrebbe almeno dirle che le dispiace.» Si voltò a guardare Alix. «Non sei d'accordo con me, mia cara?»

«Assolutamente», disse lei. Poi, chiudendo gli occhi, si abbandonò a un brivido di disgusto che a ogni tremolio fece scintillare il suo vestito.

Carver le lanciò un'occhiata piena di tristezza. «Tu sei meglio di così. Lo so che lo sei.» Per una frazione di secondo, credette di vederle calare sugli occhi un'ombra di rimorso. O era pietà?

Poi Alix sbatté le palpebre. Quando tornò a guardarlo, i suoi occhi erano nuovamente di pietra, e non comunicavano nient'altro che disprezzo. «Fagli chiedere scusa», disse a Žukovskij.

Carver non si mosse.

Il boss fece un cenno col capo.

Titov guardò l'inglese sogghignando, poi schiacciò un pulsante bianco sul telecomando.

Attraverso il corpo del prigioniero montò una scarica da

50.000 volt. Ogni suo singolo nervo urlò di dolore; il corpo sussultava come una marionetta epilettica, e la testa si dimenava da un lato all'altro strappandogli dalla gola un urlo animalesco.

Titov continuava a tener schiacciato il pulsante. Un secondo... due... tre.

Incapace di mantenere l'equilibrio e di controllare le membra, Carver crollò sul pavimento, frenando a stento la caduta con le mani incatenate. Rimase là, senza riuscire a smettere di contorcersi, coi polsi e con le caviglie che coi loro strappi andavano a raschiare contro i ceppi, e sanguinavano. Si trovava sotto il totale controllo dei comandi elettrici che si propagavano velocemente attraverso il suo sistema nervoso. Il corpo gli era diventato scivoloso per via del sudore, il cuore gli martellava nel petto. Stava per perdere conoscenza.

Poi, finalmente, Žukovskij fece un altro cenno e Titov sollevò il dito dal pulsante. Il flusso di corrente s'interruppe e il corpo del prigioniero piombò in uno stato d'immobilità.

A poco a poco, le pulsazioni rallentarono. Carver rimase inerte per un paio di minuti, mentre gli sgherri di Žukovskij scambiavano commenti sulla sua involontaria performance, piegati in due dalle risate mentre mimavano le sue convulsioni.

Lentamente e con grande fatica, Carver riprese fiato e riuscì a tirar su le ginocchia fino ad arrivare ad accucciarsi sui talloni, la testa appoggiata a terra, come un contadino cinese prostrato davanti a un imperatore. Gli ci volle qualche altro secondo per raccogliere la forza necessaria a tirarsi su, in modo da stare ritto in ginocchio.

La caduta lo aveva portato più vicino al punto in cui sedevano Žukovskij e Alix, che si trovavano ormai soltanto a un paio di metri. Gli occhi di Carver erano quasi allo stesso livello del seno della donna; era quasi ipnotizzato dal brillio argenteo che le danzava lungo il corpo e inebriato dal profumo speziato di lei. Anche in quel momento, dopo tutto quello che era successo, si sentiva ancora sopraffatto dal desiderio, dilaniato dalla brama di possederla.

«Chieda scusa», ripeté Žukovskij. «Le baci i piedi e supplichi il suo perdono.»

Carver alzò lo sguardo, cercando negli occhi di Alix un qualche indizio di speranza, un segno che gli dicesse che non era stato ingannato proprio del tutto. «Tu non lo vuoi, questo», le disse.

«Sì che lo voglio», ribatté la donna. La sua voce era dura e gelida, e non lasciava spazio al dubbio.

«Chieda scusa», ripeté Žukovskij, e fece di nuovo un cenno a Titov.

Mentre resisteva a quella seconda sferzata elettrica, a Carver sembrò che fosse la voce di un altro a urlare così forte, e che di un altro fosse il corpo che sussultava e si contorceva in quei movimenti inconsulti.

Quando il flusso di corrente si fermò e lui aprì gli occhi, si accorse di trovarsi sdraiato proprio ai piedi della donna. Le pulsazioni erano ancora al massimo, il petto si sollevava e si abbassava nella disperata ricerca di ossigeno, e tutto il corpo stava grondando di sudore. Carver riuscì ad allungare il collo in modo da arrivare a baciare un lucido stivale di pelle; dalle sue labbra uscì un mormorio. «Mi dispiace.» E non avrebbe saputo dire se si stesse scusando con lei oppure con se stesso.

Alix fece un rapido scatto col piede, allontanando il viso di Carver con un calcio. Lui rimase immobile, a faccia in giù sul tappeto: la rozza fisicità del suo corpo nudo si stagliava con un netto contrasto sull'intricata eleganza dei disegni che s'intrecciavano sinuosi.

Poi, la donna disse a Žukovskij qualche parola in russo.

Il boss si alzò dalla poltrona, si chinò e afferrò i capelli del prigioniero, sollevandogli la testa. «Mi permetta di tradurre. Aleksandra dice che lei la disgusta. Dice che desidera lasciare la stanza prima che la sua vista le provochi un malessere fisico.» Si fermò un istante, mentre Alix usciva dalla stanza camminando decisa. «La guardi bene, Mr Carver. Non la rivedrà mai più.»

«Non ne sentirò la mancanza», replicò l'inglese, con voce roca. Aveva la bocca secca e sentiva la gola in fiamme a causa della violenza delle urla.

Žukovskij gli lasciò andare la testa, che ricadde pesantemente sul tappeto. «Suvvia, lei non dice sul serio. Anche adesso, dopo che quella donna l'ha ridotta in questo stato pietoso, se potesse sarebbe pronto a strisciarle dietro.»

Carver non parlò. Era troppo impegnato nel tentativo di rimettersi in piedi. Con scrupolosa attenzione in ogni singolo movimento, riuscì a spostare il proprio peso dalla pancia alle ginocchia. Appoggiò la pianta di un piede al pavimento, quindi fece lo stesso con l'altra. Si tirò su, faticosamente, finché non si trovò in piedi di fronte a Žukovskij, che aveva recuperato il suo posto nella poltrona e assisteva allo spettacolo con un divertito interesse. Carver barcollò leggermente, mentre lottava a denti stretti per mantenere l'equilibrio e almeno una parvenza di dignità; teneva le mani ammanettate davanti a sé, in un patetico tentativo di proteggere il proprio pudore.

Con deliberata lentezza, Žukovskij batté tre volte le mani. «Congratulazioni. Un comportamento da vero soldato. Ma la mia opinione rimane la stessa: quella donna l'ha distrutta. Lei ha lottato contro Kursk, il mio uomo migliore, fino a ridurlo all'impotenza. Ha avuto la meglio su tre dei suoi subalterni... guardi un po' qui come ha ridotto Titov! Ha fatto fuori Trench e la maggior parte dei suoi uomini. Ma Aleksandra è riuscita a metterla in ginocchio.»

Carver non replicò. Gli occorreva tutta quanta la sua concentrazione solo per rimanere diritto.

Žukovskij osservò il suo sforzo, quindi disse qualche parola a Titov, il quale immediatamente andò a prendere una sedia di legno riccamente intagliata e la sistemò dietro il prigioniero.

«Si sieda», disse il boss. «Si rilassi. M'interesserebbe sentire la sua versione della storia.» Diede un altro ordine a Titov, che si avvicinò alla poltrona di Žukovskij e gli porse la scatoletta nera.

Carver si sorprese a fissare l'onnipotente pulsante bianco. Sentì stringersi le viscere mentre il cortisolo fluiva abbondante nel suo sistema nervoso: era l'ormone dello stress, quello che anticipa il dolore e trasporta le sensazioni di paura.

Žukovskij sorrise. Quindi schiacciò il pulsante; lo tenne premuto per un secondo soltanto, giusto il tempo sufficiente ad alimentare un'altra scossa, che fece sobbalzare sulla sedia il prigioniero e gli fece lanciare un guaito simile a quello di un cane ferito. Tale fu l'impatto, che Carver per poco non finì di nuovo riverso sul pavimento. Titov esultò con una risatina deliziata, e indirizzò una raffica sferzante di oscenità in russo alla volta dell'inglese. Žukovskij si limitò a fare un cenno soddisfatto. «Bene, abbiamo verificato che questo la tiene sotto controllo. Possiamo parlare a quattr'occhi, solo noi due.»

Gli sgherri vennero congedati con un gesto della mano. Mentre usciva dalla stanza, Titov si fermò vicino alla sedia di Carver, lo guardò per un secondo, quindi gli mollò un gran pugno di destro su un lato della faccia.

Il colpo non fu potente come avrebbe potuto essere: Titov aveva dovuto colpire verso il basso, e il prigioniero era riuscito a ruotare la testa, deviando così parte dell'impatto. Per cui Carver non rimase del tutto privo di sensi, ma soltanto stordito; la mandibola era semplicemente incrinata, non in frantumi, ma il dolore era ugualmente tremendo. Mentre Titov se ne usciva dalla stanza tutto contento, strofinandosi le nocche ammaccate, l'inglese scosse la testa, cercando di recuperare lucidità. Aveva la bocca piena di sangue, proveniente dall'interno a brandelli delle guance e dalle gengive martoriate; con la lingua si controllò cautamente i denti, e trovò un paio di molari che dondolavano come dentini di latte.

Di colpo, senza nessun preavviso, il suo corpo venne scosso da un tremore che s'impadronì di lui da capo a piedi, un residuo indesiderato delle sue precedenti convulsioni, come l'onda d'urto che viene dopo un terremoto.

«Titov non ha mai brillato per l'autocontrollo», disse Žukovskij con aria meditabonda, senza degnare della minima attenzione le contorsioni e i brividi che scuotevano Carver. «Per quanto lo riguarda, questo non è altro che lo scontro iniziale; ci vorrà una soddisfazione ben più consistente, prima che consideri chiusa la partita. E sono perfettamente d'accordo con lui. Voglio essere sicuro che lei abbia capito una cosa riguardo ad Aleksandra: per quella donna non ha mai significato nulla, in nessun momento. Mi consenta dunque di parlarle della donna vera, non della sua amante immaginaria.» Si alzò dalla poltrona e si avvicinò a un carrello dov'erano sistemati alcune bottiglie e dei bicchieri. Si versò un bicchiere di vodka liscia, quindi ritornò al suo posto. «Sa, fu mia moglie Olga a scoprirla, durante una riunione del Komsomol. Era soltanto una ragazzina di provincia, veniva da Kirov, se non ricordo male...» «Non era Kirov», mormorò Carver. «Era...» Aggrottò le sopracciglia. Aveva il nome sulla punta della lingua, ma, per quanto si sforzasse, non riusciva a ricordarselo.

Žukovskij scrollò le spalle in un gesto d'indifferenza. «Non è importante. Ciò che saltò subito all'occhio, nel momento stesso in cui Olga la portò alla mia attenzione, fu che quella era una ragazza dalle capacità straordinarie. Sì, è vero, aveva quegli occhi che erano un disastro...»

«Me l'ha raccontato...» disse Carver.

«E i denti, le ha detto anche di quelli? Abbiamo dovuto metterglieli a posto. Ma il resto era tutto farina del suo sacco.»

Žukovskij posò il bicchiere su un tavolino di fianco alla poltrona e rimase qualche istante in silenzio, come per riordinare i pensieri. «Fu la sua fame la cosa che mi colpì maggiormente», continuò poi. «Aveva fame di una vita migliore, fame di esperienza e, sì, fame di sesso. Ogni atomo di quella ragazza era femminilità pura, e tuttavia c'era in lei un desiderio di conquista sessuale che aveva del mascolino. Non c'era forma di piacere che non fosse disposta a esplorare. E proprio allora, mentre l'anatroccolo diventava cigno, e per la prima volta nella sua vita acquistava consapevolezza delle proprie capacità di attrazione, Aleksandra concepì la fame di potere. Forse desiderava vendicarsi di tutti quei ragazzi che l'avevano disdegnata e derisa. Chi lo sa? Fatto sta che esercitava il suo potere sugli uomini come un'imperatrice. Alcune ragazze dovevano essere convinte, perfino forzate a mettere il proprio corpo al servizio della patria. Aleksandra no. Lei ci provava gusto.»

«E dopo, che cosa fece? Dopo il crollo del Muro, voglio dire», domandò Carver. Stava cominciando a rimettere insieme le forze e a riprendere il controllo sul proprio corpo. Riusciva a stare seduto sulla sedia senza contorcersi come uno scolaro impaziente; il dolore prodotto dall'elettrocuzione stava svanendo.

«Lo vede, non è riuscito a resistere», fece Žukovskij, annuendo soddisfatto. «Vuole ancora sapere ogni cosa di lei. Ebbene, gliela dirò. Io lasciai il Comitato per la sicurezza di Stato, quello che voi chiamereste KGB, e optai per seguire i miei interessi nell'impresa privata. Aleksandra venne con me.»

«Era il suo protettore?»

«È questo ciò che le ha detto? Dovrò scambiare due paroline con lei, a tale riguardo. No, la tenevo per il mio uso personale. Come le ho già detto, è la mia amante.»

«E allora per quale motivo lei avrebbe mandato il suo cuccioletto in una missione suicida a Parigi?»

«Perché non era affatto una missione suicida. I miei ordini a Wake erano chiari: l'assassino che lui aveva scelto doveva morire; non potevo fidarmi di un uomo che non conoscevo. Ma non avevo nessuna intenzione di perdere due dei miei elementi più validi. È stato Wake a decidere di ammazzare anche loro.»

Carver fece una smorfia. «Ma Alix... perché mandare lei?»

Žukovskij si strinse nelle spalle. «Perché si annoiava. Aveva cominciato a lagnarsi di non avere niente da fare tutto il giorno; era stanca di shopping, ristoranti e saloni di bellezza. Le dissi che qualunque altra donna in Russia avrebbe ucciso per una vita come la sua. Ma lei non era convinta. Diceva di voler lavorare nella mia organizzazione...»

«E lei le ha creduto?»

«Le credevo quando diceva che si annoiava. E sapevo che una donna che si sente così presto o tardi finisce per combinare dei guai: si ubriaca in pubblico, o si fa scopare dall'allenatore di tennis. Così ho pensato di assegnarle un lavoretto semplice: tutto quello che doveva fare era starsene seduta su una motocicletta e far scattare il flash di una macchina fotografica.»

Carver annuì. Riusciva a immaginarsela, Alix, a diventare matta in una vita che da lei non richiedeva nient'altro se non una futile lotta contro il tempo. Si stava avvicinando ai trenta: Žukovskij avrebbe potuto cominciare a guardarsi intorno, e magari lei vedeva ragazze più giovani che la squadravano, in agguato per la prima ruga, per il minimo accenno d'ingrossamento sul punto vita o di cedimento del seno, primo indizio che il suo potere era in procinto di dissolversi. Era abbastanza in gamba per progettarsi un'altra vita; ma quella vita avrebbe dovuto essere all'interno dell'organizzazione di Žukovskij, oppure era stata sincera, quando gli aveva parlato del suo desiderio di scappare? Domanda stupida. Su quel punto aveva fatto capire molto chiaramente come la pensava: uno stivale in faccia non era esattamente quello che si chiama un velato accenno.

Carver si disse che quella donna non voleva essere salvata. Doveva lasciarla perdere. *Se davvero vuole far parte della squadra di Žukovskij, che se ne vada al diavolo con tutti gli altri.* Lui poteva ancora riuscire a ribaltare la situazione. Misurò la distanza che lo separava dal russo. Poteva coprire lo spazio con un unico balzo, ne era sicuro. Trovandosi seduto su una soffice poltrona, Žukovskij si sarebbe trovato impacciato nei movimenti.

«È finita, vero?» mormorò Carver, lasciando che la testa gli si afflosciasse sulle spalle.

«Sì. Per lei è proprio finita.» Žukovskij aveva abbassato la guardia, convinto che Carver fosse ormai un uomo piegato. Allungò il braccio destro per prendere la vodka dal tavolino, e così facendo girò la testa verso il bicchiere.

Fu in quell'istante di vulnerabilità dell'avversario che Carver spiccò il salto. Aveva irrigidito i piedi facendoli aderire al pavimento e affondando con le dita nel tappeto, mentre risucchiava in dentro lo stomaco e contraeva i muscoli superiori delle cosce. Poi, chiamando a raccolta ogni grammo di forza residua, si spinse verso l'alto e schizzò su dalla sedia. Con la testa mirava alla faccia del russo, con l'intento di spaccargliela.

E venne fermato a mezz'aria quando, per la quarta volta, 50.000 volt lo obbligarono a ripiegarsi su se stesso, facendolo crollare sul tappeto in preda a un dolore dilaniante.

«Pensava sul serio che fossi tanto sventato?» fece Žukovskij, alzandosi dalla poltrona. «E allora, lo pensava sul serio?» ripeté. Poi sferrò un calcio nel ventre del prigioniero, facendolo piegare in due. «Non lo capisce, chi sono?» Non alzava la voce, quanto piuttosto le instillava un tono ancora più glaciale, pronunciando ogni parola con gelida e deliberata oggettività. «Ero un colonnello del KGB. Ho ordinato che i dissidenti assistessero mentre le loro famiglie venivano bruciate vive: mogli, figli, madri, padri, tutti quanti. Ho costretto i prigionieri a mettere le mani nell'acqua bollente, e poi gliele ho pelate come pomodori. Vuole che lo faccia anche a lei?»

«No», gemette Carver. «Per favore, la supplico. L'aiuterò. Posso farlo. Conosco la password per entrare nel computer del Consorzio. Ho la chiave per decrittare tutti i file. Gliela dirò. Solo, la prego... non mi faccia più del male.»

«Bene, allora...» Žukovskij stava quasi mormorando. Camminava intorno al prigioniero. «Perché mai dovrei fare questo?» Gli sferrò un altro calcio, stavolta alla base della spina dorsale.

Carver s'inarcò all'indietro mentre i muscoli doloranti gli si contraevano in uno spasmo. Poi si raggomitolò in posizione fetale. Era scosso da violenti conati di vomito.

Žukovskij gli schiacciò le caviglie. «Non sono molto colpito. Da un ex agente dello Special Boat Squadron mi sarei aspettato una maggior resistenza al dolore fisico. Forse lei si è un po' rammollito. O forse sta semplicemente fingendo di arrendersi. Che cosa mi dice?»

Carver era a terra, col viso appoggiato di lato sul pavimento. Cercava di far gravare il peso della testa sul lato della mandibola che non era stato danneggiato.

Žukovskij poteva vedere chiaramente il rosso gonfiore che segnava il punto in cui il pugno di Titov aveva colpito. Andò ad affondare il tallone proprio nel centro dell'ematoma, aumentando gradualmente la pressione mentre il corpo dell'inglese si contorceva impotente. «No, non stava fingendo», commentò. «Tuttavia lei potrebbe avermi teso una trappola. Per un uomo della sua abilità non dovrebbe essere un problema minare un computer. Si sostituisce la batteria con dell'esplosivo, e poi basta battere un solo tasto per farlo esplodere. L'ho usato anch'io, come metodo per assassinare. Ma, se è davvero una trappola, quello a morire sarà lei...»

77

Alix era sincera quando aveva detto che la vista di Carver le dava un senso di malessere fisico. Aveva dovuto fare uno sforzo enorme per non dare di stomaco mentre lui giaceva là ai suoi piedi, tremante, sconfitto, con la saliva che gli colava sugli stivali di Versace. E aveva dovuto allontanarlo con un calcio per non rischiare di vomitargli addosso. Ma non era nauseata perché provasse disprezzo per Carver; stava male per quello che lei stessa aveva fatto. Aveva consegnato nelle mani di un mostro l'unico uomo che l'avesse mai amata veramente. Aveva giocato sporco una volta di troppo. Aveva mentito una volta di troppo. Ed era stato Carver a fare le spese del suo tradimento.

Quell'ultima sera, a Ginevra, era furiosa con lui. Sulle prime era stata soltanto l'irritazione per un bisticcio tra innamorati. Quando poi lui si era rifiutato di portarla con sé era passata alla cupa frustrazione del vedersi messa da parte. Si era sentita trattata con sufficienza, una femminuccia che viene lasciata a casa mentre l'uomo grande e forte se ne va a fare il lavoro importante. E poi, quand'era saltato fuori Kursk e aveva trasformato quel tranquillo caffè in un mattatoio, lei aveva provato la rabbia impotente che deriva dalla paura e dall'abbandono. Aveva incolpato Carver del suo rapimento, e aveva attizzato la rabbia contro di lui per farsi forza e riuscire ad affrontare ciò che avrebbe dovuto fare.

Sapeva che sarebbe morta se Žukovskij avesse mai sospettato che il suo rapporto con Carver era stato qualcosa di diverso da una finzione professionale. La sua sopravvivenza dipendeva dalla capacità di convincerlo che quello che aveva fatto non era altro che un ritorno alle origini, a ciò che lei sapeva fare meglio: usare il suo potere di seduzione e manipolazione emotiva come arma contro un uomo.

Alix aveva corretto il resoconto dei suoi ultimi tre giorni con una buona dose di scherno sprezzante. Aveva descritto Carver come uno stupido illuso, abbastanza abile nel suo lavoro ma un dilettante maldestro quando si trattava di stringere fra le braccia una donna invece che un fucile. E in quello c'era una parte di verità, naturalmente. Ma era proprio il motivo per cui lui le era piaciuto così tanto, il motivo per cui sapeva che forse avrebbe potuto amarlo, se solo si fosse concessa di farlo. Era proprio l'inaspettata vulnerabilità emotiva di Carver a renderlo tanto complesso, un essere umano da amare, e non soltanto una macchina per uccidere.

Alix si era detta che, se fosse rimasta viva, avrebbero potuto ancora avere un'opportunità di tornare insieme. Non sapeva come o quando; ma lui avrebbe cercato di trovare un modo per riaverla, ne era sicura. Fino a quel momento, tutto quello che lei poteva fare era convincere Žukovskij che non esisteva assolutamente nulla di cui lui dovesse preoccuparsi. Quindi aveva messo a tacere i suoi veri sentimenti e si era data al russo; aveva pagato la sua penitenza prostituendosi in modo totale, più di quanto avesse mai fatto in vita sua.

E alla fine gli aveva reso quell'ultimo servigio, l'unico che davvero non riusciva a perdonarsi. Quando Carver aveva chiamato, poco dopo pranzo – meno di dodici ore prima, anche se le sembrava un'altra epoca –, lei aveva recitato la parte dell'indifesa vittima di un rapimento, aveva strillato simulando dolore quando Žukovskij aveva finto di schiaffeggiarla.

E, quando quella farsa si era conclusa, lui l'aveva afferrata per entrambe le braccia, guardandola dritto negli occhi, come in cerca di una qualche traccia residua di un suo possibile tradimento. «Sei una brava ragazza», le aveva detto. «Ho sempre avuto fiducia in te, e tu non mi hai mai dato motivo di pentirmene. È una cosa molto apprezzabile.» Il suo viso si era rischiarato e anche l'umore era parso migliorare. «Avrei odiato doverti punire. Ma adesso invece ti meriti un premio. Va' giù in città; uno degli uomini ti accompagnerà con l'auto. Comprati quello che vuoi, e rifatti bella.» Le aveva scompigliato la corta zazzera nera con un gesto quasi paterno. Per una volta, nella sua voce c'era una traccia di calore, perfino di affetto. «Mi manca la mia bella ragazzina dai capelli d'oro.»

Alix aveva fatto come le era stato detto. Aveva trascorso ore a provare le gonne più corte, i tacchi più alti e i gioielli più scintillanti che avessero da offrire le boutique di Gstaad. Ma quello era stato solo l'inizio. Si era fatta fare massaggi, manicure e pedicure. La pelle del viso era stata ricoperta di maschere e poi ammorbidita con creme. Si era allungata i capelli applicando delle extension. «Provengono da donne russe, proprio come lei!» aveva squittito la parrucchiera pensando così di renderla più contenta, quando invece la notizia l'aveva spinta ancora di più nel disgusto di sé. Poi aveva rifatto una tintura bionda, ed era stata abilmente pettinata e spruzzata di lacche. I segni sulla pelle erano scomparsi sotto il trucco. La ragazza del salone di bellezza non aveva battuto ciglio; da tempo aveva smesso di scandalizzarsi, e perfino di stupirsi, per le abitudini personali dei suoi clienti.

Alla fine, viso e membra apparivano foggiati in quell'assurda bellezza artificiale da regina che meglio riusciva ad attirare un uomo come Žukovskij: era pronta a essere di nuovo introdotta al suo cospetto. Alix aveva fatto il suo ingresso nell'ampio salotto dello chalet sui suoi stivali coi tacchi a spillo e con un minuscolo abito di Stella McCartney, ed era stata accolta dalle occhiate lascive di Kursk e della sua banda di psicopatici.

Il suo amante-padrone l'aveva salutata col guizzo di un sorriso. «Aleksandra, mia cara, hai un aspetto magnifico. Chissà la faccia che farà Carver, quando ti vedrà. Non vedo l'ora!»

Alix non era stata capace di tenere la falsità lontana dalla sua risata.

«Non preoccuparti. So quello che hai dovuto sopportare, e gliela farò pagare», le aveva detto Žukovskij, prendendo la sua reazione come un segno che lei non voleva avere nulla a che fare con l'inglese. «Prima ceneremo, e poi ce lo faremo portare. E allora ci sarà da divertirsi.»

Erano seduti al tavolo da pranzo, quando era arrivato il furgone. Il veicolo aveva attraversato il portone d'ingresso per poi scendere lungo la rampa che girava a spirale intorno allo chalet, fino al garage nel seminterrato. Giù sotto di loro, da qualche parte nelle viscere della casa, si era sentito uno sbattere di portiere seguito da un rumore di piedi strascicati. Quando i camerieri avevano portato il cibo, Alix non era riuscita neanche a toccarlo. Lo champagne d'annata sembrava sgasato sulla sua lingua.

Alla fine, Žukovskij aveva detto a maggiordomo, cameriera e cuoco che potevano tornarsene in paese, alle loro case. Aveva aspettato che avessero lasciato l'edificio, quindi si era alzato da tavola, aveva preso Alix per il braccio e l'aveva condotta nel salotto. Si era piazzato in una poltrona vicino al camino e aveva picchiato con la mano aperta su uno dei braccioli, per indicarle che era lì che lei doveva sistemarsi.

Alix aveva obbedito. Ridacchiando, si era sforzata perfino di dire: «Non sto più nella pelle». Si era aspettata di veder entrare Carver nella stanza, alto e fiero, pronto a negoziare con Žukovskij, da uomo a uomo. Quando era stato condotto dentro come un animale, il corpo esibito nella sua nudità, la testa avvolta in un cappuccio nero, lei aveva dovuto farsi violenza per non scoppiare in lacrime. Si era sforzata di rimanere fredda e distaccata mentre lui pativa sofferenze che ne distruggevano il corpo dall'interno e ne prostravano lo spirito.

Alla fine, aveva deciso di fuggire via da quell'ignobile spettacolo. Mantenne il contegno fin quando non si trovò fuori della stanza. Si precipitò verso il suo bagno, soffocando i singhiozzi finché la porta non si richiuse alle sue spalle. Solo allora pianse, per il suo uomo, per se stessa e per l'amore che era stato gettato via.

Fece scorrere l'acqua della vasca, per nascondere il rumore del pianto ma anche per crearsi una scusa che giustificasse la sua assenza. Sapeva che certi uomini danno per scontato che le donne abbiano un bisogno pressoché illimitato di starsene immerse in bagni di schiuma e di oli profumati. E sapeva che ormai a quell'ora Žukovskij doveva essersi dimenticato di lei; aveva visto il veleno nei suoi occhi mentre guardava Carver, e sapeva che cosa ciò significasse.

Sdraiata nella vasca, avvolta dai vapori profumati di Chanel, osservò il suo corpo che nell'acqua bollente andava assumendo un color rosa aragosta. Quando si tirò su in piedi, lasciando che le bolle le scivolassero di dosso mentre lei raggiungeva il soffice accappatoio, Alix sapeva quello che doveva fare. A qualunque costo.

78

Carver venne sistemato nel mezzo di una processione di cinque uomini. Faceva strada Kursk, armato di una Beretta 92; camminava di lato, tenendo la pistola puntata dietro di sé, su Carver, il cui braccio sinistro era tenuto dalla salda stretta di Rutsev. Titov veniva subito dopo, tenendo il telecomando della cintura; Žukovskij chiudeva la retrovia. Mancava soltanto Dimitrov.

La fila di uomini attraversò il salotto. Kursk fece segno a Carver di fermarsi; poi andò in fondo all'ingresso, dalla parte opposta rispetto all'entrata principale, e raggiunse quella che sembrava una normale porta di legno, posta in una nicchia al di sotto dello scalone. Ma quell'apparenza domestica e quotidiana era ingannevole; quando Kursk fece per aprire la porta, i suoi grugniti di fatica lasciarono intuire una struttura di gran lunga più pesante e massiccia: qualcosa concepito per sbarrare la strada tanto alle persone quanto ai suoni. La porta secondaria si apriva su una rampa di gradini di cemento che scendeva nel seminterrato. Kursk era andato avanti, e una volta arrivato in fondo si girò verso le scale e urlò: «Okay!»

Gli altri uomini cominciarono la discesa verso il seminterrato; le scale sfociavano in uno stretto corridoio illuminato dal crudo sfarfallio di un tubo fluorescente. Carver riconobbe la sensazione del cemento sotto i piedi, riusciva a sentire le pesanti esalazioni del tubo di scappamento; il garage dove l'avevano fatto scendere quand'era arrivato allo chalet doveva trovarsi laggiù. Ma non era quella la sua destinazione.

Kursk guidò il gruppo dietro una pesante porta d'acciaio che conduceva in una stanza completamente spoglia, priva di finestre, di circa sei metri quadrati. Le pareti erano di un brillante bianco gesso, così come il pavimento, il soffitto e l'interno della porta.

Carver colse una familiare zaffata di vernice fresca. Quello era il posto dove lo avevano lasciato prima, bendato. Guardandosi intorno, individuò una telecamera a circuito chiuso puntata sull'unico pezzo di arredamento, una sedia metallica con lo schienale alto, posta proprio al centro della stanza. La sedia era assicurata con bulloni al pavimento e sistemata in asse perpendicolare rispetto alla porta; allo schienale, ai braccioli e alle gambe erano state applicate delle stringhe di pelle, in modo tale che chiunque vi si fosse seduto potesse essere ridotto in uno stato di totale immobilità. Da una presa della corrente sul muro usciva serpeggiando un cavo nero, collegato a un paio di cuffie che erano appese a un gancio sulla parte posteriore della sedia; un secondo gancio reggeva invece un rotolo di nastro adesivo argentato.

Sul soffitto c'erano altre luci fluorescenti. Sulla parete di fronte alla sedia era stata fissata una scatola grossa e piatta, larga forse un metro e venti e alta una novantina di centimetri; era incastrata in un telaio nero, ma la superficie maggiore, quella che si trovava di fronte alla sedia, era chiara. L'interno era bianco e dotato di altre luci, che non erano ancora state accese.

Carver poteva percepire il sudore che gli si ghiacciava sulla pelle. Si sentiva stordito, aveva la testa in fumo per via delle ripetute scosse elettriche. Il viso gli pulsava; schiena e caviglie erano dolorosamente sensibili. Avrebbe voluto più che mai un sorso d'acqua per placare quella sete furiosa, ma con la stessa urgenza aveva anche un gran bisogno di pisciare: gli ci era voluta tutta la sua concentrazione per non bagnarsi o insudiciarsi mentre le scosse gli attraversavano il corpo, dilaniandolo; ormai la vescica gli stava mandando dolorose sollecitazioni, che gli attraversavano il ventre come pugnalate. Doveva resistere. Per niente al mondo avrebbe lasciato che Žukovskij lo vedesse mentre se la faceva addosso.

Rutsev spinse il prigioniero verso la sedia e lo legò con le cinghie, fissandolo al torace, alla vita e alle cosce; dovette togliere i ceppi che aveva alle caviglie, in modo da poterle assicurare alle gambe della sedia. Carver provò il desiderio di sferrare un calcio sulla grossa facciona del russo, soltanto per il puro piacere di provocargli dolore; ma aveva ancora la cintura elettrica intorno alla vita, il telecomando era ben saldo nelle mani di Titov e Kursk era sempre lì con la pistola puntata. Non aveva senso correre quel rischio: aveva cose più importanti da fare. Le fibbie delle cinghie furono agganciate dietro e sotto la sedia. Con le mani ancora ammanettate, il prigioniero non aveva speranza di poter raggiungerle; la testa, però, gli venne lasciata libera. Rutsev portava un orologio; Carver vide che erano le 0.14.

Dimitrov entrò nella stanza portando con sé la valigetta; ne estrasse il portatile, che porse a Žukovskij. La valigetta venne lasciata sul pavimento, a poca distanza dalla sedia del prigioniero, ma impossibile per lui da raggiungere. In quel momento tutta la banda si trovava nella stanza, eccetto Alix. Carver suppose che dovesse trovarsi al piano superiore, a prepararsi per una lunga notte di sesso col boss.

Žukovskij si voltò verso l'inglese. «Adesso le darò il computer. Lei non lo aprirà, né gli darà l'avvio; non farà nulla finché i miei uomini e io non saremo usciti dalla stanza e la porta non sarà stata chiusa. Se prova a fare qualcosa che possa sembrare anche solo minimamente sospetto, le spareremo. Noi saremo in un'altra stanza, e la osserveremo attraverso quella telecamera.» Indicò con un gesto il sistema a circuito chiuso che occhieggiava dal soffitto. «Quando avrà avviato il computer, e sarà riuscito a inserire la password, sollevi le mani.»

Kursk andò alla porta e rimase là, tenendo la Beretta puntata su Carver mentre gli altri uomini uscivano dalla stanza; poi anche lui sgusciò fuori. La porta fu chiusa di schianto.

Carver udì lo stridore del metallo contro il metallo, poi due schiocchi secchi, quando un paio di catenacci furono fatti scivolare al loro posto. Era da solo. Aveva il portatile. Finalmente poteva dare inizio alla controffensiva.

Prima, però, doveva aprire quel dannato aggeggio. Ammanettato, non riusciva a tenere fermo l'Hitachi con una mano, premendo contemporaneamente il gancio di chiusura con l'altra. Finì per tenerlo in posizione quasi verticale, premuto contro la cinghia che gli attraversava il torace. Si aprì di scatto, e quel movimento per poco non bastò a farlo scivolare e fracassarsi per terra.

Carver sbatté i pugni sulla tastiera, fermandolo appena in tempo. Poi si appoggiò allo schienale, lasciò fluire via l'adrenalina e aspettò che il battito rallentasse. Respirò a fondo un paio di volte, cercando di calmarsi, quindi premette il tasto di accensione, aspettò che comparisse la finestra della password e... Non aveva la minima idea di cosa andasse inserito in quella sottile striscia vuota sullo schermo. Nella testa aveva il vuoto totale.

Quelle ripetute scariche elettriche avevano colpito a fondo il suo cervello. La memoria a breve termine era stata cancellata; non c'era da meravigliarsi se non era stato in grado di ricordare dove fosse cresciuta Alix.

Cercò di non farsi prendere dal panico. Lottò contro il senso di soffocamento che lo stava prendendo alla gola, contro lo sfarfallio nello stomaco e quella disperata sensazione che il cervello stesse scivolando fuori dal suo controllo. Doveva scavare a fondo nei più nascosti recessi della sua coscienza. L'informazione si trovava là, da qualche parte; doveva solo riuscire a scovarla.

C'era un'immagine, collegata alla parola, quello lo ricordava, un modo per dare un senso alla successione di lettere e cifre. Qualcosa sulle zebre.

Quante dannate zebre? Due? Quattro? No, due. Erano sicuramente due. E cos'è che stavano facendo? Giacevano? Sonnecchiavano? O forse dormivano?

Carver si concentrò. La frase era di otto parole. Chiuse gli occhi e fece una lista delle varie possibilità; si sentiva come un bambino durante un test di compitazione. Indugiò incerto sulla tastiera con le mani legate, mentre ripeteva mentalmente la frase: *Vedo 2 zebre che dormono insieme sul prato.*

Larsson era stato irremovibile: c'erano solo tre possibilità per azzeccare la password giusta, o l'hard-disk sarebbe stato spazzato via.

Be', non aveva senso rimanere lì ad aspettare tutta la notte.

L'indice destro indugiò ancora un istante sospeso sulla tastiera, poi cominciò a digitare: V 2 Z C D I S P

Sullo schermo apparve un messaggio: PASSWORD ERRATA, TENTATIVI RESIDUI: 2

Paura e tensione s'impadronirono di nuovo di Carver, ancora più forti di prima. Si chiese dove avesse sbagliato. *Sono sicuro che erano due, le zebre sul fottutissimo prato*, pensò. Poi di colpo si rese conto di aver individuato il problema. *Non era «Vedo», ma «Ci sono». Sì, è così...*

C S 2 Z C D S P

La risposta del computer arrivò con un'immediatezza schiacciante: PASSWORD ERRATA, TENTATIVI RESIDUI: 1

«Pensa, stupido bastardo, pensa!» Stava parlando ad alta voce, scuotendo la testa, strattonando col busto i legacci che lo tenevano stretto. La tensione nervosa gli dava ormai un senso di malessere fisico. «Le zebre, ce n'erano due, sul prato... non stavano dormendo? No, non può essere. E che stavano facendo, allora? Sonnecchiano, giacciono... giacciono, sonnecchiano... sono sdraiate... Sì, ecco! Ci sono due zebre sdraiate... Non sonnecchiano, sono sdraiate! Maledizione, è così!»

Un ultimo respiro profondo. Un ultimo istante di esitazione con l'indice sulla tastiera. Poi, si buttò.

C S 2 Z S I S P

Non successe niente. Per un interminabile secondo da cardiopalma, lo schermo rimase completamente vuoto.

In preda al panico, Carver cominciò a battere ripetutamente sulla barra spaziatrice. Poi, ecco comparire il desktop, sul quale cominciarono a spuntare le varie icone mentre, nascosto da qualche parte dentro quella scatola di plastica grigia, un minuscolo trasmettitore irradiò un unico segnale.

Žukovskij aveva visto giusto: era una trappola esplosiva. Ma il computer non era nel punto dove si trovava il pericolo. Infilati in mezzo alle pareti imbottite della valigetta c'erano due fogli di esplosivo C4 e un catalizzatore termoincendiario, collegati a un detonatore a tempo che veniva messo in funzione via radio. Il timer era appena stato attivato dalla barra spaziatrice: un rinvio di trenta minuti per ogni volta che il tasto era stato premuto. Nel giro di quattro ore esatte la bomba sarebbe esplosa, incenerendo chiunque si fosse trovato nelle immediate vicinanze e riducendo lo chalet in un mucchio di macerie fumanti. Carver alzò la testa al soffitto, colpendo l'aria coi pugni. Per un paio di minuti non successe nulla. Evidentemente Žukovskij intendeva aspettare un po' per assicurarsi che non vi fosse nessuna detonazione. Poi la porta bianca si aprì ed entrarono in quattro; della banda, mancava solo Rutsev. Žukovskij andò dritto alla sedia e prese il computer. «La ringrazio, Mr Carver. Lei mi ha fatto un favore, oltre a fornirmi una succosa occasione di svago. Mi sono divertito enormemente con quel suo ridicolo esercizio di memoria, mentre cercava di ricordarsi quante fossero le zebre. Com'è che diceva? Sdraiate insieme sul prato...»

Carver lottò contro la tentazione di dire a Žukovskij che presto lo zimbello della situazione sarebbe stato lui. La bomba sarebbe esplosa nelle prime ore del mattino, quando con ogni probabilità gli abitanti dello chalet erano immersi nel sonno più profondo, le membra in totale inattività, la capacità di reazione mentale al livello minimo. Per allora, Carver doveva aver trovato il modo per uscire dal suo stato di prigionia, a meno che i russi non lo avessero già fatto fuori. Le probabilità erano pesantemente contro di lui, ma non si era ancora dato per vinto. Provava uno strano miscuglio di sensazioni: da un lato un terrore profondo, sapendo che gli rimanevano soltanto poche ore da vivere, ma dall'altro, ugualmente intensa, una sorta di euforia. Almeno avrebbe combattuto fino all'ultimo e gliel'avrebbe fatta pagare, a tutti quanti. Se solo fosse riuscito a liberarsi da quella dannata sedia...

«Potrei aiutarvi...» disse con voce supplichevole. «Sono in grado d'introdurmi nei file.»

Žukovskij lo guardò con un'espressione che voleva rendere tutta la sua pena di fronte a una stupidità tanto sconfinata. «Non me ne frega un cazzo dei file. E se mi dovesse venire un attacco di curiosità, be', a Mosca ci sono i migliori crittografi del mondo. Se davvero a lei è stato possibile trovare qualcuno in grado di sbrogliarsela con questo codice, cosa di cui dubito molto, stia pur certo che io non avrò problemi a fare lo stesso.» Si chinò sulla sedia, tenendo le mani sulle ginocchia, in modo tale che la faccia era allo stesso livello di quella di Carver. «Mi permetta di dirle che cos'è che m'interessa veramente. Voglio vederla soffrire. Voglio che lei muoia il più lentamente e il più dolorosamente possibile. Lei si è scopato la mia donna, non m'importa come o perché. Se mai dovesse spargersi la voce che lei ha fatto questo e ne è uscito vivo, tutti quanti, amici e nemici, vedrebbero in ciò un segno di debolezza da parte mia. Se invece in tutta la Russia cominceranno a circolare le storie delle torture che lei ha dovuto subire, se mentre sono lì a scolarsi le loro bottiglie di vodka gli uomini si scambieranno i racconti orribili di quanto è accaduto all'uomo che ha cercato di fregarmi, se vedranno che la mia donna mi è più devota che mai, come una schiava... be', allora sapranno che Jurij Žukovskij non è un uomo da prendere sottogamba.» Il boss si girò verso Titov e gli impartì una serie di istruzioni che dipinsero un ghigno di perfido godimento sul volto dello scagnozzo.

Titov si mise il telecomando nella tasca posteriore dei pantaloni, quindi si avvicinò alla sedia e spinse con forza la testa di Carver contro il rigido schienale metallico; applicò una cinghia sulla fronte e l'allacciò tanto forte che il cuoio sembrava affondare nel cranio. Una seconda cinghia fu infilata a forza nella bocca del prigioniero e poi tirata saldamente, in modo tale che fungesse da bavaglio e andasse al tempo stesso a sollecitare i denti traballanti e le gengive spaccate, causando dolori lancinanti a ogni minimo movimento.

Ormai Carver era davvero terrorizzato. Prima, quando aveva cercato di saltare addosso a Žukovskij, sapeva che non avrebbe funzionato; stava semplicemente cercando di architettare una situazione in cui poter recitare il ruolo di un uomo sconfitto che mendichi una possibilità di salvezza. Era pronto a ricevere qualsiasi punizione Žukovskij volesse infliggergli: il fine giustifica i mezzi.

Ma ormai non stava più recitando; il suo terrore era del tutto autentico. Una volta aveva visto un documentario su un prigioniero inglese che aveva fatto finta d'impazzire, in modo che i tedeschi lo consegnassero alla Croce Rossa. Ma alla fine la finzione era diventata realtà: l'uomo era ammattito sul serio. Carver era come quel prigioniero. Quando gli tolsero le manette dai polsi, non fece il minimo tentativo di resistenza mentre le mani gli venivano legate ai braccioli. Non voleva dare nessun pretesto a Žukovskij o ai suoi uomini per spingere il pulsante bianco che lo aveva ridotto in uno stato di completa schiavitù, privandolo di ogni dignità. Il solo pensiero di che cosa avrebbe significato contorcersi e sussultare con la resistenza causata dai lacci che bloccavano i suoi movimenti era sufficiente a farlo sudare e rabbrividire.

Le azioni di Titov erano guidate da una sorta di fluida efficienza. Il suo usuale nervosismo era stato sostituito dalla tranquillità di un uomo che trae una profonda soddisfazione dal proprio lavoro. Ma la sua opera non era ancora finita. Per prima cosa, allungò la mano dietro la sedia e prese le cuffie, che sistemò sulle orecchie del prigioniero; tutto intorno a Carver divenne più ovattato, come se lui si fosse ficcato le dita nelle orecchie.

Poi Titov afferrò il rotolo di nastro adesivo, ne tirò una striscia lunga all'incirca una decina di centimetri e la strappò via coi denti; si chinò e tirò le palpebre del prigioniero, forzandole verso il basso.

Carver percepì la morsa appiccicosa del nastro sulla palpebra destra, e poi uno strattone quando quella venne tirata verso l'alto, e una seconda morsa quando Titov gli fece aderire alla fronte l'altra estremità del nastro. Aveva l'occhio sbarrato e non poteva più sbattere la palpebra.

Il russo fece la stessa cosa con l'altro occhio. Poi si allontanò di un passo dalla sedia ed estrasse dalla tasca la terrificante scatola nera. Con la mano sinistra, la tenne sollevata all'altezza della sua faccia ghignante; stese il braccio destro e sollevò l'indice. Quindi fece l'occhiolino.

Carver udì il suono smorzato delle risate. Al bordo estremo del suo campo visivo riusciva a distinguere Dimitrov che si piegava in due dall'ilarità. Ma non gli importava di quanto si stessero divertendo; tutta la sua concentrazione era assorbita dal dito di Titov, che si muoveva lentamente intorno al pulsante bianco.

Gli occhi di Carver tenuti aperti col nastro adesivo si spalancarono ancora di più. Dalla bocca imbavagliata fuoriuscì un patetico mugolio. Il sudore colava viscido contro lo schienale della sedia metallica.

Titov lo lasciò lì a soffrire un po', centellinando ogni secondo del suo terrore. Poi si rimise in tasca la scatola e uscì dalla stanza.

Il tormento era finito.

Carver vide Titov camminare fuori dal suo campo visivo. Vide Dimitrov raccogliere da terra la valigetta del computer e portarla via mentre anche lui se ne andava. Sentì sbattere la porta, e gli schiocchi dei chiavistelli. Per alcuni istanti rimase lì, nudo, congelato e immobile nella silenziosa solitudine della sua cella.

Poi improvvisamente sulla parete di fronte divampò una luce accecante, che gli ardeva dentro gli occhi spalancati privi di difesa. Nello stesso tempo, le cuffie si accesero all'improvviso, e le orecchie di Carver furono invase dall'assordante martellamento di un rumore privo di senso, simile alle scariche elettrostatiche di una radio fuori sintonia, o al sibilo di uno schermo televisivo che non è sintonizzato su nessun canale.

Il rumore gli scoppiava nel cranio, riempiendogli il cervello di un fragore cieco, privo di qualsiasi struttura o significato, niente che la sua mente potesse afferrare o comprendere. La luce lo aggrediva come il cannello di una fiamma ossidrica. E non c'era assolutamente nulla che lui potesse fare.

Samuel Carver era intrappolato all'inferno. Rumore e luce sarebbero andati avanti per sempre, e lui non poteva spegnerli. Non poteva chiudere gli occhi. Non poteva tapparsi le orecchie. Non poteva muovere nessuna parte del suo corpo.

Non poteva nemmeno sentirsi mentre gridava.

Gstaad è la St. Tropez delle stazioni sciistiche, una dimora di antica bellezza per cafoni arricchiti, un posto dove vecchiaia e soldi s'incontrano con bellezza e gioventù e trovano un accordo in grado di soddisfare tutti. Durante gli anni '70 e '80 erano gli arabi che, sommersi dai petroldollari, sostituivano la sabbia con la neve e accorrevano a frotte. Poi era arrivato il turno dei russi.

Nel disperato tentativo di preservare almeno un'illusione di classe ed esclusività, gli albergatori più eleganti avevano cercato di escludere gli oligarchi e i mafiosi di Mosca; torcendosi le mani, sprofondandosi in inchini di scuse, spiegavano che in alta stagione le suite migliori venivano prenotate con mesi – a volte perfino con anni – di anticipo. Ma qualcuno doveva pur comprarla, la magnum di champagne Cristal d'annata da settemila franchi svizzeri a botta, qualcuno doveva pur mandare le proprie amanti rivestite di zibellino in giro per gioiellerie e antiquari; e nessuno sapeva farlo con tanto zelo, entusiasmo e sfacciataggine quanto quelli che erano usciti vincitori nella nuova *gangster economy* che aveva preso piede in Russia.

Tuttavia in settembre anche i russi preferivano andare da qualche altra parte. Tra la fine dell'estate alpina e le prime grosse nevicate invernali, molti alberghi chiudevano per uno stacco di tre mesi; nessuno andava a Gstaad a vedere le foglie che diventavano rosse. L'arrivo di Žukovskij, quindi, non era passato inosservato.

Il nome del boss non si trovava su nessun elenco telefonico né sul registro catastale, ma a Thor Larsson era bastato farsi un giro per i bar.

Un grosso e barbuto svizzero, pressato in un paio di pesanti pantaloni da lavoro perfettamente puliti, sentita la domanda che lo svedese stava rivolgendo al barman aveva ringhiato: «Žukovskij? Quel russo? Ha una grossa tenuta a Oberport, appena fuori dell'abitato, su verso i boschi, andando per Turbach».

Tre ore dopo, Larsson si trovava seduto nella sua Volvo e stava osservando la mole scura dello chalet. Sembrava la baita di Heidi dopo una cura di steroidi: una residenza di quattro piani, cui si era voluto dare la foggia di una minuta casetta di montagna. Un capriccio completo di balconi in legno intagliato che tornava nel rivestimento dei piani superiori e nelle capriate che sostenevano il profondo aggetto del tetto. Ma, a dispetto di quel minuzioso sfoggio di alberi morti, quello che c'era al di sotto era una struttura di acciaio e cemento.

La casa era costruita sul fianco di una ripida collina, con l'ingresso principale posto sul retro della proprietà, in fondo a una fila di alberi. In tal modo, quando si attraversava lo chalet per arrivare alle stanze di rappresentanza sul davanti, si poteva godere della vista spettacolare che si apriva giù per il versante della montagna, comprendendo in un colpo d'occhio tutta quanta la vallata in cui si trova Gstaad.

Accanto alla porta d'ingresso c'era un vasto spiazzo circolare adibito a parcheggio. Alla sinistra della proprietà, una rampa scendeva girando intorno alla casa e conduceva a un garage che si trovava proprio sotto il pianterreno; così gli ospiti potevano essere accompagnati fino all'ingresso principale, e poi l'autista non doveva far altro che continuare a guidare per togliere l'auto di vista.

Quello, pensò Larsson, doveva essere il modo in cui avevano fatto entrare Carver; gli sembrava poco probabile che fosse stato accolto alla porta da un maggiordomo. E nemmeno ci sarebbe uscito, dall'ingresso principale; quello era il tipo di incontri che andava sempre a finir male. Ma, nonostante tutto, lo svedese continuava a nutrire un'enorme fiducia nelle capacità di sopravvivenza del suo amico; si aggrappava all'immagine di lui che schizzava fuori dello chalet sparando a raffica con la sua pistola, alla disperata ricerca di una veloce via di fuga. E, quando ciò sarebbe successo, lui sarebbe stato lì ad aspettarlo, col motore già acceso.

Era mezzanotte passata, e lui era seduto al buio, aspettando che succedesse qualcosa. Aveva lì un pezzo ormai freddo di pizza, e un'ancora più gelida tazza di caffè nero; alla radio stavano dando un pezzo dei Grateful Dead. Tutto considerato, era proprio come essere a casa.

Jurij Žukovskij se la prese comoda. Più di due ore passarono, prima che Alix sentisse i suoi passi che salivano su per le scale e poi procedevano decisi lungo il corridoio. Era rimasta ad ascoltare gli uomini, giù al piano di sotto, mentre bevevano vantandosi l'un con l'altro delle proprie prodezze e cantavano le luride canzonacce da caserma. A un certo punto i festeggiamenti si erano fermati, c'era stato un andirivieni di passi sulle piastrelle dell'atrio, e poco dopo si era udito uno scoppiettio attutito, proveniente da qualche parte nelle viscere dell'edificio.

Era stato un colpo d'arma da fuoco?

Alix aveva finto che potesse esistere una qualche altra spiegazione, ma non poteva sottrarsi all'unica, ovvia, conclusione: avevano sparato a Carver. Aveva chiuso gli occhi e pregato: *Ti prego, Signore, fallo vivere. Non portarmelo via adesso.*

Poi, gli uomini erano tornati in salotto, ed erano riprese le sbruffonate sghignazzanti, ancora più forti di prima.

Alla fine, il gruppo si era sciolto. Pochi istanti dopo, la porta della camera da letto si spalancò e comparve la sagoma di Žukovskij, stagliata contro la luce proveniente dal corridoio, con in mano la valigetta del computer.

Alix era languidamente appoggiata a un mucchio di cuscini candidi come la neve. Aveva indosso una corta camicia da notte di pizzo di satin color caffellatte; teneva un ginocchio sollevato, e l'altra gamba distesa davanti a sé, lasciando così intravedere un paio di minuscoli slip coordinati. «Vieni qui, tesoro. Mi sei mancato», mormorò, con fare stuzzicante.

Il boss posò per terra la valigetta, fece qualche passo nella stanza e si fermò al centro del tappeto. Sebbene avesse bevuto molto in compagnia dei suoi uomini, la sua voce non tradiva la minima traccia di ubriachezza. «No, vieni tu qui. Vieni qui

e dimostrami quanto ti sono mancato. Dimostramelo metten-
doti sulle ginocchia.»

Dopo una rapida e fredda performance di sesso orale, lei lo
aiutò a togliersi i vestiti, strofinandoglisi addosso mentre lo
guidava verso il letto.

Avendo soddisfatto le sue esigenze più impellenti, il russo
sembrava più interessato ad approfondire la questione del dolore fisico che aveva inflitto a Carver. «Lo abbiamo lasciato là
per un'oretta», le stava dicendo mentre scivolavano sotto le
lenzuola. «Poi Kursk e i ragazzi sono entrati all'improvviso
e lo hanno tirato giù dalla sedia. Era completamente disorientato e assolutamente incapace di vedere; non faceva che agita-
re le braccia davanti a sé come un mendicante cieco.»

Alix riuscì in qualche modo a tirar fuori un risolino, come
se ascoltare della degradazione di Carver la divertisse.

Žukovskij parve incoraggiato dal suo apprezzamento. «Lo
hanno portato fuori dalla stanza, in garage, e messo contro un
muro. Lui se ne stava là, tutto rannicchiato come un cane ba-
stonato, guardandosi intorno con quei patetici occhi sbarrati,
tenuti ancora aperti col nastro adesivo. E la cosa stupenda
era che aveva le mani libere: avrebbe potuto togliersi il nastro
in qualsiasi momento, ma proprio non ce la faceva. Io volevo
che vedesse che cosa stava succedendo; volevo che sapesse.»

«Sapesse cosa?» domandò Alix, mordicchiando l'orecchio
di Žukovskij e accavallando la coscia sulla sua.

«Ho ordinato che ci pensasse Titov», continuò il russo
ignorando la domanda, mentre lei gli faceva scorrere le dita
sul petto. «Così il nastro è stato strappato via dalla faccia di
Carver, e lui ha sbattuto un po' le palpebre e poi ha chiuso
gli occhi. Quando li ha aperti di nuovo, stava piangendo:
grondava lacrime in modo davvero penoso. Kursk gli ha mol-
lato qualche schiaffone ed è stato allora che Carver si è reso
conto di dove si trovava, in piedi contro un muro con quattro
uomini che gli puntavano addosso un fucile. E allora – forse è
stato, devo dire, il momento di maggior soddisfazione – ha
cercato di tirarsi su dritto, di morire come un uomo... e non
c'è riuscito. È crollato giù. Uno degli uomini è dovuto andare

lì da lui a tirarlo su, e ha proprio dovuto poggiarlo contro il muro...»

Alix fino a quel momento aveva cercato di non ascoltare; le faceva troppo male. Per cui le ci volle qualche secondo per comprendere appieno quello che Žukovskij le stava dicendo: le stava descrivendo la morte di Carver. La sua preghiera non era stata esaudita. Era come se le avessero conficcato un coltello nel cuore, non riusciva a respirare. Ansimò in cerca di ossigeno.

«Tutto bene?» chiese il boss.

Alix annuì. «Scusami. Sto bene. Raccontami il resto della storia.»

Il russo le prese in mano uno dei seni e le carezzò il capezzolo col pollice, con aria meditabonda, gli occhi fissi al viso della donna, l'espressione impassibile mentre lei faceva ancora un piccolo sospiro affannoso. Poi, andò avanti. «Insomma, come ti stavo dicendo, gli uomini erano tutti armati di fucile; ma erano fucili caricati a salve. Così hanno sparato una raffica addosso a Carver, e lui è rimasto là tutto raggomitolato contro la parete e gli ci è voluto un buon secondo prima di rendersi conto che era ancora vivo. Si è accasciato al suolo e se l'è fatta addosso, lì sul pavimento, come una bestia. Naturalmente io l'ho fatto mettere in ginocchio e l'ho costretto a strisciare nei suoi escrementi. È stata un'esperienza davvero appagante.»

Era vivo! Alix dovette fare un grosso sforzo per non spingere via Žukovskij e lasciarsi semplicemente crollare sul letto, sopraffatta dal sollievo. Ma era pur sempre una gioia mescolata a un'amara dose di rabbia e di vergogna dinanzi a quanto Carver stava patendo per causa sua. «Dove si trova adesso?» domandò, sollevando la testa dal petto dell'uomo.

«Di nuovo sulla sua comoda seggiolina.»

Alix sapeva cosa ciò significasse. Nel corso degli ultimi due giorni, Žukovskij l'aveva portata ad assistere ai preparativi della camera di tortura. Era una prova della sua lealtà, e un monito contro un possibile tradimento. Il messaggio implicito era chiaro: *Su quella sedia potresti finirci anche tu.* Cercò di mantenere la voce calma. «Sopravvivrà alla notte?»

Gli occhi di Žukovskij si fecero di colpo gelidi e sospettosi, acquistando un'intensità che sembrava in grado di perforare la semioscurità in cui era immersa la stanza. «Perché me lo domandi? Sembri molto interessata alla sua incolumità.» In qualche modo, Alix si costrinse a ridere. «Certo che lo sono! Non voglio che muoia così presto. Voglio farmi una lunga e profonda dormita. Forse domani mattina mi farò portare un po' di colazione a letto. Poi mi farò un bel bagno, mi vestirò...» Tornò a sdraiarsi, in modo da poter bisbigliare all'orecchio di Žukovskij. «Indosserò i vestiti più sexy tra quelli che ho comprato...» Fece ancora una pausa. «E poi voglio scendere di sotto e vederlo morire coi miei occhi, proprio lì davanti a me. E voglio che soffra.»

Il boss esplose in una risata secca, quasi chioccia, e le mollò una pacca sul sedere. «Sei proprio una cattiva ragazza. Dev'essere per questo che mi ecciti così tanto.»

Fingendo che le piacesse, Alix lasciò che lui la prendesse con brutalità. Poi rimase in silenzio e immobile, finché l'uomo non cadde addormentato. Era tentata di ammazzarlo in quello stesso istante, schiacciandogli un cuscino contro la faccia sino a farlo soffocare. Ma c'era almeno una possibilità che lui si svegliasse e reagisse.

C'era una pistola chiusa nel comodino, dalla parte del letto dove dormiva Žukovskij. Lentamente, osando a malapena respirare, angosciosamente consapevole di ogni minimo rumore, Alix fece scorrere il cassetto e ne estrasse l'arma. Era una Sig Sauer, come quella che usava Carver; i due uomini della sua vita avevano almeno una cosa in comune.

I numeri luminosi dell'orologio digitale sul tavolo segnavano le 04:41.

La stanza da letto padronale era dotata di due cabine armadio indipendenti. In quella di lui, Alix trovò un paio di jeans e una cintura e li ficcò in un sacco della lavanderia che si mise in spalla. I due uomini avevano all'incirca la stessa taglia; ma Carver sarebbe stato, fisicamente e mentalmente, in uno stato tale da consentirgli di vestirsi e di correre via? Sarebbe stato in grado di lottare per uscire di lì, nel caso in cui li avessero scoperti?

Alix desiderava con tutta se stessa rivederlo, riabbracciarlo.

Ma quell'aspettativa dolorosa era minacciata da un'altrettanto potente paura di quello che avrebbe potuto trovare una volta arrivata là sotto. C'era una parte di lei che desiderava soltanto poter fuggire, sottrarsi alle fatiche di un inganno su più fronti e al martellare continuo delle emozioni represse. Ma non aveva senso chiudere gli occhi e desiderare che sparisse tutto quanto: la vita andava come andava. Lei non doveva far altro che cavarsela con quello che aveva.

S'infilò una vestaglia e scalza, in punta di piedi, attraversò la stanza fino alla porta. Con scrupolosa cautela, senza distogliere mai lo sguardo dal letto, abbassò la maniglia, quindi aprì la porta di pochi centimetri, giusto quel tanto che bastava a lanciare un'occhiata nel corridoio.

Sembrava che la via fosse libera. Probabilmente gli uomini erano al piano di sopra: Kursk nella sua stanzetta, gli altri in una mansarda adibita a dormitorio; evidentemente non ritenevano possibile che Carver potesse scappare. Tuttavia era probabile che vi fosse un uomo di guardia da qualche parte; a dispetto della sua rozza brutalità, Kursk era di rado inefficiente e mai, in nessun caso, incauto.

Il pianterreno era completamente sgombro, l'aria ancora pesante del tanfo di fumo stantio e delle libagioni alcoliche. Se c'era qualcuno di guardia, si disse Alix, doveva trovarsi di sotto, nell'angusto stanzino adiacente alla camera principale. C'era un pannello pieno di manopole e interruttori per controllare gli effetti luminosi e sonori a disposizione di chi conduceva l'interrogatorio, e un monitor mostrava lo spettacolo dalla telecamera montata in alto su una delle pareti della camera di tortura.

Ferma accanto alla pesante porta che conduceva giù nel seminterrato, Alix ripensò all'addestramento ricevuto quasi un decennio prima. Controllò il caricatore e si assicurò che il colpo fosse in canna; poi sbloccò la sicura e scese giù per le scale, tenendo la pistola puntata davanti a sé, stretta con entrambe le mani, pronta a far fuoco in qualsiasi momento.

Non c'era nessuno nel corridoio del seminterrato. Senza far rumore, la donna attraversò il pavimento di cemento grezzo fino a raggiungere la porta della stanza di controllo. Teneva la pistola con la mano destra, dietro la schiena; con la sinistra, aprì piano la porta. Nel caso che dentro vi fosse qualcuno, aveva pensato di dire che era venuta a vedere l'inglese che soffriva. Gli uomini sapevano tutti quanti che lei era rientrata nelle grazie di Žukovskij e, nel timore che lui si arrabbiasse, sarebbero stati ben pronti ad assecondarla.

La porta si aprì verso l'interno. Alix scivolò nella stanza, muovendosi di sbieco, e cercando di tenere nascosta la pistola. Ma era una precauzione superflua. Rutsev era di guardia nella stanza, ma il tondo testone da suino gli era crollato sul petto; il solo suono udibile erano le inspirazioni lente e regolari del suo russare. Chiuso in quella stanza immersa nel silenzio, senza nessuna ragione di credere che potesse accadere qualcosa, l'uomo aveva ceduto agli effetti di tutta la vodka che si era scolato quella sera.

Che fare? Alix non poteva permettere che Rutsev si svegliasse e desse l'allarme, ma in quella stanza non sembrava esservi nulla da poter usare per legarlo o imbavagliarlo. Non c'erano alternative: doveva sparargli mentre dormiva.

Alix spianò la pistola, cercando d'impedirle di tremare, sforzandosi di trovare dentro di sé la determinazione necessaria per uccidere a sangue freddo un altro essere umano. Pensò a tutte le volte che quegli occhi lascivi si erano trastullati col suo corpo, pensò a quelle mani che tante volte erano scivolate casualmente sul suo sedere e sul seno. Ma non bastava.

Poi, per la prima volta da quand'era entrata nella stanza, i suoi occhi furono catturati dal bagliore che s'irradiava dal monitor.

Girò la testa e vide Carver, arti e busto legati, la bocca e gli occhi costretti a rimanere aperti, le cuffie strette sulla testa. Furono l'assoluto silenzio e l'immobilità a sconvolgerla maggiormente. Carver doveva stare sopportando sofferenze al di là di ogni possibile comprensione; eppure di tale sofferenza non si riusciva a distinguere nessun segno. Gli era stata negata persino la possibilità di comunicare il proprio dolore.

Alix non riusciva a distogliere lo sguardo dal monitor. A dispetto dell'orrore, c'era qualcosa di elettrizzante nella vista di un tormento così perfetto e assoluto. Per dieci lunghi secondi rimase là, immobile; poi, strappati via a forza gli occhi dal monitor, si girò e, senza esitare oltre, ficcò due pallottole in testa a Rutsev.

Il cranio esplose in mille pezzi, come un melone maturo. La parete di cemento era ricoperta di sangue, materia cerebrale, ossa e capelli; pesanti grumi della densa poltiglia rossa e grigia aderivano alla ruvida superficie prima di colare schizzando sul pavimento.

Aveva ucciso una persona, di nuovo. Ma stavolta non si piegò su se stessa, in preda allo shock. Uscendo dalla stanza, lanciò a malapena un'occhiata a ciò che rimaneva dell'uomo che aveva appena ucciso. Il suo pensiero era concentrato su un altro uomo. Pochi secondi dopo, stava facendo scorrere i catenacci che chiudevano la porta bianca della cella.

Il problema maggiore della tortura risiede negli esseri umani ai quali viene inflitta: la loro capacità di resistenza al dolore è limitata. Anche i soldati più tosti e gli agenti meglio addestrati raggiungono un punto in cui sono disposti a dire assolutamente qualsiasi cosa pur di alleviare le proprie sofferenze, il che toglie di fatto ogni valore alle informazioni raccolte per mezzo della tortura.

Naturalmente ci sono delle volte in cui la raccolta di informazioni non è il vero obiettivo. Ci sono volte in cui la tortura viene inflitta per il puro gusto di farlo, che sia per punizione o per il piacere del torturatore. Ma, se il corpo viene maltrattato oltre un certo limite, la sua reazione è semplicemente quella di bloccarsi, il che può avvenire attraverso la perdita di conoscenza o attraverso la morte. Occorre un'abilità specifica per mantenere dolore e lesioni esattamente al livello giusto: non troppo lievi, il che non servirebbe allo scopo, ma neanche così dure da diventare controproducenti.

Quanto al cervello, reagisce esattamente come il corpo. Molte tecniche di tortura si basano su stimoli di natura psicologica, piuttosto che fisica. La vittima viene umiliata, degradata, la si fa sentire meno che umana. Le viene tolta la possibilità di dormire, la si bombarda di rumore e di luce. Oppure, al contrario, le viene negato qualsiasi stimolo sensoriale: nessun suono, nessuna luce, niente da toccare o da vedere. Ancora una volta, il torturatore deve puntare a quell'aureo equilibrio. La vittima va disorientata, demoralizzata, privata di ogni speranza; deve perdere la consapevolezza dello scorrere del tempo, in modo tale che i secondi le sembrino minuti e i giorni passino in un lampo. Ma non si deve arrivare al punto d'indurla a uno stato psicotico vero e proprio; non troppo presto, in ogni caso.

Ancora una volta, però, si ripresenta il problema della cessazione di attività. Una mente che non è più in grado di ricavare un senso dal mondo che la circonda, né riesce a ordinare in uno schema coerente le informazioni che riceve, finirà per abbandonare ogni tentativo chiudendosi in se stessa. Al posto della realtà, subentra uno stato allucinatorio; l'identità stessa della persona comincia a scivolar via.

Samuel Carver era già esausto e affamato ancora prima di arrivare a Gstaad. Da quel momento, i traumi ininterrotti che aveva patito lo avevano logorato fino a portarlo sull'orlo del collasso. Quando lo riportarono in cella e lo legarono di nuovo alla sedia di tortura, lui non oppose nessun tentativo di resistenza. E, quando Titov, per il puro piacere di fargli del male, lo aveva colpito con un'ultima scarica della cintura elettrica, vi fu una strana inerzia negli spasmi che martoriarono le membra: come se il corpo non si stesse più accorgendo del dolore.

Carver non avvertiva più i denti strappati via dalle gengive mentre la sua testa si dibatteva contro le cinghie. Quando le cuffie e il visore furono di nuovo accesi, il cervello sovraccarico respinse quella bordata di stimolazioni incoerenti, e lui scivolò in una sorta di stato onirico. Abbagliati e prosciugati di ogni umore, gli occhi erano ancora spalancati, ma il biancore abbagliante era stato sostituito da immagini del suo subconscio, ricordi di luoghi e persone rimasti sepolti per lungo tempo, che si fondevano in una nuova realtà tutta loro.

C'erano due donne bionde, anche se talvolta sembravano fondersi in una sola; i corpi e i volti non erano mai gli stessi. Riusciva a percepire i loro corpi accanto a sé. Ma, quando faceva per toccarli, quelli sgusciavano via e gli sfuggivano, e lui non riusciva più a capire nulla di quanto gli dicevano, anche se i loro volti sembravano gentili e i sorrisi lasciavano intendere quanto fossero contente di vederlo. Avrebbe voluto parlare con loro, dirgli che anche lui provava la stessa cosa; ma non riusciva a parlare. Per quanti sforzi facesse, non riusciva a dire una sola parola.

Stava attraversando i corridoi della sua vecchia scuola, e poi di colpo si ritrovò a Poole, nella mensa ufficiali. C'erano tutti i suoi amici. C'era un uomo anziano... com'è che si chiamava? Carver gli voleva molto bene, ma poi l'uomo anziano sembrava arrabbiato con lui e Carver all'improvviso si sentì molto spaventato, proprio come nei primi tempi al collegio, quando i professori se la prendevano con lui, e lui era da solo, lontano da casa, senza nessuno che gli desse un po' di conforto.

E poi si ritrovò in un tunnel, e c'era un'auto che andava verso di lui con dei fanali accecanti che gli riempivano gli occhi, e le pupille gli bruciavano come se gli avessero dato fuoco, e lui avrebbe tanto voluto trovarsi in salvo, in un posto buio. E, mentre con un movimento a spirale risaliva lungo la sua psiche, ecco che alla fine lo raggiungeva, un posto assolutamente sicuro. Stava galleggiando in acqua, solo che non era acqua normale, perché era densa e dolce.

Ma ecco che lo portavano via da quel caldo rifugio, lo trascinavano fuori al freddo. Lottò, scalciò, ma non faceva nessuna differenza; lo stavano tirando fuori all'aperto. Urlò e strillò a squarciagola, e per un momento tutto quanto andò di nuovo bene. Lo stavano cullando in braccia calde, e aveva la testa premuta contro qualcosa di deliziosamente soffice e sicuro, e la bocca era ancora una volta colma di dolcezza. Ma anche tutto ciò si dissolse nel nulla, perché altre mani lo stavano ghermendo e lo portavano via, e di nuovo lui gridava, perché voleva continuare a sentire quella morbidezza, voleva gustare ancora quella dolcezza.

Poi, come se stesse osservando dal fondo di un corridoio assurdamente lungo, acquistò consapevolezza che qualcosa di nuovo gli stava accadendo. Una felice oscurità era calata su di lui, e poteva sentire mani gentili, calde mani che gli toccavano il viso, gli accarezzavano la fronte e le guance. Tali mani sembravano diverse da quelle del suo sogno; era come se fossero più solide, più reali.

E Carver si stupì di constatare che riusciva di nuovo a muovere la bocca. «Chi sei tu?» domandò con voce roca. «Chi c'è?»

Andrej Dimitrov venne strappato dal suo profondo sopore intriso di vodka dal suono distante di uno sparo. Si tirò su di scatto sul materasso di crine, massaggiandosi con una mano la testa dolorante. Avrebbe potuto giurare di aver sentito sparare una pistola, da qualche parte in lontananza. In quel momento, però, non si udiva null'altro che il silenzio delle prime ore mattutine.

E poi fu colpito da un pensiero, e di botto si sentì le viscere nei talloni, come accade a chi va in cerca del brivido sulle montagne russe. Che ora era? Rovistò in cerca dell'orologio da polso e tentò di decifrare il quadrante luminoso. Le quattro e dieci. Avrebbe dovuto dare il cambio a Vasilij Rutsev alle quattro. Se Vaša s'incazzava e andava a raccontarlo a Kursk, lui era un uomo morto.

Si buttò giù dal letto e a tentoni cominciò a cercare sul pavimento i vestiti e le scarpe, tentando di non svegliare Titov, che russava nel letto accanto. Il suo MAC-10 si trovava in un armadietto metallico accanto al letto; mentre lo prendeva andò a sbattere col suo grosso alluce contro il telaio del letto, aggiungendo un'ulteriore dose di dolore ai tristi effetti di un furibondo doposbornia. Emise un mugolio soffocato; stava diventando troppo vecchio per bere così tanto.

Camminando con circospezione, passò oltre il let:o di Kursk e riuscì a raggiungere il pianterreno senza farsi beccare. Aprì con una spinta la porta che conduceva nel seminterrato e cominciò a scendere. La prima cosa a colpirlo fu l'odore, l'inconfondibile aroma acre del colpo di un'arma da fuoco e quello dolciastro del sangue versato.

Dimitrov si svegliò all'istante, non appena il flusso di adrenalina gli entrò in circolo: la miglior cura naturale per una sbornia. Strisciando lungo il muro, raggiunse il corridoio del seminterrato. «Rutsev», chiamò. «Vaša!»

Nessuna risposta.

Continuò ad avanzare fino alla stanza di controllo. La porta era socchiusa. Dimitrov la spalancò con un calcio, tenendo il MAC-10 all'altezza della spalla, pronto a far fuoco. Poi vide il macello sanguinolento che una volta era stata la faccia del suo compagno. Si erano fatti insieme l'Afghanistan e la Cecenia, e avevano combattuto per le strade di Mosca; non avebbe mai pensato che sarebbe saltato per aria in un lussuoso chalet sulle Alpi svizzere.

Mentre si chiedeva chi potesse avergli sparato, Dimitrov cercò di ricordare se da qualche parte avesse visto segni di effrazione. No, sarebbe stato pronto a giurarlo. Ma nessuno di quelli che si trovavano in casa avrebbe mai potuto uccidere Rutsev. Il boss era di sopra, a scoparsi quella puttana boriosa della Petrova. Titov era completamente fuori uso e Kursk non aveva una sola ragione al mondo per aggredire Dimitrov; nel corso della serata non c'era stato nessun litigio tra loro, né tantomeno erano venuti alle mani.

Rimaneva soltanto l'inglese, ma non era in condizioni di uccidere nessuno. Ed era legato a una sedia dentro una stanza chiusa a chiave.

Non era forse così?

Dimitrov guardò il monitor che mostrava la stanza di tortura, e il sangue gli si gelò nelle vene.

La sedia era vuota.

Alix piangeva mentre si ficcava la pistola nella borsa che portava appesa alla spalla e attraversava di corsa la gelida stanza bianca. Riusciva a malapena a vedere attraverso le lacrime, mentre staccava il nastro adesivo dagli occhi di Carver e gli sfiorava il viso con la mano chiudendogli le palpebre.

Gli tolse le cuffie dalla testa, quindi cominciò a slacciare le cinghie che lo tenevano legato alla sedia. Procedette dalla testa in giù, cominciando dalla parte che aveva sofferto maggiormente. Il legaccio di cuoio con cui gli era stata imbavagliata la bocca aveva provocato un disastro. Quando glielo tirò via, si staccò anche una massa di sangue rappreso. Sopra lo strato di coagulo, come una sorta di ripugnante decorazione, era attaccato un unico dente. Alix dovette distogliere lo sguardo per un momento per sedare i conati che le erano saliti fino in gola, prima di ritornare al suo lavoro.

La cintura elettrica che Carver aveva alla vita era chiusa con un lucchetto, ma le batterie che l'alimentavano potevano essere rimosse, e con loro anche il potere d'infliggere altro dolore. Quando ebbe finito, Alix si ritrovò inginocchiata ai piedi dell'uomo che amava. Baciò la carne che sanguinava là dove le cinghie e le fibbie si erano conficcate nella pelle: quasi una riproposizione del bacio che aveva ricevuto da lui, tante ore prima. Come una sorta di espiazione.

Ma Carver non ebbe nessuna reazione e, quando la donna si alzò, rimase paralizzato, occhi e bocca ancora spalancati, tanto immobile che per un momento lei ebbe paura che potesse essere morto. La carne era calda, però, il torace continuava a sollevarsi e abbassarsi al ritmo dei respiri rapidi e corti.

Allora Alix si chinò e lo prese tra le braccia. E scoppiò in singhiozzi quando infine lui parlò, con quella voce tremula e spezzata che rivelava la sua assoluta impotenza. Alix non aveva mai provato prima di allora un sentimento di compassione tanto intenso. Quando gli uomini le cadevano tra le braccia, l'aveva sempre considerata come una vittoria. Invece in quel momento provava un travolgente desiderio di prendersi cura dell'uomo che stava tenendo tra le braccia, di accudirlo e di farlo guarire, non importava quanto tempo ci sarebbe voluto.

Prima però doveva farlo alzare da quella sedia, allontanarlo dal bagliore accecante del visore. Gli parlò nell'orecchio. «Aiutami, Carver. Dobbiamo spostarti da qui. E ho bisogno che tu mi dia una mano.»

Per la prima volta, lui girò la testa e la guardò. Sbatté diverse volte le palpebre, cercando di recuperare la capacità visiva, cercando un indizio che gli dicesse chi era.

«Sono io, Alix. Sono tornata per te. Mi dispiace così tanto, tesoro. Sono stata così crudele con te, ma non volevo. Devi credermi. Ti amo. Adesso, ti prego, cerca di camminare... mi riesci a capire?»

Un'altra smorfia perplessa, altri battiti di ciglia; quindi Carver fece un cenno con la testa.

«Riesci a camminare?»

Le gambe e le braccia di Carver furono scosse da un tremito, nel tentativo di raccogliere l'energia e la determinazione per uno sforzo fisico enorme. Alix indietreggiò di un passo per lasciargli lo spazio necessario, mentre lui portava le mani sui braccioli della sedia e cominciava a spingere con tutta la sua forza. Lentamente, il viso contorto in una smorfia di sforzo e concentrazione, Carver si sollevò, centimetro dopo centimetro, finché non fu ritto in piedi. Poi crollò tra le braccia di Alix.

Lei lo sostenne in silenzio per qualche istante. Poi parlò di nuovo. «Su, tesoro, cammina, fallo per me. Un passo... un passo soltanto.»

Carver annuì di nuovo, quindi fece uno scatto in avanti con la gamba destra, con la stessa rigidità di un uomo che stia provando un arto artificiale. Portò poi il peso in avanti.

«Benissimo, tesoro. Grandioso. Un altro passo, adesso», lo incoraggiò Alix.

Lui fece ancora un passo a gamba rigida, spostandosi sul piede sinistro. Poi diede una brusca scrollata col braccio, spingendo via Alix, e fece altre due goffe falcate, prima di crollare ancora una volta tra le braccia di lei. Farfugliò qualcosa. Chiuse gli occhi, ci pensò per un momento e riprovò. «Grazie», disse a fatica, spremendo la parola fuori dalla lingua gonfia e maciullata e dai denti ciondolanti.

Alix ebbe un piccolo scoppio di risa, e sbatté le ciglia per liberarsi gli occhi dalle lacrime. «Prego, tesoro. Ma adesso vieni con me, via dalla luce.» Lo guidò lentamente verso l'angolo sotto la telecamera e lo appoggiò alla parete, come un manico di scopa. «Tutto bene?» domandò, mentre gli staccava le mani dalle spalle, tenendole però sospese a pochi centimetri dal suo corpo, pronte ad afferrarlo se fosse caduto.

Carver annuì.

Alix gli sfiorò le labbra spaccate con un lieve bacio. Poi allungò una mano nella sacca che aveva con sé, in cerca dei vestiti. Quando tirò fuori i jeans, la Sig Sauer cadde a terra con gran fracasso.

Lui annuì di nuovo, guardando la pistola, ma senza fare nessun movimento per prenderla. «Buo... no. Bisogno... arma.»

Alix non gli fece caso. Era troppo impegnata a cercare d'infilare i jeans ai piedi di Carver, e poi a tirarli su lungo le cosce e sopra quella disgustosa cintura di nylon nera; alla fine, l'uomo ebbe di nuovo una minima parvenza di decoro. Rimaneva ancora un'ultima cosa importante da fare, ma a quel punto Alix fu assalita da una bizzarra ritrosia. Era incomprensibile: dopo tutte le cose che aveva fatto, dopo tutti gli uomini con cui era stata, la rendeva nervosa il fatto di tirargli su la zip dei pantaloni. Perché mai quel gesto sembrava alludere a un'intimità tanto più profonda?

Carver percepì il suo disagio e sorrise. «Faccio io», mormorò.

Per la prima volta, Alix vide un tenue brillio accendersi nei suoi occhi. Dovette guidargli le dita sulla zip.

«Tu... mi ami?» le domandò improvvisamente Carver, come se quella per lui fosse un'idea del tutto nuova.

Alix annuì, mordendosi il labbro superiore.

«Giuri?»

«Sì», mormorò la donna, talmente piano che lei stessa sentì a malapena la parola. Poi, appena un po' più forte, ripeté: «Sì, te lo giuro». Lo abbracciò. «Va tutto bene, tesoro. Andrà tutto bene.»

Con forza inaspettata, Carver la sbatté per terra, mentre in tutta la stanza esplodeva il fragore degli spari.

Carver aveva la vista ancora appannata, punteggiata di luci danzanti. Vedeva il mondo come una pellicola che è stata in parte bruciata. A poco a poco, però, stava cominciando a riacquistare un flebile senso di connessione col mondo esterno.

Ormai sapeva che la donna accanto a lui non era sua madre. Si chiamava Alix, ed era quasi certo che si trattasse di una delle belle donne dai capelli d'oro con le quali aveva cercato di parlare, quelle che continuavano a sfuggirgli. Fu colpito dal ricordo di un dolore tremendo, una fitta al cuore, ma non riusciva a ricordare quando o perché ciò fosse avvenuto. Non aveva importanza, però, perché quella donna gli aveva detto che lo amava e che tutto sarebbe andato bene. Glielo aveva giurato.

E proprio in quel momento Carver aveva visto Dimitrov entrare nella stanza. Aveva saputo all'istante che quello era un uomo molto cattivo, uno degli uomini che avevano cercato di fargli del male, e quell'uomo cattivo impugnava una pistola. Carver non voleva che quell'uomo sparasse ad Alix e sentì montare dentro di sé una rabbia profonda, sfrenata e divorante, che gli dilagò nella mente spazzando via le poche rovine che erano rimaste dell'identità di Samuel Carver. Entrò in una sorta di trance nella quale un'identità ignota prese il sopravvento, come in un film di fantascienza dove gli alieni prendono possesso del corpo dei terrestri.

Fu quell'altra identità che buttò Alix per terra e che poi, ignorando le raffiche di pallottole che si sprigionavano dal MAC-10 di Dimitrov, fece un balzo in avanti, afferrò la Sig Sauer che stava scivolando via e, dopo essersi accucciato in posizione di tiro, colpì tre volte il russo in pieno petto.

Senza dire una parola, Carver si rialzò, andò da Alix e la

tirò su con un movimento brusco. Lei lo guardò negli occhi, spaventata da quella improvvisa rudezza, e rimase sconvolta nel non trovarvi nessun segno che le dicesse che lui la riconosceva.

«Dobbiamo uscire», disse Carver. «Garage. Auto.» Prese Alix per mano e la trascinò fuori della stanza.

Aveva una forza e una determinazione che la donna non riusciva assolutamente a spiegarsi. Non c'era nessuna relazione con l'uomo distrutto di cui si era occupata soltanto pochi minuti prima.

Corsero lungo il corridoio, verso il garage.

Al piano di sopra, nella stanza da letto di Žukovskij le cifre rosse della sveglia sul comodino scattarono sulle 04:15, un attimo prima che quella stessa sveglia venisse distrutta dall'esplosione della bomba nascosta nella valigetta del computer. Una sfera di fuoco si espanse a velocità supersonica, con un'onda d'urto che fracassò ogni cosa sulla sua traiettoria, prima che il vuoto lasciato dietro di sé la risucchiasse nuovamente verso il punto di origine.

Jurij Žukovskij, boss mafioso e oligarca miliardario con migliaia di lavoratori al proprio comando, nel giro di un secondo aveva semplicemente cessato di esistere.

La bomba era un piccolo ordigno. La deflagrazione distrusse soltanto la suite del boss, ma il fuoco cui diede origine ben presto divampò, fuori da qualsiasi controllo.

Giù nel seminterrato, Carver si fermò al rumore dell'esplosione, e sul suo viso si diffuse un ghigno di trionfo. «Va' all'inferno!» sibilò.

Alix lo fissava con gli occhi sgranati.

«Una bomba», annunciò lui. «Dobbiamo uscire. Subito!»

Si precipitarono giù per il corridoio e poi dentro il garage. Carver si guardò intorno, in cerca del comando per azionare l'apertura della porta.

«Non preoccuparti», gli gridò Alix. «So io come fare.» Schiacciò un pulsante sulla parete, e il grande portone di metallo cominciò ad aprirsi ruotando verso l'alto e all'indietro, finché non si fermò parallelo al soffitto.

Una volta fuori, i due voltarono gli occhi verso lo chalet.

Quasi volessero cercare di ghermire il cielo notturno, le fiamme si stavano già protendendo fuori delle profonde aperture dove un tempo erano le finestre della camera da letto padronale. Lungo il versante della collina salivano spirali di fumo e, tutt'intorno, il terreno era ricoperto di vetri.

Carver si affrettò su per la rampa d'asfalto che curvava fino a raggiungere l'ingresso principale dello chalet. Alix ebbe un attimo di esitazione, poi gli andò dietro.

Si nascosero nel sottobosco, accucciandosi dietro un cespuglio. Lui le rivolse uno sguardo accigliato e con la mano le intimò di fare silenzio; poi si allontanò di qualche metro. Teneva gli occhi fissi sull'ingresso principale, in attesa che apparissero gli altri abitanti della casa.

Kursk fu il primo. Emerse dallo chalet, tossendo violentamente per liberare i polmoni dal fumo, poi si raddrizzò e si guardò intorno. Era disarmato.

Pochi secondi dopo, uscì Titov. Era riuscito a salvare il suo mitra dalle fiamme, ma su di lui il fumo aveva avuto un effetto peggiore che su Kursk. Era piegato in due, le mani sulle ginocchia, e non smetteva di tossire; sembrava stesse per soffocare.

Carver si alzò e attraversò con passi furtivi la striscia di sottobosco. Sbucò ai margini dell'area di parcheggio e si diresse verso i due uomini, col lato sinistro del corpo che sembrava pennellato di rosso e arancio per effetto dell'incendio che stava divampando. I due russi si accorsero di lui solo quando si trovò a non più di cinque metri di distanza.

Rimase lì, immobile, e aspettò fino a che Grigorij Kursk non lo vide. Solo allora gli ficcò due pallottole in corpo: nello stomaco e all'inforcatura dell'inguine. Non voleva un omicidio rapido ed efficiente; gli aveva sparato in modo da provocargli molto dolore.

Kursk emise uno strillo, un gemito acuto che sembrava del tutto incongruo provenendo da una corporatura così imponente. Cadde a terra rannicchiandosi su se stesso, con le mani aggrappate ai brandelli delle interiora e della sua virilità distrutta.

Titov aveva alzato lo sguardo solo quando aveva udito la

pistola di Carver sparare. Il terzo colpo gli fece saltar via di mano il MAC-10; il quarto gli fracassò il ginocchio sinistro. Crollò a terra anche lui, ululando di dolore.

Alix stava a guardare, inorridita. Carver stava riproponendo la stessa tortura che aveva subito.

L'inglese si avvicinò a Titov e gli ficcò un'altra pallottola nella coscia, facendo scaturire un getto letale di sangue dall'arteria femorale, che zampillò nero contro lo splendore delle fiamme ruggenti. Quindi tornò verso Kursk e lo prese a calci, facendo in modo che il suo corpo si distendesse per un attimo lasciando scoperto il torace. Allora gli sparò nel polmone sinistro.

Kursk era ancora vivo, anche se le urla erano ormai ridotte a mugolii.

Carver sparò ancora due volte.

«Basta!» gridò Alix. «Basta!»

Carver si raddrizzò e si guardò intorno, con un'espressione attonita sul viso. Nello stesso modo improvviso in cui era comparsa, la tempesta che aveva infuriato dentro di lui svanì. La mano che teneva la pistola gli ricadde lungo il fianco. Tornò ad abbassare lo sguardo sugli uomini ai suoi piedi, come se non li avesse mai visti prima.

Alix attraversò lo spiazzo di asfalto e gli tolse la pistola di mano. «Andiamo via», disse dolcemente. «È finita.»

Lui annuì senza dire nulla, e si lasciò guidare lungo il vialetto che conduceva al cancello d'ingresso. Alix schiacciò un pulsante, e le grandi cancellate metalliche cominciarono ad aprirsi. I due uscirono sulla strada, e proprio in quel momento si accese il motore di un'auto e la luce di due fanali divampò.

Carver si fermò di botto, poi si chinò con la testa tra le mani, lamentandosi piano. Dall'auto emerse una figura alta.

Facendosi schermo con la mano sinistra, Alix puntò la pistola. «Non ti muovere!» intimò.

«Ehi, vacci piano!»

La donna si rilassò immediatamente quando riconobbe la voce di Thor Larsson.

Col suo passo dinoccolato, lo svedese si avvicinò. «Stavo cominciando a preoccuparmi», disse. Poi spostò lo sguardo

su Carver, che sembrava aver fatto ritorno allo stato di aliena-
zione in cui si trovava quand'era stato liberato dalla sedia di
tortura. «Cosa diavolo gli è successo?»

SABATO, 6 SETTEMBRE

Il sole degli ultimi giorni d'estate screziava le acque del lago di Ginevra, riflettendo onde danzanti di luce sul soffitto della sala soggiorno della clinica. Era un ampio spazio aperto e luminoso, ma in quel bel sabato, all'ora di pranzo, c'era un unico paziente solitario a occuparlo.

Era seduto su una sedia a rotelle, a pochi metri da un televisore. Sembrava perso in un mondo tutto suo. Continuava a borbottare, mentre il suo corpo non smetteva di prodursi in un irrefrenabile rituale di tic e spasmi muscolari. Non stava prestando la minima attenzione alle immagini che scorrevano sul video.

Otto giovani soldati vestiti in casacca rossa stavano trasportando lungo la navata di una cattedrale una bara avvolta in un drappo araldico e ricoperta di corone di fiori bianchi. La bara sfilava verso l'altare, mentre i presenti intonavano l'inno nazionale inglese, lento, simile a un canto funebre. Quando il motivo esplose in un trionfante « *Send her victorious!* » il paziente si rizzò sulla sedia e prese a fissare lo schermo.

L'inquadratura era su una coppia anziana, un uomo di mezza età e due ragazzi adolescenti vestiti in nero con abito formale e cravatta. Poi, il paziente strinse forte gli occhi e cominciò a graffiarsi la testa con entrambe le mani. C'era qualcosa di ossessivo nei suoi movimenti, e anche nella subitaneità con cui si fermarono non appena la sua attenzione ritornò allo schermo televisivo, per poi ricominciare di nuovo quando il paziente tornò a rinchiudersi in se stesso.

Era un uomo relativamente giovane, e non mostrava nessun segno di malattia o di malnutrizione. Indossava i pantaloni di un pigiama di cotone e una maglietta bianca, ed era dotato di un corpo snello e muscoloso. Intorno ai polsi e alle ca-

viglie aveva dei segni rossi: graffi, scorticature e lividi lasciavano intuire che era stato legato o costretto in qualche modo.
Aveva il viso tumefatto ed emaciato di chi è stato vittima di
un'aggressione.

Quello, in ogni caso, era soltanto un danno superficiale, dal
quale un uomo della sua età si sarebbe ripreso in fretta. A preoccupare maggiormente erano gli occhi. C'era nel suo sguardo
una vacuità assente, come se gli riuscisse difficile concentrarsi
sul mondo che lo circondava e ancora più difficile trovare un
senso in ciò che vedeva.

Le infermiere lo chiamavano Samuel.

Aleksandra Petrova dovette fermarsi un istante fuori dell'ingresso della clinica. Era andata a trovare Carver ogni mattino
e ogni sera da quando, due giorni prima, lei e Thor Larsson lo
avevano fatto entrare in quella rinomata struttura, eccezional-
mente discreta e costosa; ma doveva ancora farsi animo per
riuscire ad affrontare quello che l'aspettava là dentro.

Quando attraversò la porta a vetri che conduceva nell'ario-
sa sala soggiorno, le andò incontro un'infermiera.

«Come sta oggi Samuel?» le domandò Alix.

«Oggi un po' meglio», rispose l'infermiera. «Lo abbiamo
fatto scendere dal letto, ma è ancora terribilmente confuso, po-
verino. Sta guardando in televisione il funerale della principessa. Non credo nemmeno che sappia quello sta succedendo,
per sua fortuna.» Rimase a osservare il suo paziente per qualche istante, poi aggiunse: «È talmente pieno di paura...» Sul
suo viso gentile e premuroso calò un'ombra. «Come si può fare questo a un altro essere umano?»

NOTA DELL'AUTORE

Il giorno dell'incidente è stato ispirato da eventi reali, dalla reazione che essi hanno suscitato a livello mondiale e dalla ridda di ipotesi che ancora oggi continuano a circondarli. Tuttavia affermo nel modo più esplicito che questa rimane inequivocabilmente un'opera di fiction. Non sto in nessun modo affermando di essere a conoscenza di un qualche presunto complotto esistito davvero e che, non si sa come, è rimasto nascosto o è passato sotto silenzio fino a oggi. Un giornalista investigativo o un detective della polizia impiegano specifici mezzi di ricerca e di investigazione per arrivare a conoscere la risposta alla concreta domanda: «Che cosa è successo?» Ma, da romanziere, io ho cercato invece di usare la mia immaginazione per inventare una risposta a un quesito assai diverso, di natura ipotetica: «Che cosa sarebbe successo se...?»

Tom Cain

Frank Schätzing

SILENZIO ASSOLUTO

*Sui giornali non troverete nessun accenno all'«incidente».
E, dato che l'«incidente» non è apparso sui media,
in realtà non è mai avvenuto.
Questa è la sua storia.*

Che cosa ci fa un ex terrorista a Colonia, mentre la città intera si prepara all'arrivo degli uomini più potenti della Terra, convocati per l'imminente G8? È la domanda che tormenta Liam O'Connor, fisico irlandese di fama mondiale, candidato al premio Nobel e autore di bestseller, arrivato in Germania per un tour promozionale. Perché Liam è certo di aver visto proprio all'aeroporto un suo vecchio amico, Paddy Clohessy, un tempo membro dell'IRA e adesso, almeno in apparenza, impiegato come tecnico in quella struttura che è ovviamente al centro della rete di massima sicurezza che circonda la città. Genio per natura – e spesso ubriaco per scelta –, Liam non riesce a convincere nessuno del potenziale pericolo: la sua addetta stampa è troppo occupata a fargli rispettare gli impegni presi; la polizia è travolta da una valanga di problemi ben più concreti; i responsabili dell'aeroporto sono sicuri di aver creato una fortezza inattaccabile.
Eppure Liam ha ragione: qualcuno ha deciso che quel G8 è il momento giusto per generare un formidabile buco nero nella Storia, per compiere un attentato così eclatante da cambiare per sempre il destino dell'umanità...

Susana Fortes

QUATTROCENTO

IL BESTSELLER VIENE DALLA SPAGNA

Firenze, aprile 1478. Sono giorni terribili, quelli che seguono il fallimento della congiura ordita dalla famiglia Pazzi contro i Medici. Firenze è assetata di sangue, decisa a punire con la tortura o con la morte chiunque abbia partecipato alla cospirazione. Al sicuro nel suo palazzo, Lorenzo il Magnifico viene a sapere dei cadaveri gettati in Arno, delle decapitazioni, dei linciaggi. È la città intera che vendica la morte di suo fratello Giuliano e che si consegna nelle sue mani, rendendolo potente come non mai...
Firenze, oggi. Sono in pochi a conoscere Pierpaolo Masoni, pittore rinascimentale dallo stile e dall'animo tormentato. E Ana Sotomayor, dottoranda in Storia dell'arte, è arrivata a Firenze proprio per capire qualcosa di più su questo oscuro personaggio. Le sue appassionate ricerche si appuntano su uno dei quadri più controversi di Masoni, in restauro nei laboratori degli Uffizi, e su una serie di quaderni in cui il pittore racconta nei dettagli la propria esistenza e le vicende che hanno segnato la storia di Firenze alla fine del XV secolo, tra cui la congiura dei Pazzi. D'un tratto, però, Ana diventa oggetto di minacce e ricatti e si ritrova a temere per la propria vita e per quella delle persone a lei care. È chiaro che, nell'esistenza di Masoni, ci sono più misteri di quanti lei avesse immaginato...

EDITRICE NORD

Matthew Reilly

LE SEI PIETRE SACRE

« È impossibile non lasciarsi coinvolgere
da questa caccia al tesoro. »
Booklist

Dopo aver ritrovato la punta d'oro della Piramide di Giza,
Jack West crede di potersi godere un meritato riposo in
Australia, insieme con Lily, la sua figlia adottiva. Ma un
membro del suo team lo contatta e gli rivela che superare le
Sette Prove è stato soltanto l'inizio: il mondo, insomma, ha
ancora bisogno di loro, perché un'altra catastrofe incombe.
Stavolta la sfida consiste nel trovare sei leggendari
diamanti – i Pilastri – e incastonarli nelle altrettanto
leggendarie Sei Pietre Sacre: soltanto così si potrà
contrastare una gigantesca fonte di energia che finirebbe
per distruggere completamente l'umanità. Nel breve arco
di nove giorni, il gruppo di West dovrà sopravvivere a un
inseguimento sulle montagne della Cina e a una tribù
cannibale in Congo; esplorare una città sommersa sotto il
capo di Buona Speranza, impadronirsi di un sommergibile
e scoprire qual è il vero segreto di Stonehenge...

Patrick Senécal

UNA MENTE PERICOLOSA

« Un thriller che inquieta e stupisce. »
Journal de Montréal

La notizia ha dell'incredibile: Thomas Roy, autore famoso
in tutto il mondo per i suoi agghiaccianti romanzi horror, si
è gettato da una finestra del suo lussuoso appartamento
dopo essersi gravemente ferito alle mani con una taglierina.
Salvato in extremis, Roy adesso è ricoverato in un ospedale
psichiatrico, ma è in uno stato quasi catatonico e non
risponde alle domande dei medici e soprattutto a quelle
della polizia, che ha scoperto in casa dello scrittore un
quaderno in cui sono minuziosamente descritti ben sette
orribili crimini avvenuti di recente a Montréal. E che ha
trovato sul suo computer, rimasto acceso, la
settantatreesima pagina di un nuovo romanzo, basato su
un poliziotto impazzito che compie una strage tra un
gruppo di alunni in gita scolastica... il racconto, preciso fin
nei minimi dettagli, di un grave fatto di cronaca avvenuto il
giorno precedente. Cosa nasconde, Thomas Roy? È
semplicemente un autore che si è avvicinato troppo alla
fonte della sua ispirazione, perdendo il senno, oppure quei
fatti di sangue lo coinvolgono in prima persona?
Affascinato suo malgrado dalla mente pericolosa del suo
paziente, lo psichiatra Paul Lacasse cerca un contatto con
Thomas e riesce infine a far breccia nel suo mutismo. Ma
nulla lo può preparare ai segreti che quell'uomo ha
conservato dentro di sé da molti, moltissimi anni...

EDITRICE NORD

Narrativa Nord – Volume n. 324 – giugno 2008
Pubblicazione periodica registrata al Tribunale di Milano in data 2/2/1980, n. 49
Direttore responsabile: Stefano Mauri

Finito di stampare
nel mese di giugno 2008
per conto della Casa Editrice Nord s.u.r.l.
dal Nuovo Istituto Italiano d'Arti Grafiche - Bergamo
Printed in Italy